40°

青森

秋田　岩手

山形　宮城

新潟　福島

富山　栃木

石川　群馬　茨城

福井　長野　埼玉

岐阜　山梨　東京　千葉

滋賀　愛知　神奈川

三重　静岡

沖縄

25°

ワシントン DC（38度50分）

サンフランシスコ（37度50分）

ソウル（37度30分）

ラスベガス（37度10分）

釜山（35度10分）

ヒューストン（29度50分）

デリー（28度40分）

JN103759

全国

通訳案内士試験

地理・歴史・一般常識・実務

パーフェクト対策

新装改訂版

CEL英語ソリューションズ 江口裕之＋佐治博

**the japan times**出版

　本書は、全国通訳案内士国家試験・第一次試験（筆記試験）における、「日本地理」「日本歴史」「一般常識」「通訳案内の実務」の4科目の受験対策参考書です。各科目の特徴については本書の本編をご覧ください。試験の全体像については、試験の施行団体であるJNTO（独立行政法人国際観光振興機構 https://www.jnto.go.jp/jpn/）のウェブページから、「全国通訳案内士試験」というページに進むことができますので、そこで情報を収集してください。

　「日本地理」「日本歴史」「一般常識」「通訳案内の実務」の4科目はカバーする範囲が広く、また、年度によって大きく難易度や試験の方向性が異なります。受験準備をするための市販教材は多々あるものの、受験者が最も苦労するのは、どの教材のどの部分をどの程度まで学習すればいいのかが分からない点です。

　学習教材については人それぞれ好みがあります。そこで本書では、皆さんが読みやすい、分かりやすい、覚えやすいと思う教材をベースに学習したうえで、その中から合格に必要な項目を確認していただけるように、過去問題の詳細な分析に基づいて、合格点を取れるだけの知識を簡潔な一問一答形式でまとめました。

　複数の科目に対して同時進行で準備を進めていくには、知識のバランスが必要です。そこで、本書では、各問題の頻出度を3段階に分け、出題頻度が高いものから順に★★★、★★☆、★☆☆のマークを付けてあります。各分野とも★★★から確認を始め、次に★★→★へとバランスよく知

識を拡大していきましょう。

　本書では読みやすさを最優先に考え、ルビ（フリガナ）を徹底しました。また、「日本地理」「日本歴史」の分野においては、雨温図、地図、写真などを多く用い、ビジュアル面からも学習をサポートしています。一方、「一般常識」では背景が分かるように設問を詳しくし、「通訳案内の実務」では、法令関係の補足説明を加えました。

　なお、ある設問の解答が後続の設問文に出てくる、というパターンを避けるために、できる限り「問題○○」という表現を使いましたが、設問文が曖昧になる場合には、あえて、直前の設問の解答が後続の設問文に出てくることもやむなしとしました。ご了承ください。

　また、巻末に本試験と同じボリュームの模擬試験を用意しました。学習の総仕上げにご利用ください。合格の目安となる得点率は、日本地理と日本歴史が7割以上、一般常識と通訳案内の実務が6割以上となります。

　今回の改訂にあたっては、最新の出題傾向を確認のうえ、必要に応じて問題を一部差し替えました。本書を通じて一人でも多くの方が、試験に合格され、今後の日本の国際観光業の舞台で活躍されることを願ってやみません。

江口裕之・佐治博

本書は『全国通訳案内士試験 地理・歴史・一般常識・実務パーフェクト対策』（2020年／DHC刊）を再編集したものです。今回の新装改訂版刊行にあたり、一部加筆修正を行いました。

# Contents

## 第1章 日本地理

## 第2章 日本歴史

第 **3** 章 一般常識

## 第4章 実務

## 第5章 模擬テスト

編集協力：大塚智美
装丁・本文デザイン・DTP：清水裕久（PescoPaint）
写真提供：iStock、PIXTA※
※パブリック・ドメイン以外かつ各ページに記載がないもの
（日本地理 668、710、742 と日本歴史 692、700 を除く）

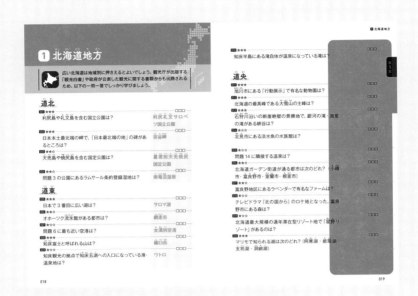

## 1 短期間で最大の効果！ 頻出度付き一問一答

　頻出度を3段階の★印で示しました。全問にあたる時間のある人はぜひ全問に取り組んでいただきたいですが、本番までの残された時間を考慮し、頻出度の高いものから取り組むという学習も可能です。

　　　頻出度　　[高]　★★★　＞　★★☆　＞　★☆☆　[低]

## 2 一問一答形式

　参考書を眺めているだけでは試験に出題されるポイントが記憶からすり抜けてしまうことがあります。一方、問題を解くことで集中力を高め、知識を短期間で頭に定着させることができます。解答を隠せる赤シートも活用しながら、出題頻度の高い問題を大量に解くことで、試験対策を万全にする。それが本書の特長です。

# ❸ 写真問題・地図問題にも対応

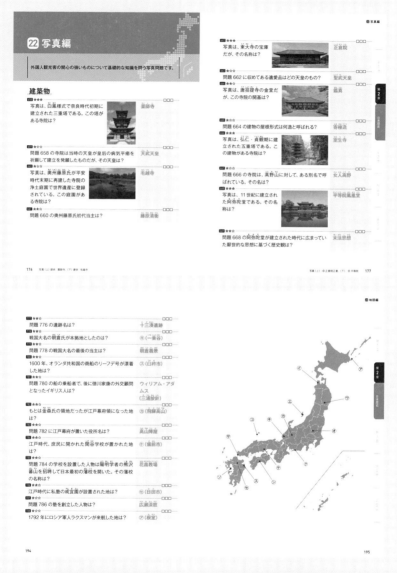

過去に多く出題された問題はもちろん、最近の出題傾向を分析した結果、絶対に覚えておくべきビジュアル問題をまとめています。

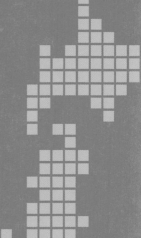

# 第1章

# 日本地理
## ［一問一答］

# 「日本地理」問題の特徴

試験のガイドラインでは、次のように定められています。

(1) 試験方法

試験は、外国人観光旅客が多く訪れている又は外国人観光旅客の評価が高い観光資源に関連する日本地理についての主要な事柄 (日本と世界との関わりを含む。) のうち、外国人観光旅客の関心の強いものについての基礎的な知識を問うものとする。

・試験の方法は、多肢選択式 (マークシート方式) とする。

・試験時間は、30 分とする。

・試験の満点は、100 点とする。

・問題の数は 30 問程度とする。

・内容は、地図や写真を使った問題も含まれるものとする。

(2) 合否判定

・合否判定は、原則として 70 点を合格基準点として行う。

※「全国通訳案内士試験ガイドライン」より

　ただし、年度によっては外国人観光客が関心を持つとは考え難いトリビア的な問題も多々出題されています。地理学・気象学などの学術的な分野からの出題もかつては多くありましたが、近年の傾向では、観光地理に徹しているようです。そのため、日本各地の観光地や観光ルートを、観光ガイドブックや地図帳などを使いながら、旅行気分で回っていくと自然と合格に必要な知識が身に付くはずです。

第1章

日本地理

第2章

第3章

第4章

第5章

　ガイドラインにある、地図や写真を使った問題ですが、出題数は30問中、2～3問です。地理では、建造物や観光地の写真を見てその所在地や名称を判断したり、地図上から該当の観光地などの位置や名称を選んだりする問題が基本です。まれに航空写真が用いられることもあります。大問は北から南へ地域別になっている場合もあれば、世界遺産や国立公園などの分野別になっている場合もあります。

　本書の「日本地理」編では、北海道から南へ下る要領で、全国の観光地に関する情報を地方別に、さらに、詳細な設問を都道府県別に並べました。その後に、写真問題と雨温図・地図合体問題を配置してあります。クリアできた設問は設問のチェックボックスに印を付けていきましょう。そうすると、どの地域・どの分野の知識の強化を必要としているかが明確になるはずです。

　最後に模擬テストを解いて、解答・解説を確認しましょう。合格の目安は70点以上と考えてください。大問は地図上を北から南へと進むように設定してありますので、自分の弱点となっている地域を見つけて最終確認を行いましょう。

## 「日本地理」の出題傾向

▶ 2020　　　　　　　　　　　＊特筆がない場合は、文章の空所や下線部に関して小問に答える。

| 大問 | 形式＊ | テーマ | 小問 | マークシート | 正解の必須知識 |
|---|---|---|---|---|---|
| 1 | | 青森県弘前市 | 1 | 1 | 弘前市の重伝建 |
| | | | 2 | 2 | 岩木山の火山分類 |
| | | | 3 | 3 | 嶽きみ（トウモロコシ） |
| 2 | | 秋田県 | 1 | 4 | 男鹿半島 |
| | | | 2 | 5 | 陸繋島 |
| | | | 3 | 6 | 入道崎 |
| | | | 4 | 7 | 石焼料理 |
| 3 | | 栃木県日光市 | 1 | 8 | 奥日光湯元温泉 |
| | | | 2 | 9 | 男体山 |
| | | | 3 | 10 | イザベラ・バード |
| 4 | | 伊豆諸島 | 1 | 11 | 雄山 |
| | | | 2 | 12 | 黄八丈 |
| | 地図問題 | | 3 | 13 | 伊豆諸島の島の位置 |
| 5 | | 富士山 | 1 | 14 | 朝霧高原 |
| | | | 2 | 15 | 白糸の滝 |
| | | | 3 | 16 | 青木ヶ原 |
| | 地図問題 | | 4 | 17 | 富士五湖の位置 |
| | | | 5 | 18 | 忍野八海 |
| 6 | | 長野県 | 1 | 19 | 千国街道 |
| | | | 2 | 20 | 木崎湖 |
| | | | 3 | 21 | 青鬼 |
| | | | 4 | 22 | 白馬村の外国人観光客 |
| 7 | | 西日本の山 | 1 | 23 | 石鎚山 |
| | | | 2 | 24 | 宮之浦岳 |
| 8 | 文章引用問題 | 伊勢志摩 | 1 | 25 | 三島由紀夫 |
| | | | 2 | 26 | 二見ヶ浦 |
| | | | 3 | 27 | 英虞湾 |
| 9 | | 瀬戸内海 | 1 | 28 | 国立公園の歴史 |
| | | | 2 | 29 | 小豆島 |
| | | | 3 | 30 | 鞆の浦 |
| | | | 4 | 31 | 瀬戸大橋 |
| 10 | | 島根県 | 1 | 32 | 鳥取砂丘特産物（らっきょう） |
| | | | 2 | 33 | 大山 |
| | | | 3 | 34 | 打吹玉川（重伝建） |

| 11 | | 別府湾<br><small>べっぷ</small> | 1 | 35 | 国東半島<br><small>くにさき</small> |
| | | | 2 | 36 | リアス式海岸 |
| | | | 3 | 37 | 別府温泉<br><small>べっぷ</small> |
| | | | 4 | 38 | 高崎山自然動物園<br><small>たかさきやま</small> |
| 12 | | 筑後川<br><small>ちく ご がわ</small> | 1 | 39 | 有明海<br><small>ありあけかい</small> |
| | | | 2 | 40 | 観光列車（ゆふいんの森） |
| | | | 3 | 41 | 柳川市<br><small>やながわ し</small> |
| | | | 4 | 42 | 大川市<br><small>おおかわ し</small> |

▶ 2021　　　　　　　　　　　　　　　　　　＊特筆がない場合は、文章の空所や下線部に関して小問に答える。

| 大問 | 形式* | テーマ | 小問 | マークシート | 正解の必須知識 |
|---|---|---|---|---|---|
| 1 | | 岩手県盛岡市<br><small>もりおか し</small> | 1 | 1 | 最上川<br><small>も がみがわ</small> |
| | | | 2 | 2 | 南部鉄器<br><small>なん ぶ</small> |
| | | | 3 | 3 | じゃじゃ麺 |
| 2 | | 群馬県 | 1 | 4 | 白根山<br><small>しら ね さん</small> |
| | | | 2 | 5 | 四万温泉<br><small>し ま</small> |
| | | | 3 | 6 | 水沢うどん<br><small>みずさわ</small> |
| | 地図問題 | | 4 | 7 | 群馬県の温泉の位置 |
| 3 | | 高尾山<br><small>たか お さん</small> | 1 | 8 | 高尾山について正誤<br><small>たか お さん</small> |
| | | | 2 | 9 | 薬王院<br><small>やくおういん</small> |
| | | | 3 | 10 | とろろそば |
| 4 | | 五箇山<br><small>ご か やま</small> | 1 | 11 | 相倉集落<br><small>あいのくら</small> |
| | | | 2 | 12 | 合掌造りの目的<br><small>がっしょう</small> |
| | | | 3 | 13 | 五箇山豆腐<br><small>ご か やま</small> |
| 5 | | 三河湾<br><small>み かわ</small> | 1 | 14 | 知多半島<br><small>ち た</small> |
| | | | 2 | 15 | 半田赤レンガ建物<br><small>はん だ</small> |
| 6 | 文章引用問題 | 斑鳩<br><small>いかるが</small> | 1 | 16 | 斑鳩<br><small>いかるが</small> |
| | | | 2 | 17 | 大和川<br><small>やまとがわ</small> |
| | | | 3 | 18 | 唐招提寺<br><small>とうしょうだい じ</small> |
| | | | 4 | 19 | 法隆寺夢殿<br><small>ほうりゅう じ ゆめどの</small> |
| 7 | | 阿蘇山<br><small>あ そ さん</small> | 1 | 20 | カルデラ盆地 |
| | | | 2 | 21 | 豊肥本線<br><small>ほう ひ</small> |
| | | | 3 | 22 | やまなみハイウェイ |
| | | | 4 | 23 | 水前寺成趣園<br><small>すいぜん じ じょうじゅえん</small> |
| 8 | | 吉野川<br><small>よし の がわ</small> | 1 | 24 | 四国三郎（吉野川）<br><small>し こくさぶろう よし の がわ</small> |
| | | | 2 | 25 | 脇町南町（重伝建）<br><small>わきまちみなみまち じゅうでんけん</small> |
| | | | 3 | 26 | 三角州<br><small>さんかく す</small> |
| | | | 4 | 27 | 紀伊水道<br><small>き い</small> |
| | | | 5 | 28 | 徳島県の農産物（すだち） |
| 9 | | 百舌鳥・古市古墳群<br><small>も ず ふるいち</small> | 1 | 29 | 仁徳天皇陵<br><small>にんとく</small> |
| | | | 2 | 30 | 百舌鳥古墳群<br><small>も ず</small> |
| | | | 3 | 31 | 前方後円墳 |
| | | | 4 | 32 | 岸和田だんじり<br><small>きし わ だ</small> |

▶ 2022      ＊特筆がない場合は、文章の空所や下線部に関して小問に答える。

| 大問 | 形式＊ | テーマ | 小問 | マークシート | 正解の必須知識 |
|---|---|---|---|---|---|
| 1 | | 北海道函館市 | 1 | 1 | 亀田半島 |
| | | | 2 | 2 | カトリック元町教会 |
| | | | 3 | 3 | 函館山 |
| | | | 4 | 4 | 湯の川温泉 |
| 2 | | 山形県酒田市 | 1 | 5 | 庄内平野と最上川 |
| | | | 2 | 6 | 山居倉庫の用途 |
| | | | 3 | 7 | 山居倉庫の登録項目 |
| 3 | | 神奈川県鎌倉市 | 1 | 8 | 江の島 |
| | | | 2 | 9 | 若宮大路と段葛 |
| | | | 3 | 10 | 江ノ電 |
| | | | 4 | 11 | 切通し |
| 4 | | 馬籠宿<br>（岐阜県中津川市） | 1 | 12 | 馬籠宿の所在県 |
| | | | 2 | 13 | 木曽山脈 |
| | | | 3 | 14 | 島崎藤村 |
| 5 | | 紀伊半島 | 1 | 15 | 中央構造線 |
| | | | 2 | 16 | 串本 |
| | | | 3 | 17 | 金峯山寺 |
| | | | 4 | 18 | つぼ湯 |
| | | | 5 | 19 | 筏流し（北山川） |
| 6 | | 愛媛県 | 1 | 20 | 現存天守 |
| | | | 2 | 21 | 内子町 |
| | | | 3 | 22 | 臥龍山荘 |
| | | | 4 | 23 | 大洲市の鵜飼 |
| 7 | | 鹿児島県 | 1 | 24 | 活火山を選ぶ |
| | | | 2 | 25 | 仙巌園 |
| | | | 3 | 26 | 集成館 |
| | | | 4 | 27 | 知覧（重伝建） |
| 8 | 航空写真問題 | 山陰地方 | 1 | 28 | 大山の位置 |
| | | | 2 | 29 | 斐伊川の位置 |
| | | | 3 | 30 | 出雲大社 |

▶ 2023

＊特筆がない場合は、文章の空所や下線部に関して小問に答える。

| 大問 | 形式＊ | テーマ | 小問 | マークシート | 正解の必須知識 |
|---|---|---|---|---|---|
| 1 | | 宮城県仙台市 | 1 | 1 | 広瀬川 |
| | | | 2 | 2 | 瑞鳳殿 |
| | | | 3 | 3 | 味噌（仙台藩の保存食・調味料） |
| | | | 4 | 4 | 秋保温泉 |
| 2 | | 立山黒部アルペンルート | 1 | 5 | 長野県大町市 |
| | | | 2 | 6 | 常願寺川 |
| | | | 3 | 7 | 芦峅寺 |
| 3 | | 千葉県香取市 | 1 | 8 | 下総 |
| | | | 2 | 9 | 利根川 |
| | | | 3 | 10 | 佐原 |
| | | | 4 | 11 | 伊能忠敬 |
| 4 | 写真問題 | 長野県東御市 | 1 | 12 | 千曲川 |
| | | | 2 | 13 | 北国街道と海野宿 |
| | | | 3 | 14 | 東御市はワイン特区 |
| 5 | | 京都府 | 1 | 15 | 貴船神社の川床 |
| | | | 2 | 16 | 如意ヶ嶽 |
| | | | 3 | 17 | 時代祭り |
| | | | 4 | 18 | 東寺（教王護国寺） |
| 6 | | 瀬戸内海 | 1 | 19 | 寒霞渓 |
| | | | 2 | 20 | 直島 |
| | | | 3 | 21 | 金丸座（旧金毘羅大芝居） |
| | | | 4 | 22 | 鞆の浦 |
| | | | 5 | 23 | 平家納経（厳島神社） |
| 7 | 地図問題 | 九州北部 | 1 | 24 | 沖ノ島を地図上で選ぶ |
| | | | 2 | 25 | 有田焼 |
| | | | 3 | 26 | 門司港レトロ |
| 8 | | 沖縄県 | 1 | 27 | ザトウクジラ（慶良間諸島） |
| | | | 2 | 28 | 東平安名崎（宮古島） |
| | | | 3 | 29 | 竹富島（重伝建） |
| | | | 4 | 30 | マングローブ林（西表島） |

# 1 北海道地方

 広い北海道は地域別に押さえるとよいでしょう。観光庁が出版する「観光白書」や政府が公表した観光に関する書類からも出題されるため、以下の一問一答でしっかり学びましょう。

## 道北

**001 ★★★** □□□
利尻島や礼文島を含む国立公園は？

利尻礼文サロベツ国立公園

**002 ★★★** □□□
日本本土最北端の岬で、「日本最北端の地」の碑があるところは？

宗谷岬

**003 ★★☆** □□□
天売島や焼尻島を含む国定公園は？

暑寒別天売焼尻国定公園

**004 ★★☆** □□□
問題3の公園にあるラムサール条約登録湿地は？

雨竜沼湿原

## 道東

**005 ★★★** □□□
日本で3番目に広い湖は？

サロマ湖

**006 ★★☆** □□□
オホーツク流氷館がある都市は？

網走市

**007 ★☆☆** □□□
問題6に最も近い空港は？

女満別空港

**008 ★★★** □□□
知床富士と呼ばれる山は？

羅臼岳

**009 ★☆☆** □□□
知床観光の拠点で知床五湖への入口になっている港・温泉地は？

ウトロ

010 ★★★ □□□
知床半島にある滝自体が温泉になっている滝は？ カムイワッカ湯の滝

# 道央

011 ★★★ □□□
旭川市にある「行動展示」で有名な動物園は？ 旭山動物園

012 ★★★ □□□
北海道の最高峰である大雪山の主峰は？ 旭岳

013 ★★★ □□□
石狩川沿いの断崖絶壁の景勝地で、銀河の滝・流星の滝がある峡谷は？ 層雲峡

014 ★☆☆ □□□
北見市にある淡水魚の水族館は？ 北の大地の水族館［山の水族館］

015 ★☆☆ □□□
問題14に隣接する温泉は？ 温根湯温泉

016 ★★☆ □□□
北海道ガーデン街道が通る都市は次のどれ？（小樽市・富良野市・室蘭市・根室市） 富良野市

017 ★★☆ □□□
富良野地区にあるラベンダーで有名なファームは？ ファーム富田

018 ★☆☆ □□□
テレビドラマ『北の国から』のロケ地となった、富良野市にある森は？ 麓郷（の森）

019 ★☆☆ □□□
北海道最大規模の通年滞在型リゾート地で「星野リゾート」があるのは？ トマム

020 ★★★ □□□
マリモで知られる湖は次のどれ？（阿寒湖・能取湖・支笏湖・洞爺湖） 阿寒湖

**021** ★☆☆ □□□

湖面の色が変化することから五色沼（ごしきぬま）の別名がある、阿寒摩周国立公園（あかんましゅう）内の湖は？

オンネトー

**022** ★★★ □□□

特別天然記念物「タンチョウ」の越冬地として知られる国立公園は？

釧路湿原国立公園（くしろ）

**023** ★☆☆ □□□

「釧路の台所」と呼ばれる、釧路市の公設市場（くしろ）は？

（釧路）和商市場（わしょう）

**024** ★★★ □□□

日高山脈（ひだか）の最南端にある岬は？

襟裳岬（えりもみさき）

# 道南（どうなん）

**025** ★★☆ □□□

日高山脈の西南端に位置する標高 810m の山で、世界ジオパークに認定されている山は？

アポイ岳（だけ）

**026** ★☆☆ □□□

室蘭市（むろらん）にあって太平洋に突き出す岬で、地球が丸いことを体感できる眺望で有名なのは？

地球岬 ［チキウ岬］

**027** ★☆☆ □□□

札幌市（さっぽろ）にある、イサム・ノグチが基本設計をした公園は？

モエレ沼公園

**028** ★★☆ □□□

札幌市の観光地で、クラーク博士の立像があるのは？

（さっぽろ）羊ヶ丘（ひつじがおか）展望台

**029** ★☆☆ □□□

総延長約 900m、店舗数約 200 軒の全蓋（ぜんがい）アーケードを持つ、札幌市の商店街は？

狸小路（たぬきこうじ）

**030** ★☆☆ □□□

札幌市を東西に画する起点となる人工河川は？

創成川（そうせいがわ）

**031** ★★★ □□□

さっぽろ雪まつりの中心会場は？

大通公園（おおどおり）

**032** ★★★　□□□
小樽海岸を含む国定公園は？

ニセコ積丹小樽海岸国定公園

**033** ★☆☆　□□□
小樽市にある、手作り硝子の製造・販売を行う、1901（明治34）年創業の会社は？

北一硝子

**034** ★☆☆　□□□
手宮（小樽）〜札幌間で開業した北海道最初の鉄道の官営幌内鉄道（当時）は、何の運搬が目的で建設された？

石炭

**035** ★★★　□□□
蝦夷富士と呼ばれる山は？

羊蹄山

**036** ★★★　□□□
有珠山の北にあるカルデラ湖を含む国立公園は？

支笏洞爺国立公園

**037** ★★★　□□□
問題36にある特別天然記念物の火山は？

昭和新山

**038** ★★★　□□□
駒ヶ岳や蓴菜沼がある国定公園は？

大沼国定公園

**039** ★☆☆　□□□
函館山に伸びる人気の坂道は次のどれ？（八幡坂・地蔵坂・稲荷坂・庚申坂）

八幡坂

**040** ★☆☆　□□□
「箱館発展の恩人」と言われる淡路島出身の豪商は？

高田屋嘉兵衛

**041** ★★★　□□□
箱館戦争の舞台となった稜堡式の城郭は？

五稜郭

**042** ★★☆　□□□
函館市にある温泉は次のどれ？（川湯温泉・定山渓温泉・登別温泉・湯の川温泉）

湯の川温泉

第1章
日本地理

第2章

第3章

第4章

第5章

# ② 東北地方

 「青森」「岩手」「宮城」「秋田」「山形」「福島」で構成される東北エリアは歴史とも関連する問題が出題されます。

## 青森県

043 ★★☆ ⬜⬜⬜
本州最北端の岬は？　　大間崎

044 ★★☆ ⬜⬜⬜
下北半島西岸にある、天然記念物に指定されている
奇岩景観の景勝地は？　　仏ヶ浦

045 ★★☆ ⬜⬜⬜
下北半島にある日本三大霊場の1つは？　　恐山（菩提寺）

046 ★☆☆ ⬜⬜⬜
問題45に隣接するカルデラ湖は？　　宇曽利山湖

047 ★★☆ ⬜⬜⬜
青森市にある、特別史跡に指定された縄文時代の大
規模集落跡で、世界遺産に登録されているのは？　　三内丸山遺跡

048 ★★★ ⬜⬜⬜
青森市で夏に行われる東北三大祭りの1つは？　　ねぶた祭

049 ★☆☆ ⬜⬜⬜
津軽半島最北端は？　　龍飛崎

050 ★★☆ ⬜⬜⬜
津軽半島西岸にある、周囲約30kmの汽水湖は？　　十三湖

051 ★☆☆ ⬜⬜⬜
太宰治記念館の斜陽館がある都市は？　　五所川原（市）

052 ★★☆ ⬜⬜⬜
津軽富士と呼ばれる山は？　　岩木山

053 ★★★ ───□□□
青森県にある、現存天守が残る桜の名所で知られる城は？
弘前城

054 ★★★ ───□□□
ブナ原生林で知られる世界自然遺産の山地は？
白神山地

055 ★☆☆ ───□□□
問題 54 の西麓にある約 30 の湖沼群は？
十二湖

056 ★★★ ───□□□
十和田湖を含む国立公園は？
十和田八幡平国立公園

057 ★★☆ ───□□□
十和田湖遊覧船が就航する休屋港の近くにある、高村光太郎作のブロンズ像は？
乙女の像

058 ★★★ ───□□□
十和田湖を水源とする渓流で、新緑と紅葉の名所とされるのは？
奥入瀬渓流

059 ★☆☆ ───□□□
青森県外の温泉は次のどれ？（酸ヶ湯温泉・下風呂温泉・玉川温泉・大鰐温泉）
玉川温泉（秋田県）

060 ★★☆ ───□□□
魚のアラを使った青森県の郷土料理は？
じゃっぱ汁

# 岩手県

061 ★★☆ ───□□□
岩手県にある日本最大の民間総合農場は？
小岩井農場

062 ★★★ ───□□□
宮沢賢治の出生地として知られる都市は？
花巻（市）

063 ★★★ ───□□□
世界遺産の中尊寺がある町は？
平泉町

064 ★★☆ ───□□□
問題 63 の町にある、庭園が特別名勝、境内が特別史跡に指定されている世界遺産の寺院は？
毛越寺

**065** ★★☆ □□□

渓谷を横断するロープで団子を販売する「郭公だんご」で知られる岩手県の渓谷は？

厳美渓

**066** ★★★ □□□

断崖絶壁の景勝地である北山崎がある国立公園は？

三陸復興国立公園

**067** ★☆☆ □□□

日本三大鍾乳洞の1つに数えられる岩手県の鍾乳洞は？

龍泉洞

**068** ★★☆ □□□

宮古市にある、日本の白砂青松100選に含まれる海岸は？

浄土ヶ浜

**069** ★★☆ □□□

河童の伝承地「カッパ淵」がある都市は？

遠野（市）

**070** ★☆☆ □□□

釜石市にある世界遺産の高炉跡は？

橋野鉄鉱山
[橋野高炉跡]

**071** ★★★ □□□

三陸海岸に見られる鋸の歯のような海岸地形の名称は？

リアス式海岸

**072** ★★☆ □□□

東北新幹線と秋田新幹線が分岐する駅は？

盛岡駅

**073** ★☆☆ □□□

奥州市や盛岡市で有名な金属工芸品は？

南部鉄器

**074** ★★☆ □□□

椀に盛った少量のそばを食べると給仕人がすぐにつぎ足す岩手県の郷土料理は？

わんこそば

**075** ★☆☆ □□□

盛岡市で夏に行われる盆踊りの一種で、東北五大祭りに数えられるのは？

盛岡さんさ踊り

# 宮城県

**076** ★★☆ □□□
宮城県北東端にある水産業が盛んな都市は？ 　気仙沼（市）

**077** ★★☆ □□□
栗駒国定公園にある紅葉の名所で、宮城県の名勝に指定されているのは？ 　鳴子峡

**078** ★☆☆ □□□
栗駒国定公園内にある、間欠泉「弁天」で知られるカルデラは？ 　鬼首カルデラ

**079** ★★☆ □□□
宮城県出身の漫画家石ノ森章太郎を記念する石ノ森萬画館がある都市は？ 　石巻（市）

**080** ★★★ □□□
牡鹿半島南端沖にある小島は？ 　金華山

**081** ★★★ □□□
松島にある伊達家ゆかりの寺院で、本堂などが国宝指定されているのは？ 　瑞巌寺

**082** ★☆☆ □□□
問題81の寺院の境外仏堂で、国の重要文化財に指定されているのは？ 　五大堂

**083** ★★☆ □□□
奈良時代に築かれた古代城柵がある宮城県の都市は？ 　多賀城（市）

**084** ★★☆ □□□
『青葉城恋唄』に登場する、仙台市を流れる川は？ 　広瀬川

**085** ★☆☆ □□□
仙台市にある、仙台藩祖の伊達政宗を祀る霊廟は？ 　瑞鳳殿

**086** ★★★ □□□
仙台市に所在する、名取川上流に位置する落差55m、幅6mの滝は？ 　秋保大滝

087 ★☆☆ □□□
蔵王連峰にある火口湖で、五色沼とも呼ばれるのは？
御釜（おかま）

088 ★★★ □□□
仙台市で行われる東北三大祭りの1つは？
仙台七夕まつり（せんだいたなばた）

# 秋田県（あきた）

089 ★★★ □□□
青森県と秋田県の境にあるカルデラ湖は？
十和田湖（とわだ）

090 ★☆☆ □□□
鹿角郡小坂町にある、現存する日本最古級の木造芝居小屋は？
康楽館（こうらくかん）

091 ★★★ □□□
北緯40度のモニュメントがある、日本海に突き出た岬は？
入道崎（にゅうどうざき）

092 ★☆☆ □□□
問題91の岬がある半島には目潟と呼ばれる火口が3つあるが、それらの火山地形の呼称は？
マール

093 ★★★ □□□
問題91の岬がある半島周辺で行われてきた、仮面を付ける民俗行事は？
なまはげ

094 ★★☆ □□□
問題91の岬がある半島にある、芝生に覆われた標高355mの山は？
寒風山（かんぷうざん）

095 ★☆☆ □□□
秋田県にはギネス世界記録認定を受けた大太鼓を使う民俗芸能があるが、その名称は？
綴子大太鼓（つづれこおおだいこ）

096 ★★★ □□□
仙北市にある、重要伝統的建築物群保存地区（以下、重伝建）の武家屋敷で有名な地は？
角館（かくのだて）

**097** ★☆☆ □□□
宮城県・秋田県・岩手県にまたがる標高 1,626m の山は？ 　栗駒山

**098** ★★☆ □□□
それぞれ独自の源泉を持つ 7 つの湯から成る秋田県の温泉郷は？ 　乳頭温泉郷

**099** ★★☆ □□□
冬の風物詩「かまくら」で有名な秋田県の都市は？ 　横手（市）

**100** ★☆☆ □□□
工芸品の曲物「曲げわっぱ」の産地として有名な秋田県の都市は？ 　大館（市）

**101** ★★☆ □□□
秋田県にかほ市にある名勝で、『おくのほそ道』の風景地の 1 つは？ 　象潟

**102** ★★★ □□□
秋田市で夏に行われる東北三大祭りの 1 つは？ 　秋田竿燈まつり

# 山形県

**103** ★☆☆ □□□
鳥海国定公園にある、ウミネコ繁殖地として知られる島は？ 　飛島

**104** ★☆☆ □□□
酒田市に残る明治期の米穀倉庫の名称は？ 　山居倉庫

**105** ★★★ □□□
酒田市に河口がある日本三大急流の 1 つは？ 　最上川

**106** ★★☆ □□□
山形新幹線の終着駅がある都市は？ 　新庄（市）

**107** ★☆☆ □□□
NHK 連続テレビ小説『おしん』の舞台となったことで有名になった山形県の温泉は？ 　銀山温泉

**108** ★★☆ □□□
国産の将棋駒の 95％を生産する都市は？ 　天童（市）

第1章

日本地理

第2章

第3章

第4章

第5章

| | | |
|---|---|---|
| **109** ★★★ | □□□ | |
| 通称「山寺」と呼ばれる『おくのほそ道』に出てくる寺は? | 立石寺 | |
| **110** ★★★ | □□□ | |
| 樹氷で知られ、国定公園にもなっている連峰は? | 蔵王連峰 | |
| **111** ★★☆ | □□□ | |
| 上杉謙信を祀る上杉神社がある都市は? | 米沢(市) | |
| **112** ★★☆ | □□□ | |
| 山形県が全国収穫量の約7割を占める、佐藤錦などの品種で知られる果実は? | サクランボ[桜桃] | |
| **113** ★★★ | □□□ | |
| 山形市で開かれる東北四大祭りの1つは? | 花笠まつり | |
| **114** ★★☆ | □□□ | |
| 里芋を使った鍋料理で、秋に河川敷などで食される山形県の県民食は? | 芋煮 | |
| **115** ★☆☆ | □□□ | |
| 鶴岡市の温泉で、かつては漢字名だったが難読とされ、ひらがな表記が一般化した温泉は? | あつみ(温海)温泉 | |

# 福島県

| | | |
|---|---|---|
| **116** ★☆☆ | □□□ | |
| 甲冑姿の騎馬武者が競い合う「野馬追」が行われる2都市は? | 相馬(市)・南相馬(市) | |
| **117** ★★☆ | □□□ | |
| 東北新幹線と山形新幹線が分岐する駅は? | 福島駅 | |
| **118** ★★★ | □□□ | |
| 福島県の中通りと浜通りの間にある高地は? | 阿武隈高地 | |
| **119** ★★★ | □□□ | |
| 磐梯朝日国立公園にある、日本で4番目に広い湖は? | 猪苗代湖 | |

**120** ★★☆ □□□
問題 119 の湖の北には磐梯山（ばんだいさん）があるが、その北（裏磐梯（ばんだい））にある 30 余りの小湖沼群は？　五色沼（ごしきぬま）（湖沼群）

**121** ★★☆ □□□
磐梯山（ばんだいさん）、安達太良山（あだたらやま）、吾妻山（あづまやま）に囲まれた高原の名称は？　（裏）磐梯高原（ばんだい）

**122** ★☆☆ □□□
問題 121 の地域にある湖沼のうち、最大のものは？　桧原湖（ひばらこ）

**123** ★★☆ □□□
戊辰戦争（ぼしん）の時に白虎隊（びゃっこ）が自刃（じじん）した地は？　飯盛山（いいもりやま）

**124** ★☆☆ □□□
会津若松市にある旧会津藩校の名称は？　日新館（にっしんかん）

**125** ★☆☆ □□□
南会津郡下郷町（しもごうまち）にある奇岩が並ぶ渓谷は？　塔のへつり

**126** ★★☆ □□□
いわき市にある国宝の阿弥陀堂（あみだ）は？　白水阿弥陀堂（しらみず）

**127** ★★★ □□□
いわき市にある、旧炭坑から湧き出た温泉を利用した大型レジャー施設は？　スパリゾートハワイアンズ

**128** ★★☆ □□□
福島県会津地方北部にある蔵の町で、ご当地ラーメンでも有名な都市は？　喜多方（きたかた）（市）

# ③ 関東地方

「茨城」「栃木」「群馬」「埼玉」「千葉」「東京」「神奈川」で構成される関東地方。名所はもちろん、鎌倉幕府関連の問題もよく出題されます。

## 茨城県

**129** ★☆☆ □□□
茨城県東北部のダム湖上に架かる、長さ 375m の歩行者専用吊橋の名称は？
竜神大吊橋

**130** ★☆☆ □□□
茨城県にある国営公園で花の名所として知られるのは？
国営ひたち海浜公園

**131** ★☆☆ □□□
茨城県にある日本三大稲荷の 1 つとされる神社は？
笠間稲荷神社

**132** ★★☆ □□□
第 9 代水戸藩主徳川斉昭が作った旧水戸藩の藩校は？
弘道館

**133** ★★★ □□□
問題 132 と対をなす施設として設けられた日本三名園の 1 つとされる庭園は？
偕楽園

**134** ★☆☆ □□□
海岸に立つ鳥居で知られる、大洗町の神社は？
大洗磯前神社

**135** ★★☆ □□□
1985 年開催の科学万博のメイン会場になった都市は？
つくば（市御幸が丘）（旧筑波郡谷田部町御幸が丘）

**136** ★★☆ □□□
世界最大のブロンズ立像の大仏がある都市は？
牛久（市）

**137** ★★★ □□□
茨城県にある、日本で２番目に大きい湖は？　霞ヶ浦

**138** ★★★ □□□
問題137を含む国定公園は？　水郷筑波国定公園

**139** ★☆☆ □□□
問題138の国定公園にある、あやめで有名な公園は？　水郷潮来あやめ園

**140** ★☆☆ □□□
古代、藤原氏の氏神として崇敬された神を祀る、茨城県南東部にある神社は？　鹿島神宮

**141** ★☆☆ □□□
茨城県・栃木県で作られている高級紬の品名は？　結城紬

# 栃木県

**142** ★★☆ □□□
アルパカ牧場があることで有名な栃木県の高原は？　那須高原

**143** ★★☆ □□□
日光市にある、世界の有名建築物のテーマパークは？　東武ワールドスクウェア

**144** ★★★ □□□
日光市にある日本三名瀑の１つは？　華厳滝

**145** ★★★ □□□
問題144の滝は火山の噴火でできた堰止湖の流出口となっているが、その堰止湖は？　中禅寺湖

**146** ★★★ □□□
問題145の堰止湖を作った火山で、日光富士と呼ばれる山は？　男体山

**147** ★☆☆ □□□
「奥日光の湿原」として、一部がラムサール条約に登録されている栃木県の高層湿原は？　戦場ヶ原

**148** ★★★ ···································· □□□
世界遺産に登録されている、日光市の寺院は？ 輪王寺(りんのうじ)

**149** ★★★ ···································· □□□
問題 148 にある徳川家光(とくがわいえみつ)の廟所は？ 大猷院霊廟(たいゆういんれいびょう)

**150** ★★★ ···································· □□□
いつまで見ていても見飽きないところから「日暮(ひぐらし)の門」とも呼ばれる、日光東照宮にある国宝の門は？ 陽明門(ようめいもん)

**151** ★☆☆ ···································· □□□
日光市にある、現存する日本最古のリゾートクラシックホテルは？ 日光金谷ホテル(にっこうかなや)

**152** ★★☆ ···································· □□□
明治時代に鉱毒事件が発生した銅山は？ 足尾銅山(あしお)

**153** ★★★ ···································· □□□
ザビエルが「最も有名な坂東(ばんどう)の大学」と呼んだ教育機関は？ 足利学校(あしかが)

**154** ★★☆ ···································· □□□
伝統的工芸品に指定されている、栃木県産の陶器は？ 益子焼(ましこ)

# 群馬県(ぐんま)

**155** ★★★ ···································· □□□
福島、群馬、新潟 3 県の地域にある、国立公園にも指定されている、日本最大の高層湿原は？ 尾瀬ヶ原(おぜがはら)

**156** ★☆☆ ···································· □□□
草津白根山(くさつしらねさん)頂上付近にある火口湖は？ 湯釜(ゆがま)

**157** ★★☆ ···································· □□□
上毛三山(じょうもうさんざん)は、赤城山(あかぎさん)と榛名山(はるなさん)と、もう 1 つは？ 妙義山(みょうぎさん)

**158** ★☆☆ ···································· □□□
安中市(あんなか)にある、廃線跡を利用して整備された全長 5.9km の遊歩道の名称は？ アプトの道

| | |
|---|---|
| **159** ★★☆ □□□ | わたらせ渓谷鐵道 |
| 桐生市と栃木県日光市足尾町を結ぶ、トロッコ列車も走るローカル鉄道は？ | （わたらせ渓谷線） |
| **160** ★★★ □□□ | 高崎（市） |
| 少林山達磨寺がある都市は？ | |
| **161** ★★★ □□□ | 富岡（市） |
| 日本最初の官営模範製糸場が保存されている都市は？ | |
| **162** ★★☆ □□□ | 岩宿遺跡 |
| みどり市にある、相沢忠洋が発見した旧石器時代の遺跡名は？ | |
| **163** ★☆☆ □□□ | 四万温泉 |
| 国民保養温泉地として第1号の指定を受けた、飲泉所があることでも知られる群馬県の温泉は？ | |
| **164** ★★★ □□□ | 草津温泉 |
| 湯畑があることで有名な群馬県の温泉は？ | |
| **165** ★★★ □□□ | 伊香保温泉 |
| 365段の石段の両側に旅館や店が立ち並ぶ風景で知られる群馬県の温泉は？ | |
| **166** ★★☆ □□□ | 水上温泉郷 |
| JR上越線や関越自動車道からのアクセスに優れた、谷川岳南麓にある温泉郷は？ | |
| **167** ★★☆ □□□ | 宝川温泉 |
| 問題166にある18湯の1つで、「天下一の大混浴露天風呂」を有することで知られる温泉は？ | |
| **168** ★★☆ □□□ | 桐生（市） |
| かつて「西の西陣、東の○○」と呼ばれた、高級織物で有名な群馬県の都市は？ | |

# 埼玉県

| | |
|---|---|
| **169** ★★★ □□□ | 長瀞渓谷 |
| 荒川上流部にあるライン下りで知られる渓谷は？ | |

| | | |
|---|---|---|
| **170** ★☆☆ | | □□□ |
| 「芝桜の丘」で知られる埼玉県の公園は？ | | 羊山公園 |
| **171** ★★☆ | | □□□ |
| 秩父神社・宝登山神社とともに秩父三社の1つは？ | | 三峯神社 |
| **172** ★☆☆ | | □□□ |
| 国宝の聖天堂がある熊谷市の寺院は？ | | 歓喜院 |
| **173** ★☆☆ | | □□□ |
| 足袋蔵の町として日本遺産に認定されている都市は？ | | 行田（市） |
| **174** ★★★ | | □□□ |
| 小江戸として知られる蔵造りの町がある都市は？ | | 川越（市） |
| **175** ★★★ | | □□□ |
| 問題174のシンボルとされる、木造3層高さ約16mのやぐらの名称は？ | | 時の鐘 |
| **176** ★★☆ | | □□□ |
| 日高市にある、日本一のヒガンバナの群生地は？ | | 巾着田 |
| **177** ★★★ | | □□□ |
| さいたま市にある、桜の名所として知られる大規模な都市公園は？ | | 大宮公園 |
| **178** ★★☆ | | □□□ |
| 問題177の隣には、関東に約280社ある神社の総本社があるが、その神社とは？ | | （大宮）氷川神社 |
| **179** ★☆☆ | | □□□ |
| 飯能市にある、ムーミンと北欧の生活をテーマにしたレジャー施設は？ | | メッツァ[metsa] |
| **180** ★★☆ | | □□□ |
| 埼玉県の特産品として知られる日本三大茶の1つは？ | | 狭山茶 |
| **181** ★★★ | | □□□ |
| 埼玉県北西部で12月に開催される、提灯で飾り付けた山車が特徴の祭りは？ | | 秩父夜祭 |

# 千葉県

182 ★☆☆ □□□
キッコーマンの本社がある醤油の一大ブランド地は？　野田（市）

183 ★★★ □□□
成田空港近くにある、参詣者数において日本屈指の寺院は？　成田山新勝寺

184 ★★☆ □□□
伊能忠敬の旧宅がある重伝建の町は？　佐原

185 ★★☆ □□□
銚子市にある、煉瓦製の建造物では尻屋埼灯台に次ぐ日本2番目の高さを誇る灯台は？　犬吠埼灯台

186 ★★★ □□□
東京ディズニーリゾートがある都市は？　浦安（市）

187 ★☆☆ □□□
東京ドイツ村がある都市は？　袖ヶ浦（市）

188 ★★★ □□□
マザー牧場がある都市は？　富津（市）

189 ★★☆ □□□
地獄のぞきで知られる日本寺の境内となっている山は？　鋸山

190 ★☆☆ □□□
夷隅郡から市原市にかけて流れる川沿いにある、四季折々の花木が美しい渓谷は？　養老渓谷

191 ★★☆ □□□
房総半島最南端の岬は？　野島崎

192 ★★★ □□□
南房総地域にある、宿泊施設を併設する水族館テーマパークは？　鴨川シーワールド

193 ★★★ □□□
房総半島東岸にある、全長約66kmの日本最大級の砂浜海岸は？　九十九里浜

**194** ★★☆ ──────────────── □□□ ┈┈┈
日本三大朝市の１つの開催地として知られる千葉県
南東部の都市は？　　　　　　　　　　　　　勝浦（市）

# 東京都

**195** ★☆☆ ──────────────── □□□ ┈┈┈
両国国技館や東京スカイツリーがある東京都の特別
区は？　　　　　　　　　　　　　　　　　　墨田区

**196** ★★☆ ──────────────── □□□ ┈┈┈
明治神宮や代々木公園がある東京都の特別区は？　渋谷区

**197** ★★☆ ──────────────── □□□ ┈┈┈
迎賓館赤坂離宮や東京タワーがある東京都の特別区
は？　　　　　　　　　　　　　　　　　　　港区

**198** ★★☆ ──────────────── □□□ ┈┈┈
江戸時代に、水戸徳川家の江戸上屋敷内に造られた
日本庭園は？　　　　　　　　　　　　　　　小石川後楽園

**199** ★☆☆ ──────────────── □□□ ┈┈┈
台東区にある日本最初とされる遊園地は？

浅草花やしき
（ただし、現存の
ものは1942年に
取り壊された後、
1947年に再開園
されたもの）

**200** ★★★ ──────────────── □□□ ┈┈┈
台東区にある、美術館・博物館・動物園などが集中す
る公園は？　　　　　　　　　　　　　　　　上野恩賜公園

**201** ★☆☆ ──────────────── □□□ ┈┈┈
問題200の公園内にある、ル・コルビュジエが設計
した美術館で世界遺産に登録されているのは？　国立西洋美術館

**202** ★★★ ──────────────── □□□ ┈┈┈
千代田区にある、日本の軍人等を主な祭神として祀る
神社は？　　　　　　　　　　　　　　　　　靖国神社

**203** ★☆☆ □□□
調布市にある古刹で、ほおずき祭りやだるま市で知られる寺院は？　深大寺

**204** ★★★ □□□
東海遊歩道の起終点で国定公園にも指定されている山は？　高尾山

**205** ★★★ □□□
東京都に属する世界自然遺産の諸島は？　小笠原諸島

**206** ★☆☆ □□□
江戸三大祭りは、山王祭、深川八幡祭りと、もう1つは？　神田祭

**207** ★☆☆ □□□
浅草寺本尊の観音菩薩にまつわる3名を祭神とする浅草神社で5月に行われる例祭は？　三社祭

**208** ★★☆ □□□
東京都で生産されている、江戸時代に始まったカットガラスの工芸品は？　江戸切子

# 神奈川県

**209** ★★★ □□□
昔の貨客船「氷川丸」が停泊している公園は？　山下公園

**210** ★★☆ □□□
横浜市にある国の名勝の日本庭園で、17棟の日本建築があるのは？　三溪園

**211** ★☆☆ □□□
横浜市にある、1951年に開園した入場料無料の動物園は？　野毛山動物園

**212** ★★☆ □□□
横浜市にある、海洋レジャー施設・ヨットハーバー・桟橋などが整備された人工島は？　八景島

**213** ★★☆ □□□
横須賀市にある、日本海海戦で活躍した大日本帝国海軍の戦艦を保存・公開している都市公園は？　三笠公園

**214** ★☆☆ □□□
横須賀市にある、都市公園の無人島で東京湾要塞の跡地があるのは？ 猿島

**215** ★★★ □□□
鎌倉市にある源頼朝ゆかりの神社で、武士の守護神として崇敬を集めたのは？ 鶴岡八幡宮

**216** ★☆☆ □□□
由比ヶ浜から問題215の神社に通じる参道は？ 若宮大路

**217** ★☆☆ □□□
鎌倉駅東口から問題215の神社へ至る通りで、約250の店が立ち並ぶ商店街は？ 小町通り

**218** ★★★ □□□
「長谷の大仏」で有名な鎌倉市の寺院は？ 高徳院

**219** ★★★ □□□
神奈川県にある、木造弁才天坐像を祀る神社がある陸繋島は？ 江の島

**220** ★★☆ □□□
問題219へのアクセスとして人気の鎌倉駅と藤沢駅を結ぶ海沿いの鉄道路線は？ 江ノ島電鉄線

**221** ★★☆ □□□
戦国時代に後北条氏の城下町だった都市は？ 小田原（市）

**222** ★☆☆ □□□
箱根町にある1878年創業の老舗ホテルは？ 富士屋ホテル

**223** ★★★ □□□
温泉池でゆでた黒たまごが名物の、箱根火山の爆裂火口跡は？ 大涌谷

**224** ★★★ □□□
箱根火山のカルデラ内にある火口原湖は？ 芦ノ湖

**225** ★☆☆ □□□
丹沢大山国定公園の大山山頂に本社がある神社は？ 大山阿夫利神社

# 4 甲信越地方

「山梨」「長野」「新潟」で構成される甲信越地方はリゾート地が多く、試験でもその知識を問う問題が多く出題されています。

## 山梨県

**226** ★★☆ □□□
八ヶ岳南東麓に広がる避暑地・スキーリゾートの高原は？
清里高原

**227** ★★★ □□□
標高 3,193m、日本 2 番目の高峰は？
白根山北岳

**228** ★☆☆ □□□
山梨市にある、温泉や宿泊施設を併設した都市公園で、新日本三大夜景に選定されているのは？
山梨県笛吹川フルーツ公園

**229** ★★☆ □□□
甲府市にある「御岳○○○」は荒川上流の渓谷だが、○○○に入るのは？
昇仙峡

**230** ★★☆ □□□
甲州市にある、夢窓疎石が作庭した庭園を持つ甲斐武田氏の菩提寺は？
恵林寺

**231** ★☆☆ □□□
甲州市にある、日本最大級のワインショップを有する観光施設は？
甲州市勝沼ぶどうの丘

**232** ★☆☆ □□□
富士吉田市にある、桜・富士山・五重塔の眺望が人気の公園は？
新倉山浅間公園

**233** ★★★ □□□
山中湖近くにある 8 つの富士山湧水群は？
忍野八海

**234** ★★★ □□□
日本の最高峰である富士山の標高は？
3,776m

| 235 ★★☆ | | □□□ |
|---|---|---|
| 富士五湖のうち最も西にあるのは？ | 本栖湖 | |

| 236 ★★★ | | □□□ |
|---|---|---|
| 富士急行線を使って行くことができるのは富士五湖のうちどれ？ | 河口湖 | |

| 237 ★★☆ | | □□□ |
|---|---|---|
| 山梨県にある、日蓮宗の総本山（山号は身延山）の寺院名は？ | 久遠寺 | |

| 238 ★★☆ | | □□□ |
|---|---|---|
| 太くて長い麺を使う山梨県の郷土料理は？ | ほうとう | |

# 長野県

| 239 ★★★ | | □□□ |
|---|---|---|
| 長野県にある、スノーモンキーで知られる野猿公園は？ | 地獄谷野猿公苑 | |

| 240 ★★☆ | | □□□ |
|---|---|---|
| 葛飾北斎が晩年4年間を過ごした長野県北部の町で、北斎が同地で描いた作品を展示する「北斎館」があるのは？ | 小布施 | |

| 241 ★★☆ | | □□□ |
|---|---|---|
| 長野県北部にある湖で、ナウマンゾウの化石が出土する湖としても知られるのは？ | 野尻湖 | |

| 242 ★☆☆ | | □□□ |
|---|---|---|
| 棚田で有名な千曲市の重要文化的景観は？ | 姨捨（棚田） | |

| 243 ★★★ | | □□□ |
|---|---|---|
| 白糸の滝がある長野県の避暑地・リゾート地は？ | 軽井沢 | |

| 244 ★★★ | | □□□ |
|---|---|---|
| 長野県にある国宝天守を持つ城は？ | 松本城 | |

| 245 ★★★ | | □□□ |
|---|---|---|
| ウォルター・ウェストンが世界に紹介した、飛騨山脈南部の梓川上流にある景勝地は？ | 上高地 | |

**246** ★☆☆ ……………………………………… □□□……
問題 245 に所在する、梓川が堰き止められてできた
国の特別名勝・特別天然記念物に指定されている池
は？

大正池

**247** ★★★ ……………………………………… □□□……
天竜川の水源で「御神渡り」で有名な湖は？

諏訪湖

**248** ★★☆ ……………………………………… □□□……
白樺湖や北八ヶ岳ロープウェイがある高原は？

蓼科高原

**249** ★☆☆ ……………………………………… □□□……
JR グループの駅で最高地点にある駅は？

野辺山駅

**250** ★☆☆ ……………………………………… □□□……
中央アルプス主峰宝剣岳のすぐ下に広がる氷河地形
で、ロープウェイで行くことができる観光地は？

千畳敷カール

**251** ★★★ ……………………………………… □□□……
南木曽町にある中山道 42 番目の宿場は？

妻籠宿

**252** ★★☆ ……………………………………… □□□……
諏訪大社の行事で日本三大奇祭に数えられるのは？

御柱祭

# 新潟県

**253** ★★★ ……………………………………… □□□……
新潟県にある、金山で有名な島は？

佐渡島

**254** ★★☆ ……………………………………… □□□……
村上市にある海岸景勝地で、国の名勝及び天然記念
物は？

笹川流れ

**255** ★☆☆ ……………………………………… □□□……
越後平野西部にある標高 634m の山を神体山として
祀る神社で、パワースポットとして有名なのは？

彌彦神社

**256** ★☆☆ ……………………………………… □□□……
かつて「魚のアメ横」と呼ばれた、魚の市場通りがあ
るのは？

寺泊

**257** ★★☆ □□□

新潟県のある都市で行われる日本三大花火大会の1つは？

長岡まつり

**258** ★★★ □□□

妙高山を含む国立公園は？

妙高戸隠連山国立公園

**259** ★☆☆ □□□

春や秋に雲海が発生することで知られる、十日町市の棚田は？

星峠の棚田

**260** ★★☆ □□□

日本最初の世界ジオパークの1つで、フォッサマグナ関係のジオサイトを含むジオパークは？

糸魚川ジオパーク

**261** ★☆☆ □□□

問題260のジオサイトの1つで、飛騨山脈の北端にあって日本海に面する断崖絶壁は？

親不知

**262** ★☆☆ □□□

上信越高原国立公園にある日本三大峡谷の1つは？

清津峡

**263** ★★★ □□□

新潟県・福島県・栃木県・群馬県にまたがる国立公園は？

尾瀬国立公園

**264** ★★★ □□□

上越市を通過する新幹線の路線名は？

北陸新幹線（駅名は上越妙高駅）

**265** ★★☆ □□□

新潟県内の産地名が付いた縮と呼ばれる織物は？

小千谷縮

# ⑤ 東海地方
とう かい

「岐阜」「静岡」「愛知」「三重」で構成される東海地方。自然豊かな国定公園や峠、離島の名前を問われることもありますので要注意です。

## 岐阜県
ぎ ふ けん

**266** ★★★　　　　　　　　　　　　　　　　　□□□
岐阜県にある世界遺産の合掌造り集落は？

白川郷
しら かわ ごう

**267** ★★★　　　　　　　　　　　　　　　　　□□□
金森氏が整備した城下町・商家町で、重伝建に選定された三町がある都市は？
かな もり　　　　　　　　　　　　　　　　　　さん まち

高山（市）
たか やま

**268** ★★☆　　　　　　　　　　　　　　　　　□□□
問題267の都市は江戸時代に幕府が直轄地としたが、その運営のための役所跡は？
え ど

高山陣屋
たか やま じん や

**269** ★☆☆　　　　　　　　　　　　　　　　　□□□
日本唯一の2階建てゴンドラがあるロープウェイは？

新穂高ロープウェイ
しん ほ だか

**270** ★★★　　　　　　　　　　　　　　　　　□□□
岐阜県にある中山道43番目の宿場は？

馬籠宿
ま ごめ

**271** ★★☆　　　　　　　　　　　　　　　　　□□□
問題270の出身者で、同地を舞台にした小説『夜明け前』の作家は？

島崎藤村
しま ざき とう そん

**272** ★★☆　　　　　　　　　　　　　　　　　□□□
木曽三川は、木曽川と長良川と、もう1つは？
き そ さん せん　　き そ がわ　　なが ら がわ

揖斐川
い び がわ

**273** ★☆☆　　　　　　　　　　　　　　　　　□□□
関ヶ原古戦場近くにある旧東山道の関所は？
せき が はら　　　　　　　　とう さん どう

不破の関
ふ わ

**274** ★☆☆　　　　　　　　　　　　　　　　　□□□
岐阜県を流れる飛騨川中流にある渓谷で、映画や新歌舞伎の題材になったのは？
ひ だ がわ

中山七里
なか やま しち り

**275** ★★★ ───────────────□□□
岐阜県にある日本三名泉の１つは？　　　下呂温泉

**276** ★★☆ ───────────────□□□
岐阜県で行われる日本三大盆踊りの１つは？　郡上おどり

**277** ★★★ ───────────────□□□
岐阜県で行われる日本三大美祭の１つは？　高山祭

**278** ★★☆ ───────────────□□□
長良川で行われる夏の風物詩の漁は？　　　鵜飼

# 静岡県

**279** ★☆☆ ───────────────□□□
富士山本宮浅間大社がある都市は？　　　　富士宮（市）

**280** ★★☆ ───────────────□□□
問題 279 の都市にある滝で、世界文化遺産に登録されているのは？　白糸の滝（世界遺産登録名では、「白糸ノ滝」）

**281** ★★★ ───────────────□□□
伊豆半島北東端の温泉地で、『金色夜叉』の一場面を表現した銅像があることで知られるのは？　熱海温泉

**282** ★☆☆ ───────────────□□□
問題 281 がある都市の高台にある、世界救世教・教祖の岡田茂吉が創設した美術館は？　MOA 美術館

**283** ★★★ ───────────────□□□
世界遺産にもなっている日本で唯一現存する実用反射炉は？　韮山反射炉（萩反射炉は試験炉とされる）

**284** ★★★ ───────────────□□□
伊豆半島最南端の岬は？　　　　　　　　　石廊崎

**285** ★★☆ ───────────────□□□
伊豆半島中央にある寺院で、鎌倉幕府 2 代将軍の源頼家が幽閉・殺害されたことで知られるのは？　修禅寺（所在地名・温泉名は修善寺）

**286** ★☆☆ ┈┈┈┈┈┈┈□□□
徳川家康を祀った最初の神社で、社殿が国宝に指定されているのは？

久能山東照宮

**287** ★★☆ ┈┈┈┈┈┈┈□□□
静岡市にある弥生時代の大集落跡は？

登呂遺跡

**288** ★★★ ┈┈┈┈┈┈┈□□□
静岡県にある日本三大松原の１つは？

三保松原

**289** ★☆☆ ┈┈┈┈┈┈┈□□□
島田市に本社を置く、SL を動態保存・日常運行している鉄道会社は？

大井川鐵道（株式会社）

**290** ★☆☆ ┈┈┈┈┈┈┈□□□
つま恋リゾート彩の郷がある都市は？

掛川（市）

**291** ★★★ ┈┈┈┈┈┈┈□□□
浜松市・湖西市にまたがる汽水湖は？

浜名湖

# 愛知県

**292** ★★★ ┈┈┈┈┈┈┈□□□
尾張の小京都と呼ばれ、国宝天守の城がある都市は？

犬山（市）

**293** ★★☆ ┈┈┈┈┈┈┈□□□
フランク・ロイド・ライト設計の旧帝国ホテルが一部移築展示されている野外博物館は？

明治村

**294** ★☆☆ ┈┈┈┈┈┈┈□□□
愛・地球博記念公園（愛称モリコロパーク）がある都市は？

長久手（市）

**295** ★★☆ ┈┈┈┈┈┈┈□□□
名古屋市にある、三種の神器の１つを祀る神社は？

熱田神宮

**296** ★★☆ ┈┈┈┈┈┈┈□□□
名古屋市にある、繊維機械館と自動車館から成るトヨタグループの企業博物館は？

トヨタ産業技術記念館

第1章

日本地理

第2章

第3章

第4章

第5章

**297** ★☆☆　□□□
紅葉の名所として知られる香嵐渓がある国定公園は？
愛知高原国定公園

**298** ★★☆　□□□
中部国際空港の玄関口で、日本六古窯の1つでもある都市は？
常滑（市）

**299** ★★★　□□□
中部国際空港の南にある半島は？
知多半島

**300** ★☆☆　□□□
正式名称は妙厳寺という曹洞宗の寺院だが、日本三大稲荷の1つとされる施設は？
豊川稲荷

**301** ★☆☆　□□□
蒲郡市にある、テーマパーク・宿泊・飲食施設・ヨットハーバーなどを有する複合リゾート施設は？
ラグーナテンボス

**302** ★☆☆　□□□
三河湾3島とは、日間賀島と佐久島と、もう1つは？
篠島

**303** ★★★　□□□
渥美半島の先端の岬は？
伊良湖岬

**304** ★★☆　□□□
幅が広く薄い麺を使用する愛知県の郷土料理は？
きしめん

# 三重県

**305** ★☆☆　□□□
鈴鹿山脈にある標高1,212mの山で、頂上へはロープウェイで行くことができるのは？
御在所岳

**306** ★☆☆　□□□
亀山市にある旧東海道の宿場で、重伝建に選ばれているのは？
関宿

**307** ★★☆　□□□
名張市にある、オオサンショウウオで知られる4kmにわたって続く滝群は？
赤目四十八滝

**308** ★★★　□□□
問題307 がある国定公園は？

室生赤目青山国定公園

**309** ★★★　□□□
三重県にある、皇祖神の天照大御神を祀る神宮は？

伊勢神宮（内宮）

**310** ★★☆　□□□
三重県にある、日の出遥拝所として有名な2つの岩は？

夫婦岩

**311** ★★★　□□□
鳥羽湾内にある離島で、中世には九鬼水軍の根拠地で九鬼嘉隆終焉の地となったのは？

答志島

**312** ★★☆　□□□
ミキモト真珠島にある記念館は誰を記念したもの？

御木本幸吉

**313** ★★★　□□□
志摩半島南部にあるリアス式海岸の湾で、真珠の養殖や賢島があることで知られるのは？

英虞湾

**314** ★☆☆　□□□
問題313 の湾を望む場所に位置する、当初ヤマハリゾートが開発・運営した総合リゾートは？

NEMU RESORT
（旧合歓の郷）

**315** ★☆☆　□□□
尾鷲市にある熊野古道伊勢路の一部で、約2km の石畳道が残る峠は？

馬越峠

**316** ★☆☆　□□□
伊弉冊尊の葬地とされる、世界遺産「紀伊山地の霊場と参詣道」登録地の窟は？

花の窟
[花窟神社]

**317** ★★☆　□□□
創業1707 年とする会社が製造するあんころ餅で、お伊勢参りのお土産の定番なのは？

赤福餅

# 6 北陸地方

「富山」「石川」「福井」で構成される北陸地方も岬や湖など細々した知識を問われますので、地図と照らし合わせてしっかりインプットしておきましょう。

## 富山県

**318** ★★☆ ‥‥‥‥‥‥‥‥‥‥‥‥‥‥‥‥‥‥ □□□
高岡市にある景勝地で、日本の渚百選にも選ばれている海岸は？
雨晴海岸

**319** ★☆☆ ‥‥‥‥‥‥‥‥‥‥‥‥‥‥‥‥‥‥ □□□
高岡市にある、山門・仏殿・法堂が国宝になっている寺院は？
瑞龍寺

**320** ★☆☆ ‥‥‥‥‥‥‥‥‥‥‥‥‥‥‥‥‥‥ □□□
チューリップの球根の生産で知られ、4月下旬から5月初旬にチューリップフェアが行われる富山県の都市は？
砺波（市）

**321** ★☆☆ ‥‥‥‥‥‥‥‥‥‥‥‥‥‥‥‥‥‥ □□□
射水市にある公園で、1930年に竣工した航海練習船を公開しているのは？
海王丸パーク

**322** ★☆☆ ‥‥‥‥‥‥‥‥‥‥‥‥‥‥‥‥‥‥ □□□
富山市にある、別名カナルパークと呼ばれる都市公園は？
富岩運河環水公園

**323** ★☆☆ ‥‥‥‥‥‥‥‥‥‥‥‥‥‥‥‥‥‥ □□□
標高3,000m級の立山連峰から富山湾までの56kmを流れる、世界有数の急流は？
常願寺川

**324** ★★☆ ‥‥‥‥‥‥‥‥‥‥‥‥‥‥‥‥‥‥ □□□
立山黒部アルペンルートから見える落差日本一の滝は？
称名滝

**325** ★★★ □□□
雪の大谷ウォークのイベントが行われる観光地は？ 　室堂

**326** ★★★ □□□
立山町にある、1963年に完成した大規模なダムは？ 　黒部ダム

**327** ★★★ □□□
黒部峡谷トロッコ電車の起点にある温泉地は？ 　宇奈月温泉

**328** ★★★ □□□
南砺市にある世界遺産の合掌造り集落は？ 　五箇山

**329** ★★★ □□□
富山県を横断する新幹線路線は？ 　北陸新幹線

**330** ★★☆ □□□
富山湾での漁で、春の風物詩として知られる海産物は？ 　ホタルイカ

# 石川県

**331** ★☆☆ □□□
能登半島北沖約50kmにある野鳥観察の聖地は？ 　舳倉島

**332** ★☆☆ □□□
能登半島の先端の岬で、日本の灯台50選に選ばれた白亜の灯台があるのは？ 　禄剛崎

**333** ★★☆ □□□
問題332やその付近の金剛崎を含む、能登半島の東端部の総称とされる岬名は？ 　珠洲岬

**334** ★☆☆ □□□
能登半島北東部にある東西1km・南北1.5kmのリアス式海岸の湾で、内浦第1の景勝地とされるのは？ 　九十九湾

**335** ★★★ □□□
能登半島中央部の東岸にある湾で、中央に能登島があるのは？ 　七尾湾

**336** ★★★ □□□
問題335の湾に面している歴史の長い温泉地は？ 　和倉温泉

**337** ★★★ ··················································· □□□
高級漆器や朝市で知られる能登半島北部の都市は？ 輪島（市）

**338** ★☆☆ ··················································· □□□
問題337の都市にある国の名勝の棚田景観は？ 白米千枚田

**339** ★★☆ ··················································· □□□
能登半島西岸に位置する、約30kmにわたって奇岩 能登金剛
怪石が展開する景勝地で、松本清張の『ゼロの焦点』
の舞台になったヤセの断崖があるのは？

**340** ★☆☆ ··················································· □□□
能登半島基部西岸にある、一般車両に開放された長 千里浜海岸［千里
さ8kmに及ぶ砂浜の道路がある海岸は？ 浜なぎさドライブ
ウェイ］

**341** ★★★ ··················································· □□□
金沢市にある、日本三名園の1つは？ 兼六園

**342** ★★☆ ··················································· □□□
金沢市の中心部にある、約170店の商店・飲食店が 近江町市場
立ち並ぶ市場は？

**343** ★★★ ··················································· □□□
石川県で生産される色絵の磁器は？ 九谷焼

# 福井県

**344** ★★★ ··················································· □□□
越前加賀海岸国定公園にある、国の名勝・天然記念 東尋坊
物に指定された険しい海食崖は？

**345** ★☆☆ ··················································· □□□
問題344にタクシーで約15分で行ける温泉地で、 あわら［芦原］温
「関西の奥座敷」と呼ばれるのは？ 泉

**346** ★★☆ ··················································· □□□
恐竜の化石が出土することで知られる福井県の都市 勝山（市）
は？

**347** ★★☆ ‥‥‥‥‥‥‥‥‥‥‥‥‥‥‥‥ □□□
戦国大名朝倉氏の遺跡は？　一乗谷朝倉氏遺跡

**348** ★★★ ‥‥‥‥‥‥‥‥‥‥‥‥‥‥‥‥ □□□
福井県にある日本三大松原の１つは？　気比松原

**349** ★★☆ ‥‥‥‥‥‥‥‥‥‥‥‥‥‥‥‥ □□□
福井県中部〜京都府北部の日本海に面する湾は？　若狭湾

**350** ★★★ ‥‥‥‥‥‥‥‥‥‥‥‥‥‥‥‥ □□□
問題 349 の東端に面する岬で、付近に福井県の県花である水仙が自生することで知られるのは？　越前岬

**351** ★★☆ ‥‥‥‥‥‥‥‥‥‥‥‥‥‥‥‥ □□□
問題 349 の湾にある、国の名勝に指定された連結する５つの湖は？　三方五湖

**352** ★☆☆ ‥‥‥‥‥‥‥‥‥‥‥‥‥‥‥‥ □□□
問題 349 を眼下に望む延長 11.24km の有料道路の通称は？　（三方五湖）レインボーライン

**353** ★★☆ ‥‥‥‥‥‥‥‥‥‥‥‥‥‥‥‥ □□□
小浜市にある国の名勝に指定された海食洞は？　（若狭）蘇洞門

**354** ★☆☆ ‥‥‥‥‥‥‥‥‥‥‥‥‥‥‥‥ □□□
小浜と京都を結ぶ鯖街道の宿場町として栄えた重伝建は？　熊川宿

**355** ★☆☆ ‥‥‥‥‥‥‥‥‥‥‥‥‥‥‥‥ □□□
小浜市にある名水百選の１つで、奈良東大寺の修二会に水を献じるお水送りの神事の場所として知られるのは？　鵜の瀬

**356** ★★☆ ‥‥‥‥‥‥‥‥‥‥‥‥‥‥‥‥ □□□
若狭地方特産品の「へしこ」は何をぬか漬けにしたもの？　サバ

# 7 近畿地方
きん き

 「滋賀」「京都」「大阪」「奈良」「和歌山」「兵庫」で構成される近畿地方は観光客が大勢訪れるエリアです。世界遺産、文化遺産も押さえましょう。

## 滋賀県
し が

**357** ★★★ ☐☐☐
滋賀県にある日本最大の淡水湖は？
琵琶湖

**358** ★★☆ ☐☐☐
問題357の湖の北部に位置する、宝厳寺がある島は？
竹生島

**359** ★☆☆ ☐☐☐
問題357の湖に架かる橋で、大津市丸の内町と草津市新浜町を結ぶのは？
近江大橋

**360** ★★☆ ☐☐☐
問題357の湖の最南端に架かる日本三古橋の1つは？
瀬田の唐橋

**361** ★★☆ ☐☐☐
長浜市にある、江戸時代～明治時代の伝統建築物を使った観光・文化施設は？
黒壁スクエア

**362** ★★★ ☐☐☐
滋賀県にある、現存天守が国宝の城は？
彦根城

**363** ★☆☆ ☐☐☐
近江八景「堅田の落雁」として知られる満月寺の仏堂は？
浮御堂

**364** ★★☆ ☐☐☐
近江商人が利用した人工水路の八幡堀がある都市は？
近江八幡（市）

**365** ★★★ ☐☐☐
世界遺産に登録されている天台宗の総本山は？
比叡山延暦寺

**366** ★★☆ □□□
問題365と日本最長のケーブルカーで結ばれている、大津市（おおつ）にあるケーブルカー駅は？
（ケーブル）坂本駅（さかもと）

**367** ★☆☆ □□□
大津市にある良弁（ろうべん）開基の寺院は？
石山寺（いしやまでら）

**368** ★★☆ □□□
大津市にある通称「三井寺（みいでら）」と呼ばれる寺院で、日本三不動の１つの黄不動（きふどう）で知られるのは？
園城寺（おんじょうじ）

**369** ★★★ □□□
滋賀県を代表する陶磁器で、狸（たぬき）の置物で知られるのは？
信楽焼（しがらきやき）

# 京都府（きょうと）

**370** ★★☆ □□□
住居の下に船の収納庫がある建物（舟屋）で知られる重伝建は？
伊根の舟屋（いね）

**371** ★★★ □□□
京都府にある日本三景の１つは？
天橋立（あまのはしだて）

**372** ★☆☆ □□□
京都丹波（たんば）高原国定公園にある重伝建の自然景観・茅葺き民家がある地区は？
（南丹市（なんたん））美山（みやま）（町北（ちょうきた））

**373** ★★☆ □□□
京都市左京区（さきょう）にある公園の一部で、江戸時代に農業用に造られた人工池は？
宝が池（たから）

**374** ★☆☆ □□□
京都市内にある、御室御所（おむろごしょ）とも呼ばれた寺院は？
仁和寺（にんなじ）

**375** ★★★ □□□
金閣（きんかく）がある寺院の正式名称は？
鹿苑寺（ろくおんじ）

**376** ★★☆ □□□
京都御所の西を南北に走る通りで、道路下に京都市営地下鉄が走っているのは？
烏丸通（からすまどおり）

第1章

日本地理

第2章

第3章

第4章

第5章

**377** ★★☆ ......................................... □□□
足利尊氏開基、夢窓疎石開山の寺院で、庭園が特別
名勝・史跡に指定されている寺院は？
天龍寺

**378** ★★☆ ......................................... □□□
京都市東山区にある繁華街で、茶屋街として重伝建
に選定されているのは？
祇園［新橋］

**379** ★★★ ......................................... □□□
千本鳥居があることで知られる稲荷神社の総本社
は？
伏見稲荷大社

**380** ★★★ ......................................... □□□
嵐山公園にある、桂川に架かる橋長 155m の橋は？
渡月橋

**381** ★★☆ ......................................... □□□
阿弥陀如来坐像を納める鳳凰堂がある寺院は？
平等院

**382** ★★☆ ......................................... □□□
京都三大祭りは、葵祭と時代祭と、もう 1 つは？
祇園祭

# 大阪府

**383** ★☆☆ ......................................... □□□
大阪府にある国定公園内の滝で、紅葉の名所とされ
るのは？
箕面の滝

**384** ★★☆ ......................................... □□□
大阪万博の跡地である、日本万国博覧会記念公園が
ある都市は？
吹田（市）

**385** ★★☆ ......................................... □□□
大阪府にある、開園 1910 年の現存する日本最古の
遊園地は？
ひらかたパーク

**386** ★☆☆ ......................................... □□□
新梅田シティの中心となる連結された 2 棟の高層ビ
ルで、屋上部分に空中庭園展望台があるのは？
梅田スカイビル

**387** ★★☆ ......................................... □□□
大阪市中央区にある大阪の台所と呼ばれる市場は？
黒門市場

| 388 ★★★ | | ☐☐☐ |
|---|---|---|
| 大阪市にある聖徳太子建立の寺院は？ | 四天王寺 | |

| 389 ★★★ | | ☐☐☐ |
|---|---|---|
| 大阪市浪速区にある高さ108mの展望塔は？ | 通天閣 | |

| 390 ★★★ | | ☐☐☐ |
|---|---|---|
| 大阪市此花区にあるハリウッド映画のテーマパークは？ | ユニバーサル・スタジオ・ジャパン | |

| 391 ★☆☆ | | ☐☐☐ |
|---|---|---|
| 天保山公園がある大阪市の区部は？ | 港区 | |

| 392 ★☆☆ | | ☐☐☐ |
|---|---|---|
| 問題391の公園の南西に位置する、屋内水槽規模が世界有数の水族館は？ | 海遊館 | |

| 393 ★★☆ | | ☐☐☐ |
|---|---|---|
| 大阪府にある重伝建の寺内町・在郷町は？ | 富田林 | |

| 394 ★★☆ | | ☐☐☐ |
|---|---|---|
| 大阪名物の「てっちり」とは何を使った料理？ | フグ | |

| 395 ★★★ | | ☐☐☐ |
|---|---|---|
| 大阪市で行われる日本三大祭の1つは？ | 天神祭 | |

## 奈良県

| 396 ★★★ | | ☐☐☐ |
|---|---|---|
| 奈良市にある、盧舎那仏と呼ばれる大仏を本尊とする寺院は？ | 東大寺 | |

| 397 ★★★ | | ☐☐☐ |
|---|---|---|
| 奈良市にある、藤原氏の氏神を祀る神社は？ | 春日大社 | |

| 398 ★★☆ | | ☐☐☐ |
|---|---|---|
| 奈良市にある、国宝の東塔で知られる寺院は？ | 薬師寺 | |

| 399 ★★☆ | | ☐☐☐ |
|---|---|---|
| 奈良市にある、鑑真が建立した寺院は？ | 唐招提寺 | |

| 400 ★☆☆ 国宝「信貴山縁起絵巻」が伝わる寺院は？ | 信貴山朝護孫子寺 | □□□ |
|---|---|---|
| 401 ★☆☆ 神武天皇が即位したとされる神社がある都市は？ | 橿原（市） | □□□ |
| 402 ★☆☆ 大和三山は、畝傍山・天香久山と、もう1つは？ | 耳成山 | □□□ |
| 403 ★★★ 聖徳太子が建立した、世界最古の木造建築物がある寺院は？ | 法隆寺 | □□□ |
| 404 ★★☆ 問題403の寺院が所在する町の名称は？ | 斑鳩町 | □□□ |
| 405 ★★☆ 問題403に隣接する、国宝の木造菩薩半跏像が伝わる聖徳太子ゆかりの寺院は？ | 中宮寺 | □□□ |
| 406 ★☆☆ 奈良県にある、標高1,915mの紀伊半島最高峰は？ | 八経ヶ岳[八剣山] | □□□ |
| 407 ★★★ 金峯山寺を中心とした寺社がある桜の名所は？ | 吉野山 | □□□ |
| 408 ★☆☆ 問題407と熊野三山を結ぶ、世界遺産に登録されている約80kmにわたる修験道の修行の道は？ | 大峯奥駈道 | □□□ |

# 和歌山県

| 409 ★★☆ 和歌山県と兵庫県の淡路島との間にある海峡は？ | 紀淡海峡 | □□□ |
|---|---|---|
| 410 ★★★ 和泉山脈の南麓を西流し、和歌山市で紀伊水道に注ぐ一級河川は？ | 紀の川 | □□□ |
| 411 ★★★ 真言宗総本山金剛峯寺がある地は？ | 高野山 | □□□ |

**412** ★★★
問題 411 を含む国定公園は？

高野龍神国定公園

**413** ★★☆
金剛峯寺にある空海入定の地とされる施設は？

奥之院

**414** ★☆☆
世界遺産になっている、熊野詣の湯垢離場は？

つぼ湯（湯の峰温泉にある公衆浴場の岩風呂）

**415** ★☆☆
川湯温泉にある、川を堰き止めて作られる巨大な露天風呂は？

仙人風呂

**416** ★★★
千畳敷・円月島・三段壁などがある国の名勝は？

南紀白浜

**417** ★★★
紀伊半島最南端にある陸繋島は？

潮岬

**418** ★☆☆
問題 417 の西に位置する、世界最北のテーブルサンゴ群生地があることで知られる海域公園は？

串本海中公園

**419** ★★★
熊野古道を含む世界遺産の正式名称は？

紀伊山地の霊場と参詣道

**420** ★★☆
熊野三山は、熊野那智大社と熊野本宮大社と、もう1つは？

熊野速玉大社

**421** ★☆☆
紀伊半島有数の観光地で、熊野那智大社や青岸渡寺などが所在する町は？

那智勝浦町

# 兵庫県

**422** ★☆☆
山陰海岸国立公園にある玄武岩採掘の坑道跡は？

玄武洞

**423** ★★☆ □□□
但馬の小京都と呼ばれる重伝建の城下町は？　出石

**424** ★★☆ □□□
問題 423 の郷土料理で、通常 5 つの小皿に分けて出される料理は？　出石（皿）そば

**425** ★☆☆ □□□
鉢伏山の北側山麓にある、スキー場として有名な高原は？　ハチ北高原

**426** ★★☆ □□□
朝来市にある城跡で、雲海に囲まれることがあるため「天空の城」と呼ばれるのは？　竹田城跡

**427** ★★★ □□□
神戸市にある、明治から大正期の洋風建築が並ぶ重伝建の港町は？　北野異人館街

**428** ★★☆ □□□
斬新なデザインを持つ神戸海洋博物館やリゾートホテルなどがある神戸港の公園は？　メリケンパーク

**429** ★☆☆ □□□
六甲山地にある山で、掬星台展望台があるのは？　摩耶山

**430** ★★★ □□□
明石市と淡路島を結ぶ世界最長の吊り橋は？　明石海峡大橋

**431** ★★★ □□□
淡路島にある国指定の名勝の松原は？　慶野松原

**432** ★☆☆ □□□
姫路市の書写山にある寺院で、「西の比叡山」とも称される天台宗の別格本山は？　（書写山）圓教寺

**433** ★★★ □□□
「ゆかたご意見番」のサービスで知られる温泉は？　城崎温泉

**434** ★★★ □□□
六甲山地にある日本三古湯の 1 つで、豊臣秀吉も再三訪れた温泉は？　有馬温泉

# 8 中国地方

「岡山」「広島」「鳥取」「島根」「山口」で構成される中国地方は都市と都市をまたぐ大型の橋が多いのも特徴であり、やはりその知識も問われます。

## 岡山県

**435** ★☆☆ □□□
真庭市北部の蒜山高原が属する国立公園は？
大山隠岐国立公園

**436** ★★☆ □□□
岡山藩主池田光政が開設した庶民のための学校で、講堂が国宝に指定されているのは？
閑谷学校

**437** ★★★ □□□
岡山藩主池田綱政が造営した日本三名園の１つは？
後楽園

**438** ★☆☆ □□□
瀬戸内市にある、刀剣を展示する博物館は？
備前長船刀剣博物館

**439** ★★★ □□□
美観地区景観条例で守られている岡山県の都市は？
倉敷（市）

**440** ★★☆ □□□
問題 439 の都市の美観地区にある西洋美術・近代美術の美術館は？
大原美術館

**441** ★☆☆ □□□
問題 439 の都市にある複合観光施設で、同地に本店を持つ紡績会社の旧工場を改修した施設は？
倉敷アイビースクエア

**442** ★☆☆ □□□
問題 439 の都市にある標高 133m の山で、瀬戸大橋や塩飽諸島などを望める景勝地は？
鷲羽山

**443** ★★☆ □□□
問題 439 の都市と香川県坂出市を結ぶ橋は？　　瀬戸大橋

**444** ★★☆ □□□
問題 443 の橋の本州側の起点で、日本産ジーンズの
発祥地として知られる地域は？　　児島

**445** ★☆☆ □□□
高梁市にある、ベンガラ漆喰壁で有名な重伝建の鉱
山町は？　　吹屋

**446** ★☆☆ □□□
高梁市にある、標高 430m の臥牛山山頂に位置する
現存天守の 1 つは？　　備中松山城

**447** ★★★ □□□
岡山県を代表する陶磁器で、日本六古窯の 1 つとして
日本遺産に認定されているのは？　　備前焼

# 広島県

**448** ★★★ □□□
尾道市と四国を結ぶ西瀬戸自動車道の愛称は？　　しまなみ海道

**449** ★☆☆ □□□
尾道市にある、ロープウェイが敷設された桜の名所と
して知られる公園は？　　千光寺公園

**450** ★☆☆ □□□
安芸の小京都と呼ばれる商家町で重伝建に選定され
ているのは？　　竹原

**451** ★★☆ □□□
東広島市に位置する日本三大醸造地の 1 つで、日本
の 20 世紀遺産に選定されているのは？　　西条（の酒造施設群）

**452** ★★★ □□□
戦艦「大和」に関するミュージアムがある都市は？　　呉（市）

**453** ★★☆ □□□
広島湾に浮かぶ大日本帝国海軍ゆかりの島で、現在も
海上自衛隊の学校があるのは？　　江田島

**454** ★★★　□□□
原爆ドームや平和記念公園がある都市は？　広島（市）

**455** ★★★　□□□
広島県にある日本三景の１つに所在する、世界遺産
の神社は？　厳島神社

**456** ★★★　□□□
問題 455 の神社がある場所は通称「安芸の○○」と
も呼ばれるが、○○に入るのは？　宮島

**457** ★★☆　□□□
問題 455 の中心にある山は？　弥山

**458** ★★☆　□□□
問題 455 にある紅葉の名所で、ロープウェイの発着
駅があるのは？　紅葉谷公園

**459** ★★★　□□□
国の特別名勝である三段峡がある国定公園は？　西中国山地国定
公園

**460** ★★☆　□□□
樹木の葉をモチーフにした広島名物の饅頭は？　もみじ饅頭

# 鳥取県

**461** ★☆☆　□□□
鳥取市にある片山東熊が設計した西洋館で、国の重
要文化財に指定されているのは？　仁風閣

**462** ★☆☆　□□□
かつての因幡街道の旧宿場町で、その林業景観が重
要文化的景観に選定されているのは？　智頭（宿）

**463** ★☆☆　□□□
問題 462 にある近代和風建築で、国の重要文化財に
指定されているのは？　石谷家住宅

**464** ★★★　□□□
山陰海岸国立公園にある日本最大の砂丘は？　鳥取砂丘

| 465 ★★☆ | □□□ |
| 因幡の白兎の伝説にまつわる海岸は？ | 白兎海岸 |

| 466 ★☆☆ | □□□ |
| 問題 465 の海岸近くにある周囲約 18km の汽水湖は？ | 湖山池 |

| 467 ★★★ | □□□ |
| 鳥取県にある、崖の窪みに造られた平安時代の国宝建造物は？ | (三佛寺) 投入堂 |

| 468 ★★☆ | □□□ |
| 問題 467 の近くにある温泉で、河原風呂と呼ばれる混浴露天風呂の外湯があるのは？ | 三朝温泉 |

| 469 ★★★ | □□□ |
| 伯耆富士とも呼ばれる中国地方の最高峰は？ | 大山 |

| 470 ★★★ | □□□ |
| 鳥取県西端部から北西へ延びる大規模な砂州は？ | 弓ヶ浜 |

| 471 ★★☆ | □□□ |
| 米子市にある山陰最大級の収容規模を誇る温泉で、「米子の奥座」と呼ばれるのは？ | 皆生温泉 |

| 472 ★★☆ | □□□ |
| 漫画家の水木しげるが育った重要港湾都市は？ | 境港 (市) |

| 473 ★★☆ | □□□ |
| 鳥取県の特産品として知られる果物の品種は？ | 二十世紀梨 |

# 島根県

| 474 ★★☆ | □□□ |
| 摩天崖と呼ばれる断崖絶壁がある海岸は？ | (隠岐) 国賀海岸 |

| 475 ★★★ | □□□ |
| 問題 474 を含む国立公園は？ | 大山隠岐国立公園 |

476 ★★☆ □□□
島根半島東部にある、江戸時代に北前船交易で繁栄した町は？ 　美保関町

477 ★★☆ □□□
安来市にある、横山大観の作品コレクションで有名な美術館は？ 　足立美術館

478 ★★★ □□□
島根半島にある連結汽水湖で西側にあるのは？ 　宍道湖

479 ★★★ □□□
問題478の湖岸に位置する温泉で、『出雲国風土記』にも記載され、神の湯として知られたのは？ 　玉造温泉

480 ★★★ □□□
島根県にある国宝天守を持つ城は？ 　松江城

481 ★☆☆ □□□
島根半島の最西端の岬は？ 　日御碕

482 ★★★ □□□
島根半島最西部にある大国主大神を祀る神社は？ 　出雲大社（正式な読み方は「いづもおおやしろ」）

483 ★★☆ □□□
島根県にある、たたら製鉄で有名な重要文化的景観の町は？ 　奥出雲町

484 ★★★ □□□
大田市にある世界文化遺産は？ 　石見銀山遺跡とその文化的景観

485 ★★☆ □□□
問題484の構成資産の1つで、港町・温泉町として重伝建に選定されている温泉は？ 　温泉津温泉

486 ★☆☆ □□□
浜田市の伝統的工芸品で、ユネスコ無形文化遺産の指定を受けているのは？ 　石州和紙 [石州半紙]

第1章

日本地理

第2章

第3章

第4章

第5章

# 山口県

**487** ★★☆ □□□
山口市にある国宝の五重塔を持つ寺院は？
瑠璃光寺

**488** ★★★ □□□
江戸時代、長州藩 36 万石の城下町として発達した都市は？
萩（市）

**489** ★☆☆ □□□
問題 488 の城跡を整備した公園で、桜やツツジの名所として知られるのは？
（萩城跡）指月公園

**490** ★★★ □□□
吉田松陰が指導して多数の逸材を出した塾で、世界遺産にも登録されているのは？
松下村塾

**491** ★★★ □□□
日本最大のカルスト台地で国定公園に指定されているのは？
秋吉台

**492** ★★☆ □□□
問題 491 の地下にある日本最大規模の鍾乳洞は？
秋芳洞

**493** ★★☆ □□□
長門市にある、「海上アルプス」と呼ばれる奇岩海岸は？
青海島

**494** ★☆☆ □□□
長門市にある神社で、断崖上に 123 基の朱色の鳥居が並ぶ景観で知られるのは？
元乃隅神社（旧称は元乃隅稲成神社）

**495** ★☆☆ □□□
下関市にある曹洞宗の寺院で、鎌倉時代の禅宗様建築を代表する国宝の仏殿があるのは？
功山寺

**496** ★★☆ □□□
壇ノ浦の戦いで入水した安徳天皇を祀る神宮は？
赤間神宮

**497** ★★☆ □□□
下関市を集積地とする有名な海産物は？
ふく［フグ］

**498** ★☆☆ ........................................................ □□□ ....
熱した瓦で茶そばを出す「瓦そば」発祥の地として知
られる、下関市の温泉は？

**川棚温泉**

**499** ★☆☆ ........................................................ □□□ ....
問題 498 を含む防長四湯の１つで、開湯が白狐伝説
に由来する山陽随一の温泉街は？

**湯田温泉**

**500** ★★★ ........................................................ □□□ ....
本州と九州を結ぶ橋は？

**関門橋**

# 9 四国地方
しこく

「香川」「愛媛」「徳島」「高知」で構成される四国地方は離島や橋が多く、地図と照らし合わせて名称を押さえておきましょう。坂本龍馬関連の問題は歴史だけでなく地理でも問われることがあります。

## 香川県
かがわ

**501** ★★★
小豆島にある日本三大奇勝の1つは？
寒霞渓
かんかけい

**502** ★★☆
小豆島において日本で初めて栽培に成功した果実は？
オリーブ

**503** ★☆☆
小豆島出身の作家で、小説『二十四の瞳』の作品で知られるのは？
壺井栄
つぼいさかえ

**504** ★★☆
瀬戸内海に浮かぶ、アート活動で知られる「ベネッセアートサイト○○」。○○に入るのは？
直島
なおしま

**505** ★☆☆
さぬき市にある、四国八十八ヶ所の結願の寺となる第88番札所の寺院は？
大窪寺
おおくぼじ

**506** ★★☆
高松市にある、源氏と平氏の古戦場の1つは？
げんじ　へいし
屋島
やしま

**507** ★☆☆
日本三大水城として知られた高松城跡を整備した公園は？
みずじろ　たかまつ
玉藻公園
たまも

**508** ★★★
高松市にある、国の特別史跡の回遊式大名庭園は？
栗林公園
りつりん

**509** ★★☆
本州と瀬戸大橋で結ばれている香川県の都市は？
せと
坂出（市）
さかいで

**510** ★★☆ ·········· □□□
香川県中西部の市にある現存天守の１つを持つ城は？ 　丸亀城（まるがめじょう）

**511** ★☆☆ ·········· □□□
空海誕生地とされる四国八十八ヶ所第 75 番札所の寺院は？ 　善通寺（ぜんつうじ）

**512** ★☆☆ ·········· □□□
空海が改修したことで知られる、日本最大の灌漑用のため池は？ 　満濃池（まんのういけ）

**513** ★★★ ·········· □□□
参道にある 1,368 段の石段で有名な神社は？ 　金刀比羅宮（ことひらぐう）［金毘羅宮］（こんぴらぐう）

**514** ★★☆ ·········· □□□
香川県には全国に知られるご当地グルメがあり、○○○県と呼ばれることがある。○○○に入るのは？ 　うどん

# 愛媛県（えひめ）

**515** ★☆☆ ·········· □□□
大山祇神社（おおやまづみ）がある瀬戸内海の島は？ 　大三島（おおみしま）

**516** ★★☆ ·········· □□□
タオルのブランド化に成功した愛媛県の都市は？ 　今治（市）（いまばり）

**517** ★☆☆ ·········· □□□
住友家（すみとも）が経営した別子銅山（べっし）で栄え、その後も住友グループの企業城下町として発達した工業都市は？ 　新居浜（市）（にいはま）

**518** ★★☆ ·········· □□□
松山市（まつやま）にある、四国八十八ヶ所第 51 番札所の寺院は？ 　石手寺（いしてじ）

**519** ★★☆ ·········· □□□
日本の近代文学に大きく貢献した、現在の松山市出身の俳人は？ 　正岡子規（まさおかしき）

第1章

日本地理

第2章

第3章

第4章

第5章

**520** ★☆☆ □□□

愛媛県の中予地方に位置する町で焼かれる陶磁器で、讃岐うどんの器としてよく用いられるのは？

砥部焼

**521** ★★★ □□□

四国地方の最高峰は？

石鎚山

**522** ★★☆ □□□

仁淀川上流にある、国定公園に指定されている渓谷は？

面河渓

**523** ★☆☆ □□□

内子町にある重伝建の製蝋町は？

八日市護国

**524** ★☆☆ □□□

大洲市にある1907年に完成した山荘で、山荘内の3棟の建築物が国の重要文化財に指定されているのは？

臥龍山荘

**525** ★★☆ □□□

四国最西端に位置する、約40kmに及ぶ細長い半島は？

佐田岬半島

**526** ★☆☆ □□□

重要文化的景観に選定されている、宇和島市にある段畑は？

遊子水荷浦の段畑

**527** ★★★ □□□

滑床渓谷が属する国立公園は？

足摺宇和海国立公園

# 徳島県

**528** ★★☆ □□□

四国と淡路島を結ぶ橋の名称は？

大鳴門橋

**529** ★★★ □□□

徳島県と兵庫県の境で渦潮が見られる海峡は？

鳴門海峡

**530** ★☆☆　□□□
鳴門市の鳴門公園内にある、世界の名画をオリジナル原寸大の陶板で再現した陶板複製画を展示する美術館は？
大塚国際美術館

**531** ★☆☆　□□□
四国八十八ヶ所の発願の寺となる第1番札所は？
霊山寺

**532** ★☆☆　□□□
徳島市街に隣接し、徳島市のシンボルとされる標高290mの山は？
眉山

**533** ★★★　□□□
日本三大暴れ川の1つで、四国三郎の異名を持つ長さ194kmの河川は？
吉野川

**534** ★★☆　□□□
問題533の河川の中流域にある美しい渓谷の大○○と小○○。○○に入るのは？
歩危

**535** ★☆☆　□□□
問題533の河川によって砂礫層が浸食されてできた国の天然記念物の地形は「阿波の○○」と呼ばれている。○○に入るのは？
土柱

**536** ★★☆　□□□
かずら橋や平家の落人伝説で知られる渓谷は？
祖谷渓

**537** ★★★　□□□
石鎚山に次ぐ西日本2番目の高峰は？
剣山

**538** ★☆☆　□□□
四国最東端の岬は？
蒲生田岬

**539** ★★★　□□□
問題538の岬を含む国定公園は？
室戸阿南海岸国定公園

**540** ★★☆　□□□
海部郡美波町の日和佐浦に位置する博物館カレッタのテーマは？
ウミガメ［うみがめ］

第1章

日本地理

第2章

第3章

第4章

第5章

**541** ★★★ ⋯⋯⋯⋯⋯⋯⋯⋯⋯⋯⋯⋯⋯⋯⋯⋯⋯⋯⋯⋯ □□□

8月に行われる、徳島県を発祥とする盆踊りは？ 阿波踊り

# 高知県

**542** ★★☆ ⋯⋯⋯⋯⋯⋯⋯⋯⋯⋯⋯⋯⋯⋯⋯⋯⋯⋯⋯⋯ □□□

高知県にある、世界ジオパークのジオサイトになって
いる岬は？ 室戸岬

**543** ★★☆ ⋯⋯⋯⋯⋯⋯⋯⋯⋯⋯⋯⋯⋯⋯⋯⋯⋯⋯⋯⋯ □□□

問題542の岬から西側に発達している、平坦面と急
崖からなる地形を何と呼ぶ？ 海岸段丘［海成
段丘］

**544** ★☆☆ ⋯⋯⋯⋯⋯⋯⋯⋯⋯⋯⋯⋯⋯⋯⋯⋯⋯⋯⋯⋯ □□□

高知県安芸郡にある、フランス・ジヴェルニーのモネ
の家の庭園を再現した庭園は？ 北川村「モネの
庭」マルモッタン

**545** ★☆☆ ⋯⋯⋯⋯⋯⋯⋯⋯⋯⋯⋯⋯⋯⋯⋯⋯⋯⋯⋯⋯ □□□

高知県安芸郡にある「日本で最も美しい村連合」加
盟村で、柚子ブランド品で有名になったのは？ 馬路村

**546** ★★☆ ⋯⋯⋯⋯⋯⋯⋯⋯⋯⋯⋯⋯⋯⋯⋯⋯⋯⋯⋯⋯ □□□

高知県にある日本三大鍾乳洞の1つは？ 龍河洞

**547** ★☆☆ ⋯⋯⋯⋯⋯⋯⋯⋯⋯⋯⋯⋯⋯⋯⋯⋯⋯⋯⋯⋯ □□□

高知市街を一望できる標高146mの山は？ 五台山

**548** ★☆☆ ⋯⋯⋯⋯⋯⋯⋯⋯⋯⋯⋯⋯⋯⋯⋯⋯⋯⋯⋯⋯ □□□

問題547の山にある四国八十八ヶ所第31番札所は？ 竹林寺

**549** ★★☆ ⋯⋯⋯⋯⋯⋯⋯⋯⋯⋯⋯⋯⋯⋯⋯⋯⋯⋯⋯⋯ □□□

坂本龍馬像が立つ高知市の浜は？ 桂浜

**550** ★☆☆ ⋯⋯⋯⋯⋯⋯⋯⋯⋯⋯⋯⋯⋯⋯⋯⋯⋯⋯⋯⋯ □□□

高知城は現存天守12城の1つだが、別名何城と呼ば
れる？ 鷹城

**551** ★★☆ ⋯⋯⋯⋯⋯⋯⋯⋯⋯⋯⋯⋯⋯⋯⋯⋯⋯⋯⋯⋯ □□□

高知県高岡郡にある、大正天皇が寄付した復興費で
火事から再興した市場は？ 久礼大正町市場

552 ★★★ ··········································· □□□ ············
佐田沈下橋を含む多くの沈下橋が架かる川で、「日本最後の清流」と呼ばれるのは？

四方十川

553 ★★★ ··········································· □□□ ············
四国八十八ヶ所第38番札所の金剛福寺がある四国最南端の岬は？

足摺岬

554 ★☆☆ ··········································· □□□ ············
高知県の郷土料理で、大皿に盛られた宴会料理は？

皿鉢料理

第1章

日本地理

第2章

第3章

第4章

第5章

「福岡」「佐賀」「長崎」「熊本」「大分」「宮崎」「鹿児島」「沖縄」で構成される九州・沖縄地方は台湾や韓国からも距離が近く、大勢の観光客が訪れます。

## 福岡県

555 ★★☆ □□□
大正レトロで人気の鹿児島本線の起点駅は？　門司港駅

556 ★☆☆ □□□
ケーブルカーで行ける山頂展望台から北九州市街を一望できる山は？　皿倉山

557 ★★☆ □□□
北九州国定公園に指定されているカルスト台地は？　平尾台

558 ★★★ □□□
北九州市にある銑鋼一貫の製鉄所で、その4資産が世界遺産に登録されているのは？　八幡製鉄所

559 ★★★ □□□
世界遺産に登録された福岡県の神社は？　宗像大社

560 ★★★ □□□
問題559の沖津宮が鎮座する孤島で、世界遺産に登録されているのは？　沖ノ島

561 ★★☆ □□□
九州新幹線の起点駅は？　博多駅

562 ★★★ □□□
7月に福岡市で行われる、ユネスコ無形文化遺産「山·鉾・屋台行事」に登録されている祭りは？　博多祇園山笠

563 ★★☆ □□□
もとは福岡城の外濠で入江でもあった池を中心とした、福岡市の中心にある都市公園は？　大濠公園

**564** ★☆☆ □□□
陸繋島の志賀島と九州本土を結ぶ全長約 8km に及ぶ砂州は？ 　海の中道

**565** ★★★ □□□
京都の北野天満宮と並ぶ、全国天満宮の総本社は？ 　太宰府天満宮

**566** ★★☆ □□□
ブリヂストンの創業地で、豚骨ラーメンの発祥地とされる都市は？ 　久留米（市）

**567** ★★☆ □□□
登録商標の「あまおう」とはどんな特産物？ 　いちご

## 佐賀県

**568** ★☆☆ □□□
九州自動車道からのアクセスに優れ、150 もの店舗が入るプレミアム・アウトレットがある佐賀県の都市は？ 　鳥栖（市）

**569** ★★★ □□□
佐賀県にある弥生時代の大規模環濠集落跡は？ 　吉野ヶ里遺跡

**570** ★☆☆ □□□
日本初の実用蒸気船が製造された佐賀藩の海軍所跡で、世界遺産に登録されているのは？ 　三重津海軍所跡

**571** ★☆☆ □□□
小城市を中心に製造されている佐賀県伝統の銘菓は？ 　羊羹

**572** ★☆☆ □□□
新鮮な海産物を扱う朝市で有名な、唐津市の町は？ 　呼子町

**573** ★★☆ □□□
唐津市にある、豊臣秀吉が朝鮮出兵のために築かせた城の跡は？ 　名護屋城跡

**574** ★★★ □□□
唐津市にある日本三大松原の 1 つは？ 　虹の松原

**575** ★☆☆ ································································· □□□

唐津市にある重要文化的景観の棚田は？　　　　蕨野の棚田

**576** ★★☆ ································································· □□□

11月に行われる唐津市の伝統行事で、ユネスコ無形　唐津くんち
文化遺産に登録されているのは？

**577** ★★★ ································································· □□□

かつて磁器の積出港として栄えた港がある佐賀県の　伊万里（市）
都市は？

**578** ★★★ ································································· □□□

日本の磁器の発祥地として有名な重伝建の製磁町　有田町
は？

**579** ★★☆ ································································· □□□

問題 578 にある公園で、同町がドイツ・マイセンと姉　有田ポーセリン
妹都市であることから、ドイツ・ドレスデンのツヴィ　パーク
ンガー宮殿を模した建物があるのは？

**580** ★★☆ ································································· □□□

武雄市と嬉野市に共通する観光資源は？　　　　温泉

# 長崎県

**581** ★★☆ ································································· □□□

長崎県北部の洋上にある国定公園の島は、対馬と　壱岐島
何？

**582** ★★☆ ································································· □□□

かつてイギリスやオランダの商館が置かれた島は？　平戸島

**583** ★★☆ ································································· □□□

世界遺産の潜伏キリシタン関連遺産が多く存在する　五島列島
長崎県の列島は？

**584** ★☆☆ ································································· □□□

問題 583 の列島の一部で、島全体が重要文化的景観　久賀島
に選定されており、旧五輪教会堂がある島は？

585 ★★★　　　　　　　　　　　　　　　　　　□□□
国立公園に指定され、世界ジオパークにも認定されて　島原半島
いる長崎県の半島は？

586 ★★★　　　　　　　　　　　　　　　　　　□□□
問題 585 の中央部にある火山で、付近の温泉ととも　雲仙岳
に日本初の国立公園に指定されたのは？

587 ★★☆　　　　　　　　　　　　　　　　　　□□□
九十九島、西海橋、ハウステンボスなどがある都市　佐世保（市）
は？

588 ★☆☆　　　　　　　　　　　　　　　　　　□□□
長崎県の中央部に位置する海域で、真珠養殖地として　大村湾
長い歴史を持つ湾は？

589 ★☆☆　　　　　　　　　　　　　　　　　　□□□
長崎市にある、日本三大夜景および世界新三大夜景　稲佐山
の１つに選ばれた夜景を望める展望台がある山は？

590 ★★★　　　　　　　　　　　　　　　　　　□□□
長崎市にある、世界遺産に登録されている国宝の天　大浦天主堂
主堂は？

591 ★☆☆　　　　　　　　　　　　　　　　　　□□□
長崎市にある黄檗宗の寺院で、大雄宝殿と第一峰門　崇福寺
が国宝に指定されているのは？

592 ★★★　　　　　　　　　　　　　　　　　　□□□
かつて海底炭坑採掘で栄えた島が閉山後に無人島に　端島［軍艦島］
なったもので、世界遺産に登録されている島は？

593 ★★☆　　　　　　　　　　　　　　　　　　□□□
長崎市の郷土料理で、円卓を囲んで楽しむ宴会料理　卓袱料理
は？

# 熊本県

594 ★☆☆　　　　　　　　　　　　　　　　　　□□□
熊本県阿蘇郡にある裏見の滝の代表例は？　　　　　鍋ケ滝

**595** ★★★ □□□

世界最大規模のカルデラを持つ火山で、国立公園に指定され、また、世界ジオパークに認定されているのは？

阿蘇山

**596** ★★☆ □□□

問題595の北部外輪山の最高峰で、その火山の中央火口丘や九重連山を一望することができる山は？

大観峰

**597** ★★☆ □□□

問題596の麓に広がる、広葉樹の原生林に覆われた渓谷で、四十三万滝や黎明の滝などがあるのは？

菊池渓谷

**598** ★★★ □□□

熊本市にある、もと熊本藩細川氏の大名庭園は？

水前寺成趣園

**599** ★☆☆ □□□

宇城市にある重要港湾で世界遺産に登録されているのは？

三角西港

**600** ★★☆ □□□

問題599がある半島の名称は？

宇土半島

**601** ★★★ □□□

世界遺産の崎津集落がある都市は？

天草（市）

**602** ★☆☆ □□□

八代市にある、平家の落人伝説で知られる5地域の総称は？

五家荘

**603** ★★☆ □□□

日本遺産に認定されている、もと相良氏の城下町であった都市は？

人吉（市）

**604** ★★★ □□□

問題603の市を流れる川で、日本三大急流の1つとされ、川沿いの温泉や川下りが人気なのは？

球磨川

**605** ★★★ □□□

阿蘇山の北に位置する、外湯めぐりのための「入湯手形」を発行する温泉は？

黒川温泉

**606** ★★☆ ..................... □□□
熊本県が全国生産高の 8 ～ 9 割を占める産物は？　イグサ

# 大分県
<small>おお いた</small>

**607** ★★☆ ..................... □□□
福沢諭吉が少年期を過ごした旧宅がある都市は？　中津（市）
<small>なか つ</small>

**608** ★☆☆ ..................... □□□
大分県にある日本三大八幡宮の 1 つは？　宇佐神宮
<small>う さ</small>

**609** ★★☆ ..................... □□□
大分県の都市で、昭和時代の建物を整備した町があるのは？　豊後高田（市）
<small>ぶん ご たか だ</small>

**610** ★☆☆ ..................... □□□
問題 609 の市にある国宝の大堂を持つ寺院は？　富貴寺
<small>ふ き じ</small>

**611** ★★☆ ..................... □□□
重伝建の豆田町や咸宜園跡などがある都市は？　日田（市）
<small>まめ だ まち かん ぎ えん</small>　<small>ひ た</small>

**612** ★★★ ..................... □□□
地獄めぐりで知られる大分県の温泉は？　別府温泉
<small>べっ ぷ</small>

**613** ★☆☆ ..................... □□□
問題 612 にある 7 湯のうち、源泉が集中しており、地獄めぐり 7 か所のうち 5 か所が所在する温泉は？　鉄輪温泉
<small>かん なわ</small>

**614** ★★★ ..................... □□□
由布市にある、金鱗湖を中心に広がる田園風景が人気の温泉は？　由布院温泉
<small>ゆ ふ きん りん こ</small>　<small>ゆ ふ いん</small>

**615** ★★★ ..................... □□□
由布市水分峠と阿蘇市一の宮地区を結ぶ、眺望に優れる県道の愛称は？　やまなみハイウェイ
<small>みず わけ いち みや</small>

**616** ★☆☆ ..................... □□□
大分県にある日本一高い歩行者専用橋は？　九重 "夢" 大吊橋
<small>ここの え</small>

**617** ★☆☆ □□□

野生のニホンザルが餌付けされている、瀬戸内海国立公園域内にある動物園は？

高崎山自然動物園

**618** ★★☆ □□□

四国の佐田岬半島と向かい合う位置にある半島で、高級ブランドの関サバ、関アジなどの水揚げで知られるのは？

佐賀関半島

**619** ★★☆ □□□

平安時代〜鎌倉時代に彫られたとされる国宝の磨崖仏群がある都市は？

臼杵（市）

# 宮崎県

**620** ★☆☆ □□□

遊覧ボートで真名井の滝を観光できる峡谷は？

高千穂峡

**621** ★☆☆ □□□

問題 620 の峡谷がある国定公園は？

祖母傾国定公園

**622** ★☆☆ □□□

日向市にある、港町として重伝建に選定されている地区で、神武東征出発の地との伝説がある地は？

美々津

**623** ★★★ □□□

西都市にある国の特別史跡の古墳群は？

西都原古墳群

**624** ★☆☆ □□□

宮崎県の本庄川に架かる日本で 2 番目に高い歩行者専用の吊り橋は？

照葉大吊橋

**625** ★★★ □□□

宮崎市にある日南海岸に面した大型リゾート施設は？

フェニックス・シーガイア・リゾート

**626** ★★☆ □□□

周囲に「鬼の洗濯岩」と呼ばれる波食台が発達している宮崎市の島は？

青島

**627** ★☆☆ □□□
日南市にある、洞窟の中に本殿が位置する神社で、パワースポットとして「運玉投げ」が人気なのは？ 鵜戸神宮（うど）

**628** ★☆☆ □□□
日南市にある、武家町として重伝建に選定されている地区で、「九州の小京都」とも呼ばれるのは？ 飫肥（おび）

**629** ★☆☆ □□□
宮崎県と鹿児島県の境にある霧島山（きりしまやま）の最高峰は？ 韓国岳（からくにだけ）

**630** ★★☆ □□□
問題 629 の北西麓に広がる高原で、マール地形の不動池（どういけ）があるのは？ えびの高原

**631** ★★★ □□□
宮崎県と鹿児島県の境にある火山で天孫降臨（てんそんこうりん）の神話が残る地は？ 高千穂峰（たかちほのみね）

**632** ★★☆ □□□
宮崎県発祥の、鶏肉を使った揚げ物料理は？ チキン南蛮（なんばん）

# 鹿児島県（かごしま）

**633** ★★★ □□□
鹿児島県西部の洋上にある国定公園の列島は？ 甑島列島（こしきしま）

**634** ★☆☆ □□□
東シナ海に面した薩摩半島西岸にある、長さ約 47km の日本一長い砂丘は？ 吹上浜（ふきあげはま）

**635** ★★☆ □□□
鹿児島市にある、薩摩藩主島津氏の別邸跡は？ 仙巌園（せんがんえん）

**636** ★★☆ □□□
幕末の島津藩の機械工場で、現在博物館になっているのは？ 尚古集成館（しょうこしゅうせいかん）

**637** ★☆☆ □□□
重伝建の武家町や特攻隊に関する展示施設がある地は？ 知覧（ちらん）

**638** ★★★ □□□

天然砂蒸し風呂で有名な摺ヶ浜温泉などを含む鹿児島県の温泉は？

指宿温泉

**639** ★★☆ □□□

薩摩半島南東部にある九州最大の湖は？

池田湖

**640** ★★★ □□□

薩摩半島の南端に位置する標高 924m の火山で、美しい円錐形の山容から薩摩富士と呼ばれるのは？

開聞岳

**641** ★☆☆ □□□

薩摩半島の最南端にある岬は？

長崎鼻

**642** ★★★ □□□

1914 年の大噴火で、大隅半島と陸続きになった火山島は？

桜島

**643** ★★☆ □□□

九州本土最南端の岬は？

佐多岬

**644** ★☆☆ □□□

大隅諸島と奄美群島の間に位置する、7 つの有人島と 5 つの無人島から成る秘境の列島は？

吐噶喇列島

**645** ★★☆ □□□

奄美群島の伝統工芸品である高級織物は？

大島紬

# 沖縄県

**646** ★★☆ □□□

やんばる国立公園に指定されている、沖縄本島最北端の岬は？

辺戸岬

**647** ★☆☆ □□□

問題 646 の近くにあるカルスト地形の切り立った岩山で、「沖縄石の文化博物館」がある観光地は？

大石林山

**648** ★★★ □□□

本部半島にある世界最大級の水槽を持つ水族館は？

沖縄美ら海水族館

**649** ★★☆　□□□
沖縄本島中央部の恩納村にある、象の鼻に似た奇岩がある景勝地は？
万座毛

**650** ★★★　□□□
世界遺産に登録されている首里城跡がある都市は？
那覇（市）

**651** ★☆☆　□□□
沖縄本島南端部にある国定公園は？
沖縄戦跡国定公園

**652** ★★★　□□□
沖縄本島の西約40kmに位置する、大小30余りの島々とサンゴ礁からなる国立公園の諸島は？
慶良間諸島

**653** ★★☆　□□□
九州南端から台湾北東にかけて位置する南西諸島の西部にあり、八重山列島とともに先島諸島を成す列島は？
宮古列島

**654** ★★☆　□□□
重伝建の赤瓦屋根の集落や星砂の浜として知られる、皆治浜がある八重山列島の島は？
竹富島

**655** ★★★　□□□
国立公園に指定されたサンゴ礁景観である川平湾がある島は？
石垣島

**656** ★★☆　□□□
沖縄県で2番目に大きな島で、カンビレー［カンピレー］の滝やマリユドゥの滝があるのは？
西表島

**657** ★★★　□□□
日本の最西端の島は？
与那国島

**658** ★★★　□□□
タイ米を原料とする、琉球諸島で作られる蒸留酒は？
泡盛

**659** ★☆☆　□□□
中世に成立したとされる沖縄の染色伝統工芸は？
琉球びんがた［紅型］

# ⑪ 写真編

中学校および高校の地理の教科書や地図帳をベースとした地図や写真を使った問題が出題されることがあります。

---

**660** ★★★ □□□

写真は、日本三大夜景の1つとされる陸繋島からの夜景である。その名称は？

函館山（はこだてやま）

---

**661** ★★☆ □□□

問題660がある市の港町で、重伝建に選定されているレンガ倉庫群の名称は？

金森赤レンガ倉庫（かねもり）

---

**662** ★☆☆ □□□

写真は、奥入瀬川本流にある高さ7mの滝である。その名称は？

銚子大滝（ちょうしおおたき）

---

**663** ★☆☆ □□□

問題662の渓流の流出口で、十和田湖湖上遊覧船の発着地の名称は？

子ノ口（ねのくち）

---

**664** ★☆☆ □□□

写真は、南部地方に多く見られる母屋と厩が一体化した家屋である。その名称は？

曲り家（まがりや）

---

**665** ★★☆ □□□

問題664の1つで、国の重要文化財に指定されている千葉家住宅がある都市は？

遠野（市）（とおの）

666 ★★☆

写真は、石巻市の金華山にある古社である。その名称は?

黄金山神社

667 ★★★

問題666がある島は全域が国立公園に指定されている。その公園名は?

三陸復興国立公園

668 ★★★

写真は、永遠の美を望んで龍の姿に変わったと伝えられる辰子の像である。この像の背後にある湖は?

田沢湖

669 ★☆☆

問題668の湖の最深部は約何m?

423m

670 ★★★

写真は、出羽三山の1つにある五重塔で、東北地方では最古の塔と言われる。この山の名称は?

羽黒山

671 ★★★

問題670の山以外の出羽三山の二山は?

月山と湯殿山
(順不同)

672 ★☆☆

写真は、旧会津西街道にある宿場町で、茅葺き屋根の民家が特徴である。この宿場の名称は?

大内宿

第1章

日本地理

第2章

第3章

第4章

第5章

**673** ★☆☆ □□□

問題 672 の宿場町では、箸の代わりに長ネギで食べるネギ蕎麦が名物だが、その名称は？

高遠そば

**674** ★★★ □□□

写真は、茨城県にある日本三名瀑の１つに数えられる滝で、冬に氷瀑になることで知られる。その名称は？

袋田の滝

**675** ★☆☆ □□□

問題 674 の滝がある町の名称は？

大子町

**676** ★☆☆ □□□

写真は、日光東照宮の東回廊にある彫刻の「眠り猫」で、江戸時代初期の有名な彫刻職人の作である。その職人の名は？

左甚五郎

**677** ★★☆ □□□

問題 676 の神社がある地域の名物である、大豆を使った伝統食材は？

ゆば［湯波］
※京都では「湯葉」

**678** ★★☆ □□□

写真は、群馬県にある、「東洋のナイアガラ」と称される滝である。その名称は？

吹割の滝

**679** ★☆☆ □□□

問題 678 の滝がある都市は？

沼田（市）

**680** ★☆☆ □□□

写真は、秩父鉄道が運行している SL 列車である。この列車の名称は？

SLパレオエクスプレス

**681** ★☆☆ □□□

問題 680 の列車は熊谷駅とどの駅区間で運行されている？

三峰口駅

**682** ★★★ □□□

写真は、東京湾アクアライン上にあるパーキングエリアである。この愛称は？

海ほたる

**683** ★★☆ □□□

問題 682 の高速道路は神奈川県川崎市と千葉県の何市を結んでいる？

木更津（市）

**684** ★★★ □□□

写真は、創建 7 世紀とされる東京都内最古の寺院の門である。この寺院の名称は？

浅草寺

**685** ★★★ □□□

問題 684 の門から同寺院の宝蔵門まで続く商店街の名称は？

仲見世通り

**686** ★★★ □□□

写真は、横浜都心に指定されている地域である。この地域の名称は？

横浜みなとみらい 21

第1章

日本地理

第2章

第3章

第4章

第5章

**687** ★☆☆ ・・・・・・・・・・・・・・・・・・・・・・・・・・・・・・・・ □□□

問題 686 の地域には国の重要文化財に指定されている航海練習船が保存されている。その船の名称は？

日本丸

**688** ★☆☆ ・・・・・・・・・・・・・・・・・・・・・・・・・・・・・・・・ □□□

写真は、日本の滝百選に選ばれている七ツ釜五段ノ滝である。この滝がある渓谷は？

西沢渓谷

**689** ★☆☆ ・・・・・・・・・・・・・・・・・・・・・・・・・・・・・・・・ □□□

問題 688 の渓谷がある国立公園は？

秩父多摩甲斐国立公園

**690** ★★☆ ・・・・・・・・・・・・・・・・・・・・・・・・・・・・・・・・ □□□

写真は、軽井沢町にある国の重要文化財に指定されている建物である。この名称は？

旧三笠ホテル

**691** ★★★ ・・・・・・・・・・・・・・・・・・・・・・・・・・・・・・・・ □□□

問題 690 の建物がある地域は江戸時代の五街道の1つが通る宿場町であった。その街道とは？

中山道

**692** ★☆☆ ・・・・・・・・・・・・・・・・・・・・・・・・・・・・・・・・ □□□

写真は、「たらい舟」と呼ばれる沿岸漁業用・観光用の乗り物である。この乗り物で知られる佐渡島の海岸は？

小木海岸

**693** ★☆☆ ·········································· □□□
問題 692 の近くの港は重要港湾で、本州本土との間
で高速フェリーが運航されている。その本土側の港
湾名は？　　　　　　　　　　　　　　　直江津港

**694** ★★☆ ·········································· □□□
写真は、岐阜県にある落差 32 mの
滝で、滝の水が酒に変わったという
伝説が残る。この滝の名称は？　　　　養老の滝

**695** ★★★ ·········································· □□□
問題 694 の滝と同じ国定公園内にある古戦場は？
　　　　　　　　　　　　　　　　　　　関ヶ原

**696** ★☆☆ ·········································· □□□
写真は、静岡県にある長さ
90m、高さ 8m の吊り橋で
ある。この名称は？　　　　　　夢のつり橋

**697** ★☆☆ ·········································· □□□
問題 696 の吊り橋がある峡谷は？　　　寸又峡

**698** ★☆☆ ·········································· □□□
写真は、日出の石門と呼ば
れる岩礁で、波の浸食によ
る洞窟がある。この岩礁が
ある半島は？　　　　　　　渥美半島

**699** ★☆☆ ·········································· □□□
問題 698 が見える場所の 1 つで、約 1km 続く砂浜
は？　　　　　　　　　　　　　　　　恋路ヶ浜

第
1
章

日本地理

第
2
章

第
3
章

第
4
章

第
5
章

**700** ★★☆ □□□

写真は、伊勢神宮内宮の鳥居前町の中央にある観光地である。その名称は？

おかげ横丁

**701** ★★★ □□□

問題700の神宮は、20年ごとに正殿を建て替える祭祀で知られる。この行事の名称は？

式年遷宮

**702** ★★☆ □□□

写真は、富山県の大佛寺にある大仏だが、何大仏と呼ばれている？

高岡大仏

**703** ★★☆ □□□

問題702がある市は、経済産業大臣から指定を受けた伝統工芸品で知られるが、その品目名は？

高岡銅器

**704** ★★★ □□□

写真は、石川県にある日本三名園の1つである。この庭園の名称は？

兼六園

**705** ★★★ □□□

問題704の庭園は冬季の雪対策が風物詩でもある。その名称は？

雪吊り

**706** ★★☆ □□□

写真は、福井県にある曹洞宗の中心寺院の1つである。その名称は？

永平寺

**707** ★★☆ ┈┈┈┈┈┈┈┈┈┈┈┈┈┈┈┈┈┈┈┈┈┈┈┈┈┈┈┈ □□□
問題 706 の寺院の開山は？　　　　　　道元

**708** ★☆☆ ┈┈┈┈┈┈┈┈┈┈┈┈┈┈┈┈┈┈┈┈┈┈┈┈┈┈┈┈ □□□
写真は、琵琶湖の北部に浮かぶ島にある国宝の神社本殿である。この神社の名称は？
都久夫須麻神社

**709** ★☆☆ ┈┈┈┈┈┈┈┈┈┈┈┈┈┈┈┈┈┈┈┈┈┈┈┈┈┈┈┈ □□□
問題 708 の島で古くから信仰されている神仏習合の神は？
弁財天

**710** ★★☆ ┈┈┈┈┈┈┈┈┈┈┈┈┈┈┈┈┈┈┈┈┈┈┈┈┈┈┈┈ □□□
写真は日本三景の一つで天橋立と呼ばれている。この名勝地が所在する都市は？
宮津市（京都府）

**711** ★★☆ ┈┈┈┈┈┈┈┈┈┈┈┈┈┈┈┈┈┈┈┈┈┈┈┈┈┈┈┈ □□□
問題 710 以外の 2 つの日本三景は？
松島（宮城県）と宮島（広島県）

**712** ★★★ ┈┈┈┈┈┈┈┈┈┈┈┈┈┈┈┈┈┈┈┈┈┈┈┈┈┈┈┈ □□□
写真は、日本最大の古墳で世界遺産に登録されている。この古墳の名称は？
大仙陵古墳
[仁徳天皇陵]

**713** ★★☆ ┈┈┈┈┈┈┈┈┈┈┈┈┈┈┈┈┈┈┈┈┈┈┈┈┈┈┈┈ □□□
問題 712 の古墳を含む古墳群の名称は？
百舌鳥古墳群

**714** ★★☆ ・・・・・・・・・・・・・・・・・・・・・・・・・・・・・・・・・・・・・・・・・・・・・・・・・・・ □□□

写真は、奈良県にある、生
活用吊り橋としては日本一
の長さを誇る鉄線橋である。
この橋の名称は？

谷瀬の吊り橋

**715** ★☆☆ ・・・・・・・・・・・・・・・・・・・・・・・・・・・・・・・・・・・・・・・・・・・・・・・・・・・ □□□

問題 714 の橋が架かっている河川名は？

十津川

**716** ★★★ ・・・・・・・・・・・・・・・・・・・・・・・・・・・・・・・・・・・・・・・・・・・・・・・・・・・ □□□

写真の三重塔がある寺院の
本堂と背後の滝は、世界遺
産に登録されている。この
滝の名称は？

那智の滝

**717** ★★☆ ・・・・・・・・・・・・・・・・・・・・・・・・・・・・・・・・・・・・・・・・・・・・・・・・・・・ □□□

問題 716 の三重塔がある寺院の名称は？

青岸渡寺

**718** ★★★ ・・・・・・・・・・・・・・・・・・・・・・・・・・・・・・・・・・・・・・・・・・・・・・・・・・・ □□□

写真の城は別名「白鷺城」
とも呼ばれ、天守が国宝に
指定されており、世界遺産に
も登録されている。この城
の名称は？

姫路城

**719** ★☆☆ ・・・・・・・・・・・・・・・・・・・・・・・・・・・・・・・・・・・・・・・・・・・・・・・・・・・ □□□

問題 718 の城を、1601 年から 8 年の年月をかけ
て現在の規模に拡張した城主は？

池田輝政

**720** ★☆☆ ・・・・・・・・・・・・・・・・・・・・・・・・・・・・・・・・・・・・・・・・・・・・・・・・・・・ □□□

写真は、岡山市にある
備中国一宮の本殿で
国宝に指定されてい
る。この本殿がある神
社の名称は？

吉備津神社

**721** ★☆☆ ･･････････････････････････････････････････ □□□
問題 720 の神社とゆかりのある岡山県出身の元内閣
総理大臣は？

犬養毅

**722** ★★☆ ･･････････････････････････････ □□□
写真は、福山市にある
福禅寺対潮楼からの眺
望である。この地域の
名称は？

鞆の浦

**723** ★☆☆ ･･････････････････････････････ □□□
問題 722 の地域最大の島で、写真前方に見える島の
名称は？

仙酔島

**724** ★☆☆ ･･････････････････････････････ □□□
写真は、鳥取県にあるリア
ス式海岸で、約 160 の小島
が点在する。この海岸の名
称は？

浦富海岸

**725** ★☆☆ ･･････････････････････････････ □□□
問題 724 の風景が宮城県にある名勝に似ていること
から何と呼ばれている？

山陰の松島

**726** ★★☆ ･･････････････････････････････ □□□
写真は、山陰の小京都と呼
ばれる地域にある日本五大
稲荷の１つである。この神
社の名称は？

太皷谷稲成神社

**727** ★★☆ ･･････････････････････････････ □□□
問題 726 がある地域出身の明治・大正期の小説家・
陸軍軍医は？

森鷗外

第1章

日本地理

第2章

第3章

第4章

第5章

**728** ★★★ ･･･････････････････････････････････････････ □□□

写真は、山口県にある日本
三大奇橋の１つである。こ
の名称は？

錦帯橋
<ruby>錦<rt>きん</rt></ruby><ruby>帯<rt>たい</rt></ruby><ruby>橋<rt>きょう</rt></ruby>

**729** ★★☆ ･･･････････････････････････････････････ □□□

問題 728 の橋が架かる川では夏に風物詩とされる漁
が行われるが、その名称は？

鵜飼
<ruby>鵜<rt>う</rt></ruby><ruby>飼<rt>かい</rt></ruby>

**730** ★★☆ ･･･････････････････････････････････････ □□□

写真は、香川県にある、現存
する日本最古の芝居小屋で
ある。その名称は？

旧金毘羅大芝居
<ruby>旧<rt>きゅう</rt></ruby><ruby>金<rt>こん</rt></ruby><ruby>毘<rt>ぴ</rt></ruby><ruby>羅<rt>ら</rt></ruby><ruby>大<rt>おお</rt></ruby><ruby>芝<rt>しば</rt></ruby><ruby>居<rt>い</rt></ruby>

**731** ★☆☆ ･･･････････････････････････････････････ □□□

問題 730 の芝居小屋はかつての別名でも呼ばれて
いる。その別名は？

金丸座
<ruby>金<rt>かな</rt></ruby><ruby>丸<rt>まる</rt></ruby><ruby>座<rt>ざ</rt></ruby>

**732** ★★★ ･･･････････････････････････････････････ □□□

写真は、愛媛県にある、
日本三古湯の１つの共
同湯である。この温泉
地の名称は？

道後温泉
<ruby>道<rt>どう</rt></ruby><ruby>後<rt>ご</rt></ruby>温泉

**733** ★★★ ･･･････････････････････････････････････ □□□

問題 732 の温泉が登場する夏目漱石の小説は？

『坊っちゃん』

**734** ★★☆ ･･･････････････････････････････････････ □□□

写真は、徳島県にある「う
だつの町並み」として知ら
れる重伝建である。この地区
の名称は？

(<ruby>美<rt>み</rt></ruby><ruby>馬<rt>ま</rt></ruby>市) <ruby>脇<rt>わき</rt></ruby><ruby>町<rt>まち</rt></ruby>
(<ruby>南<rt>みなみ</rt></ruby><ruby>町<rt>まち</rt></ruby>)

---

**735** ★☆☆ ........................................................□□□ .....
問題 734 の町は商家町で、ある特産品で栄えた。その品とは？

藍

**736** ★★☆ ........................................................□□□ .....
写真は、大竹小竹と呼ばれるこの海岸独特の浸食地形である。この海岸の名称は？

竜串（海岸）

**737** ★★★ ........................................................□□□ .....
問題 736 の海岸が含まれる国立公園は？

足摺宇和海国立公園

**738** ★★☆ ........................................................□□□ .....
写真は、福岡県南部の都市で水の都として知られる。その都市名は？

柳川（市）

**739** ★☆☆ ........................................................□□□ .....
問題 738 の都市は昔の掘割を使った川下りが人気だが、川下りに使われる舟の名称は？

どんこ舟

**740** ★★☆ ........................................................□□□ .....
写真は、佐賀県鹿島市にある日本三大稲荷に数えられる神社である。この神社名は？

祐徳稲荷神社

**741** ★☆☆ ........................................................□□□ .....
問題 740 の神社は、建造物群の偉容から別名で「○○日光」とも呼ばれる。○○に入るのは？

鎮西

第1章

日本地理

第2章

第3章

第4章

第5章

**742** ★★★ ............................................. □□□

写真は、長崎市の観光施設にある世界遺産の洋風建築物である。この建物の名称は？

旧グラバー住宅

**743** ★☆☆ ............................................. □□□

問題742の施設の敷地にはある形の敷石が2個埋め込まれており若者に人気である。その形とは？

ハート（型）

**744** ★★☆ ............................................. □□□

写真は、熊本県にある石造水路橋である。この名称は？

通潤橋
（つう じゅんきょう）

**745** ★☆☆ ............................................. □□□

問題744の橋と付近の棚田景観は重要文化的景観（以下、重文景）に選定されている。その棚田がある土地の名称は？

白糸台地
（しら いと）

**746** ★★★ ............................................. □□□

写真は、大分県中津市（なか つ）にある日本三大奇勝の1つに数えられる名勝である。その名称は？

耶馬渓
（や ば けい）

**747** ★★☆ ............................................. □□□

問題746の写真は、競秀峰（きょうしゅう ほう）と呼ばれるが、その裾に江戸時代に造られた手掘りの隧道（すい どう）がある。その名称は？

青の洞門
（あお どう もん）

**748 ★★★**
写真は、宮崎県にある岬で、御崎馬（みさきうま）と呼ばれる日本在来種の馬が生息している。この岬の名称は？

都井岬（といみさき）

**749 ★☆☆**
問題 748 の岬の西に広がる湾の名称は？

志布志湾（しぶしわん）

**750 ★★★**
写真は、樹齢推定 3,000 年以上の縄文杉（じょうもん）と呼ばれる大木で世界遺産の構成資産である。この杉がある島は？

屋久島（やくしま）

**751 ★★☆**
問題 750 の島にある九州地方の最高峰は？

宮之浦岳（みやのうらだけ）

**752 ★★★**
写真は、沖縄県南城市（なんじょう）にある祭祀などのための宗教施設で、世界遺産の構成資産である。その史跡名は？

斎場御嶽（せーふぁうたき）

**753 ★★★**
問題 752 の世界遺産には 5 つのグスク（城跡）が含まれるが、そのうち最も北にあり、1 ～ 2 月の桜まつりで知られるのは？

今帰仁城（なきじんじょう）

第1章

日本地理

第2章

第3章

第4章

第5章

写真に加えて、地図や雨温図が登場する問題です。地域による気温と降水量にはそれぞれ特徴がありますので、それさえ押さえておけば正解できます。

---

**754** ★★★ □□□

写真は、文化財庭園では国内最大の広さを誇る回遊式大名庭園である。この庭園がある地は？

⑤（栗林公園：高松市）

**755** ★★★ □□□

問題754の地域の雨温図はどれ？

㋑

**756** ★★★ □□□

写真は、もと、1876年に開校された教育機関の演武場であった。この建物がある地は？

①（札幌市時計台：札幌市）

**757** ★★★ □□□

問題756の地域の雨温図はどれ？

㋑

**758** ★★★ □□□

写真は、ひがし茶屋街と呼ばれる重伝建である。この地区がある地は？

②（金沢市）

**759** ★★★ □□□

問題758の地域の雨温図はどれ？

㋕

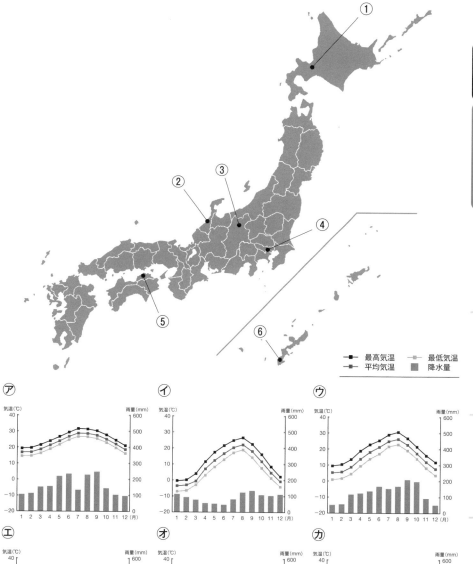

**760** ★★★ ·········· □□□

写真は、綾門大道と呼ばれる大通の東側に位置する楼門である。この門がある地は？

⑥（守礼門：那覇市）

**761** ★★★ ·········· □□□

問題760の地域の雨温図はどれ？

㋐

**762** ★★★ ·········· □□□

写真は、古くから女人救済の寺として知られ、女性の参拝客が多い。この寺院がある地は？

③（善光寺：長野市）

**763** ★★★ ·········· □□□

問題762の地域の雨温図はどれ？

㋔

**764** ★★★ ·········· □□□

写真は、辰野金吾設計の建物で、2012年に元の3階建てに完全復元された。この建物がある地は？

④（東京駅：東京都）

**765** ★★★ ·········· □□□

問題764の地域の雨温図はどれ？

㋑

# 日本歴史
## ［一問一答］

# 「日本歴史」問題の特徴

試験のガイドラインでは、次のように定められています。

（1）試験方法

・試験は、外国人観光旅客が多く訪れている又は外国人観光旅客の評価が高い観光資源に関連する日本歴史についての主要な事柄及び現在の日本人の生活、文化、価値観等につながるような日本歴史についての主要な事柄（日本と世界との関わりを含む。）のうち、外国人観光旅客の関心の強いものについての基礎的な知識を問うものとする。

・試験の方式は、多肢選択式（マークシート方式）とする。

・試験時間は、30分とする。

・試験の満点は、100点とする。

・問題の数は、30問程度とする。

・内容は、地図や写真を使った問題も含まれるものとする。

（2）合否判定

・合否判定は、原則として70点を合格基準点として行う。

※「全国通訳案内士試験ガイドライン」より

　ただし、年度によっては、外国人観光客が関心を持つとは考え難いトリビア的な問題も多々出題されています。特に近年では難易度が高くなり、「日本地理」と絡み合った問題も多くなっています。そのため、「日本歴史」は「日本地理」で学ぶ観光地や観光ルートに関して、1つ掘り下げた歴史的背景が

出題されると位置付けて、「日本地理」と一体化した学習をしたほうが効率的・効果的と思えます。

　ガイドラインにある、地図や写真を使った問題ですが、出題数は 30 問中、2 ～ 3 問です。歴史では、建造物や絵画などの芸術作品の写真を見てその所在地・設計者・作成者・名称を判断したり、地図上から該当の観光史跡などの位置や名称を選んだりする問題が基本です。大問は北から南へ地域別になっている場合もあれば、古代から現代まで時代別になっている場合もあります。

　本書の「日本歴史」編では、時代別に時系列で設問を配置し、また、各時代において、必要に応じて「文化」「対外」関係の設問をまとめて配置しました。その後に、写真問題を「建築物」「彫刻」「絵画」の 3 分野に分けて配置し、続けて、地図問題を掲載しています。クリアできた設問は設問のチェックボックスに印を付けていきましょう。そうすると、どの時代・どの分野の知識の強化を必要としているかが明確になるはずです。

　最後に模擬テストを解いて、解答・解説を確認しましょう。合格の目安は 70 点以上と考えてください。大問は歴史年表に沿って進むように設定してありますので、自分の弱点となっている時代を見つけて最終確認を行いましょう。

第1章
第2章
日本歴史
第3章
第4章
第5章

# 「日本歴史」の出題傾向

▶ 2020　　　　　　　　　　　　　　　　　　＊特筆がない場合は、文章の空所や下線部に関して小問に答える。

| 大問 | 形式* | テーマ | 小問 | マークシート | 正解の必須知識 |
|---|---|---|---|---|---|
| 1 | | 徳川将軍 | 1 | 1 | 将軍の数と江戸時代の長さ |
| | | | 2 | 2 | 歴代将軍について |
| 2 | | 赤穂事件 | 1 | 3 | 改易 |
| | | | 2 | 4 | 播磨国 |
| | | | 3 | 5 | 浅野長矩 |
| 3 | | 戦後経済 | 1 | 6 | 三種の神器 |
| | | | 2 | 7 | 東海道新幹線 |
| 4 | | 戊辰戦争 | 1 | 8 | 会津戦争 |
| | | | 2 | 9 | いわき市 |
| | 地図問題 | | 3 | 10 | 会津若松市といわき市の位置 |
| 5 | | ターミナル化 | 1 | 11 | 池袋と渋谷のターミナル化 |
| | | | 2 | 12 | 小林一三 |
| 6 | | 江戸城 | 1 | 13 | 江戸城内の公園 |
| | | | 2 | 14 | 江戸城内の現存建築物 |
| 7 | | 上野（東京） | 1 | 15 | 寛永寺に墓所のある将軍 |
| | | | 2 | 16 | 上野にある美術館 |
| 8 | | 妻籠宿 | 1 | 17 | 妻籠宿がある街道 |
| | | | 2 | 18 | 中山道の重伝建 |
| | | | 3 | 19 | 本陣について正誤 |
| 9 | 写真問題 | 比叡山 | 1 | 20 | 根本中堂 |
| | 写真問題 | | 2 | 21 | 園城寺 |
| | 写真問題 | | 3 | 22 | 日吉大社 |
| 10 | | 四国 | 1 | 23 | 愛媛県について正誤 |
| | | | 2 | 24 | 阿波国の商品作物（藍玉） |
| | | | 3 | 25 | 室町時代の出来事並べ替え |
| 11 | | 飛鳥時代 | 1 | 26 | 皇極天皇 |
| | | | 2 | 27 | 法隆寺玉虫厨子 |
| | | | 3 | 28 | 孝徳天皇 |
| 12 | | 九州北部 | 1 | 29 | 九州の出来事並べ替え |
| | | | 2 | 30 | 水城 |
| 13 | | 大阪府 | | 31 | 大阪府について正誤 |
| 14 | | 大分県 | 1 | 32 | 宇佐八幡宮神託事件 |
| | | | 2 | 33 | 臼杵摩崖仏 |
| 15 | 写真問題 | 宇治 | 1 | 34 | 平等院鳳凰堂 |
| | 写真問題 | | 2 | 35 | 黄檗宗・万福寺 |

| 16 | | 室町時代 | 1 | 36 | 北山文化について正誤 |
| | | | 2 | 37 | 東山文化について正誤 |
| | | | 3 | 38 | 室町時代の民衆文化 |
| 17 | | 仁和寺 | | 39 | 仁和寺について正誤 |
| 18 | | 六勝寺 | | 40 | 六勝寺について正誤 |
| 19 | 写真問題 | 山口県 | 1 | 41 | 瑠璃光寺 |
| | | | 2 | 42 | 下関市について正誤 |
| | 写真問題 | | 3 | 43 | 防府天満宮 |

▶ 2021

\*特筆がない場合は、文章の空所や下線部に関して小問に答える。

| 大問 | 形式* | テーマ | 小問 | マークシート | 正解の必須知識 |
|---|---|---|---|---|---|
| 1 | | 大宰府 | | 1 | 大宰府 |
| 2 | | 坂上田村麻呂 | | 2 | 征夷大将軍 |
| 3 | | 修験道 | | 3 | 役小角と金峯山寺 |
| 4 | | 佐渡島 | | 4 | 日蓮 |
| 5 | | 東大寺 | | 5 | 重源 |
| 6 | | 時宗 | | 6 | 一遍 |
| 7 | | 鎌倉時代の文化 | | 7 | 慈円と二条良基 |
| 8 | 写真問題 | 雪舟 | | 8 | 秋冬山水図 |
| 9 | | 後北条氏 | | 9 | 小田原城 |
| 10 | | 関ケ原の戦い | | 10 | 五奉行・五大老 |
| 11 | | 徳川幕府 | 1 | 11 | 参勤交代 |
| | | | 2 | 12 | 二条城 |
| 12 | | 徳川将軍 | | 13 | 将軍と在任中の出来事 |
| 13 | | 江戸時代の対外関係 | 1 | 14 | ウィリアム・アダムス |
| | | | 2 | 15 | 平戸商館 |
| | | | 3 | 16 | 出島について正誤 |
| 14 | | 黒船来航 | 1 | 17 | 安政五カ国条約 |
| | | | 2 | 18 | 開港場 |
| 15 | | 佐賀藩 | 1 | 19 | 鍋島直正 |
| | | | 2 | 20 | 江藤新平 |
| 16 | | 戊辰戦争 | 1 | 21 | 鳥羽・伏見の戦い |
| | | | 2 | 22 | 函館戦争 |
| 17 | | 北海道 | 1 | 23 | 北前船 |
| | | | 2 | 24 | 開拓使 |
| | | | 3 | 25 | 札幌農学校 |
| 18 | | 内閣総理大臣 | | 26 | 在任中の出来事 |
| 19 | | 大日本帝国憲法 | 1 | 27 | 憲法の性質 |
| | | | 2 | 28 | ボアソナード |
| 20 | | 大正時代 | 1 | 29 | プロレタリア文学 |
| | | | 2 | 30 | 太陽のない街 |
| 21 | 写真問題 | 迎賓館 | 1 | 31 | 旧東宮御所 |
| | | | 2 | 32 | 片山東熊 |

＊特筆がない場合は、文章の空所や下線部に関して小問に答える。

| 大問 | 形式＊ | テーマ | 小問 | マークシート | 正解の必須知識 |
|---|---|---|---|---|---|
| 1 | | 乙巳の変 | | 1 | 天智天皇 |
| 2 | | 貧窮問答歌 | | 2 | 山上憶良 |
| 3 | | 古都奈良の文化財 | | 3 | 正倉院 |
| 4 | | 石上神宮 | 1 | 4 | 七支刀 |
| | | | 2 | 5 | 芸亭 |
| 5 | | 最澄と空海 | | 6 | 両者について正誤 |
| 6 | | 源平合戦 | | 7 | 壇ノ浦 |
| 7 | | 承久の乱 | | 8 | 御成敗式目 |
| 8 | 写真問題 | 空也上人像 | | 9 | 空也 |
| 9 | | 門前町 | | 10 | 坂本 |
| 10 | | 武田信玄 | 1 | 11 | 川中島の戦い |
| | | | 2 | 12 | 分国法 |
| | | | 3 | 13 | 春日山城 |
| | | | 4 | 14 | 三方ヶ原の戦い |
| 11 | | 豊臣秀吉 | 1 | 15 | 太政大臣 |
| | | | 2 | 16 | 聚楽第 |
| | | | 3 | 17 | 後陽成天皇 |
| 12 | | 徳川将軍 | | 18 | 将軍と在任中の出来事 |
| 13 | | 五街道 | 1 | 19 | 宿駅の人馬の数 |
| | | | 2 | 20 | 入鉄砲に出女 |
| 14 | 写真問題 | 桂離宮 | 1 | 21 | 桂離宮 |
| | | | 2 | 22 | 数寄屋造 |
| 15 | | 明治政府の殖産興業 | 1 | 23 | 工部省 |
| | | | 2 | 24 | 最初の鉄道開業 |
| | | | 3 | 25 | 鉄道建設指導者（モレル） |
| 16 | 写真問題 | 麗子微笑 | 1 | 26 | 岸田劉生 |
| | | | 2 | 27 | 麗子微笑 |
| 17 | | 米軍基地 | 1 | 28 | ベトナム戦争 |
| | | | 2 | 29 | 沖縄本土復帰 |
| | | | 3 | 30 | 佐藤栄作 |

# 第1章

▶ 2023

*特筆がない場合は、文章の空所や下線部に関して小問に答える。

| 大問 | 形式* | テーマ | 小問 | マークシート | 正解の必須知識 |
|---|---|---|---|---|---|
| 1 | 写真問題 | 興福寺仏頭 | | 1 | 興福寺 |
| 2 | | 遣唐使 | | 2 | 吉備真備 |
| 3 | | 伊勢神宮 | | 3 | 式年遷宮、度会家行 |
| 4 | | 律令政治 | 1 | 4 | 大宝律令、万葉集、勘解由使 |
| | | | 2 | 5 | 今昔物語集（受領が出てくる説話集） |
| 5 | | 摂関政治 | 1 | 6 | 藤原良房、源高明 |
| | | | 2 | 7 | 紫式部（藤原彰子の女房） |
| 6 | | 騎射三物 | | 8 | 笠懸 |
| 7 | | 安藤（安東）氏 | | 9 | 十三湊 |
| 8 | | 勘合貿易 | 1 | 10 | 寧波、足利義教 |
| | | | 2 | 11 | 生糸（輸入品） |
| 9 | | 応仁の乱 | 1 | 12 | 朝倉氏（一乗谷） |
| | | | 2 | 13 | 加賀（一向一揆） |
| 10 | | 織田信長 | 1 | 14 | 長篠の戦、武田勝頼、安土城 |
| | | | 2 | 15 | 足利義昭 |
| | | | 3 | 16 | ヴァリニャーノ |
| 11 | | 江戸時代の街道 | 1 | 17 | 十返舎一九（「東海道中膝栗毛」の著者） |
| | | | 2 | 18 | 常陸（「おくのほそ道」で立ち寄っていない） |
| 12 | | 蘭学 | 1 | 19 | 緒方洪庵 |
| | | | 2 | 20 | 反射炉（江川英龍） |
| 13 | | 江戸城 | 1 | 21 | 徳川家光（江戸城最後の天守完成） |
| | | | 2 | 22 | 明暦の大火（江戸城天守消失） |
| | | | 3 | 23 | 坂下門（外の変） |
| 14 | | 長州藩 | 1 | 24 | 吉田松陰（松下村塾） |
| | | | 2 | 25 | 奇兵隊（高杉晋作） |
| 15 | | 大正時代 | 1 | 26 | 大戦景気 |
| | | | 2 | 27 | 職業婦人 |
| | | | 3 | 28 | 私鉄のターミナル化 |
| 16 | | 関東大震災 | 1 | 29 | 1923年（発生年） |
| | | | 2 | 30 | 後藤新平（復興事業） |

# 1 旧石器時代

この時代は数万年以上も前、人類が日本列島に移住してきたときから始まります。まだ文字がなかった時代で文献資料がほとんどありません。ですが、次の一問一答についてはよく出題されるので覚えましょう。

001 ★★☆ ・・・・・・・・・・・・・・・・・・・・・・・・・・・・・・・・・・・・・・・・・・□□□・・・・・・
石を打ち砕いて作った石器を何と呼ぶ？ 打製石器

002 ★★☆ ・・・・・・・・・・・・・・・・・・・・・・・・・・・・・・・・・・・・・・・・・・□□□・・・・・・
打製石器を磨いて仕上げた石器を何と呼ぶ？ 磨製石器

003 ★★★ ・・・・・・・・・・・・・・・・・・・・・・・・・・・・・・・・・・・・・・・・・・□□□・・・・・・
日本での旧石器時代の発見につながった群馬県の遺 岩宿遺跡
跡は？

004 ★★☆ ・・・・・・・・・・・・・・・・・・・・・・・・・・・・・・・・・・・・・・・・・・□□□・・・・・・
問題3を発見した人物は？ 相沢忠洋

005 ★☆☆ ・・・・・・・・・・・・・・・・・・・・・・・・・・・・・・・・・・・・・・・・・・□□□・・・・・・
石器の素材として、硬く、鋭く、加工しやすい石は？ 黒曜石・サヌカイ
ト

006 ★★☆ ・・・・・・・・・・・・・・・・・・・・・・・・・・・・・・・・・・・・・・・・・・□□□・・・・・・
土器出現までの時代を何と呼ぶ？ 旧石器時代［先土
器時代］

# ② 縄文時代

縄文時代は紀元前1万数千年前後〜前四世紀頃のことをいいます。縄で模様をつけられた土器が多く生産されたことから、「縄文」と呼ばれる時代になりました。

---

**007** ★☆☆ ……………………………………………………… □□□

縄文時代はいつごろに始まった？

紀元前1万2000年ごろ
（諸説あり）

---

**008** ★☆☆ ……………………………………………………… □□□

縄文人が住んだ住居は何と呼ばれる？

竪穴式住居

---

**009** ★★☆ ……………………………………………………… □□□

縄文人の食料確保手段は？

狩猟・漁労・採集

---

**010** ★★★ ……………………………………………………… □□□

縄文人の食べ物の残骸や使用済みの道具が埋められた跡を何と呼ぶ？

貝塚

---

**011** ★★☆ ……………………………………………………… □□□

東京都の大森で問題10を発見したアメリカ人は？

エドワード・モース

---

**012** ★☆☆ ……………………………………………………… □□□

縄文人の信仰や風習を表す語としてよく使われるカタカナ語は？

アニミズム

---

**013** ★★★ ……………………………………………………… □□□

縄文時代に製作された、人間などを模した素焼きの土製人形は？

土偶

---

**014** ★☆☆ ……………………………………………………… □□□

縄文時代早期の遺跡である上野原遺跡は何県にある？

鹿児島県

015 ★★☆ ···················································· □□□
縄文時代中期の遺跡である三内丸山遺跡(さんないまるやま)は何県にある? 　青森県

016 ★☆☆ ···················································· □□□
縄文時代晩期の遺跡である亀ヶ岡遺跡(かめがおか)は何県にある? 　青森県

017 ★☆☆ ···················································· □□□
大環状列石で知られる秋田県の縄文遺跡は? 　大湯遺跡(おおゆ)
　　　　　　　　　　　　　　　　　　　　　　　　　　[大湯環状列石]

# 3 弥生時代

紀元前 10 世紀ごろ（紀元前 5 世紀〜 4 世紀、あるいは紀元前 3 世紀とも）〜紀元後 3 世紀ごろまでの時代のことです。縄文時代では人類の活動は狩猟・漁労・採集活動が中心でしたが、弥生時代に入ると稲作が発展します。

**018 ★★☆** □□□
弥生人の主な食料確保手段で、縄文人と異なるものは？ 水稲耕作

**019 ★★★** □□□
358 本の銅剣が発掘された島根県の遺跡は？ 荒神谷遺跡

**020 ★☆☆** □□□
弥生時代に作られた、防衛のために周囲を濠で囲った集落を何という？ 環濠集落

**021 ★★★** □□□
佐賀県にある問題 20 の代表例は？ 吉野ヶ里遺跡

**022 ★☆☆** □□□
香川県にある弥生時代の高地性集落の代表例は？ 紫雲出山遺跡

**023 ★★☆** □□□
静岡県にある弥生時代後期の集落・水田遺跡は？ 登呂遺跡

**024 ★☆☆** □□□
『漢書』地理志によると、倭人は紀元前 1 世紀ごろ漢のどこに遣使していた？ 楽浪郡

古墳時代は弥生時代後期（3世紀ごろ）から7世紀までの時代のことです。弥生時代後期の国家の権力者たちが死後に作った大きな墓のことを古墳といい、この時代の呼称となりました。

---

025 ★★☆　□□□
『後漢書』東夷伝によると、倭奴国王は誰から金印を授けられた？　光武帝

026 ★★★　□□□
問題25の金印が発見された福岡県の島は？　志賀島

027 ★★☆　□□□
問題25の金印を保管・展示している博物館は？　福岡市博物館

028 ★★★　□□□
『後漢書』東夷伝によると、倭国大乱の後、諸国が王にした人物は？　卑弥呼

029 ★☆☆　□□□
『魏志』倭人伝によると、邪馬台国が魏に朝貢したのは何世紀？　3世紀

030 ★☆☆　□□□
『魏志』倭人伝によると、卑弥呼没後の内乱を経て王になった人物は？　壱与

031 ★★☆　□□□
鍵穴型の古墳を何と呼ぶ？　前方後円墳

032 ★★☆　□□□
古墳上に並べられていた素焼きの焼き物を何と呼ぶ？　埴輪

033 ★★☆　□□□
古墳時代前期に造られた箸墓古墳はどの都道府県にある？　奈良県

034 ★★☆ □□□
箸墓古墳がある、弥生時代末期～古墳時代前期の集落遺跡は？ | 纏向遺跡

035 ★★☆ □□□
最大の大きさを持つ大仙陵古墳は何市にある？ | （大阪府）堺市

036 ★★★ □□□
問題 35 の古墳を含む 44 基の古墳からなる古墳群は？ | 百舌鳥古墳群

037 ★★☆ □□□
問題 36 の古墳群の一部は、近くにある別の古墳群と併せて計 49 基が世界遺産に登録されたが、別の古墳群とは？ | 古市古墳群

038 ★☆☆ □□□
倭の五王が中国に朝貢したことを記しているのは？ | 『宋書』倭国伝

039 ★★★ □□□
「獲加多支鹵大王」の銘が入った鉄剣が出土した埼玉県の古墳は？ | 稲荷山古墳

040 ★★★ □□□
問題 39 の銘と同じと考えられる大王の銘が入った鉄刀が出土した熊本県の古墳は？ | 江田船山古墳

041 ★★★ □□□
「獲加多支鹵大王」はどの天皇を指す？ | 雄略天皇

042 ★☆☆ □□□
ファイバースコープによる調査の後に石棺が開かれ、多くの華麗な副葬品が発見された奈良県の古墳は？ | 藤ノ木古墳

043 ★☆☆ □□□
天井石に古代の星宿図が描かれていた奈良県の古墳は？ | キトラ古墳

044 ★★☆ □□□
百済から渡来して暦本を伝えた人物は？ | 観勒

045 ★★☆ ......................................................................... □□□
高句麗から渡来して絵具や墨の製法を伝えた人物
は?　　　　　　　　　　　　　　　　　　　　　曇徴

046 ★☆☆ ......................................................................... □□□
『上宮聖徳法王帝説』によると仏教の公伝はいつ?　538年

047 ★★☆ ......................................................................... □□□
527年に筑紫で起こった乱を何という?　　　磐井の乱

048 ★☆☆ ......................................................................... □□□
崇仏派の蘇我氏と対立した廃仏派の氏族は?　物部氏

049 ★★☆ ......................................................................... □□□
崇峻天皇を暗殺させた人物は?　　　　　　蘇我馬子

# 5 飛鳥時代

飛鳥時代は聖徳太子（厩戸王）が推古天皇の摂政になった593年から持統天皇が藤原京に遷都した694年まで、あるいは平城京遷都が行われた710年までの期間を指します。仏教が日本に伝えられ、日本独自の神道と大陸伝来の仏教の2つの信仰によって国を統治し始めた時代です。

**050** ★★★ □□□
推古天皇が即位後に摂政に任命したのは誰？

厩戸王
[聖徳太子]

**051** ★★★ □□□
問題50で摂政に就任した人物が603年に定めた人材登用のための制度は？

冠位十二階

**052** ★★★ □□□
問題50で摂政に就任した人物が604年に定めた官人への訓戒は？

憲法十七条

**053** ★★☆ □□□
問題50で摂政に就任した人物によって607年に隋に派遣された人物は？

小野妹子

**054** ★☆☆ □□□
山背大兄王を滅ぼしたのは誰？

蘇我入鹿

**055** ★★☆ □□□
乙巳の変で中大兄皇子に協力したのは誰？

中臣鎌足

**056** ★★☆ □□□
乙巳の変で滅ぼされた父子は？

蘇我蝦夷・入鹿

**057** ★★★ □□□
645年の乙巳の変に始まる一連の国政改革を何という？

大化の改新

**058** ★★☆ □□□
660年に唐と新羅の連合軍が滅ぼした朝鮮半島の国は？

百済

|  |  |
|---|---|
| 059 ★★★　□□□<br>663 年に唐と新羅の連合軍に日本軍が大敗した戦いは？ | 白村江の戦い<br>(はくすきのえ) |
| 060 ★☆☆　□□□<br>中大兄皇子は 667 年に都をどこに移した？<br>(なかのおおえのおうじ) | 近江大津宮<br>(おうみおおつのみや) |
| 061 ★★★　□□□<br>中大兄皇子は天皇として即位したが何天皇と呼ばれる？ | 天智天皇<br>(てんじ) |
| 062 ★★★　□□□<br>問題 61 の天皇の死後、皇位継承をめぐって 672 年に起こった戦乱は？ | 壬申の乱<br>(じんしん) |
| 063 ★★☆　□□□<br>問題 62 の乱で敗れた天智天皇の子は何皇子？ | 大友皇子<br>(おおとものおうじ) |
| 064 ★★★　□□□<br>問題 62 の乱で勝利した天智天皇の弟は何皇子？ | 大海人皇子<br>(おおあまのおうじ) |
| 065 ★★★　□□□<br>問題 62 の乱で勝利した皇子は天皇に即位したが、何天皇と呼ばれる？ | 天武天皇<br>(てんむ) |
| 066 ★☆☆　□□□<br>問題 65 の天皇が 684 年に官僚の身分を整理するために定めたものは？ | 八色の姓<br>(やくさのかばね) |
| 067 ★★★　□□□<br>問題 65 の天皇の後を継いだ皇后は天皇に即位したが、何天皇と呼ばれる？ | 持統天皇<br>(じとう) |
| 068 ★★☆　□□□<br>問題 67 の天皇が遷都した新しい都城の名称は？ | 藤原京<br>(ふじわらきょう) |
| 069 ★★★　□□□<br>刑部親王と藤原不比等が完成させた法律は？<br>(おさかべ　ふじわらのふひと) | 大宝律令<br>(たいほうりつりょう) |
| 070 ★☆☆　□□□<br>律令の律は現在の法典の何に相当する？ | 刑法 |

**071** ★★☆ ‥‥‥‥‥‥‥‥‥‥‥‥‥‥‥‥‥‥‥‥‥‥‥‥‥‥‥‥‥ □□□

戸籍に基づいて口分田を分け与える制度は？ 班田収授法

**072** ★☆☆ ‥‥‥‥‥‥‥‥‥‥‥‥‥‥‥‥‥‥‥‥‥‥‥‥‥‥‥‥‥ □□□

九州の防備のために課された兵役は？ 防人

**073** ★★☆ ‥‥‥‥‥‥‥‥‥‥‥‥‥‥‥‥‥‥‥‥‥‥‥‥‥‥‥‥‥ □□□

618年に隋に代わって中国を統一した国は？ 唐

**074** ★★★ ‥‥‥‥‥‥‥‥‥‥‥‥‥‥‥‥‥‥‥‥‥‥‥‥‥‥‥‥‥ □□□

問題73の新しい国の制度や文化を学ぶために日本 遣唐使
から派遣されたのは？

# 文化（飛鳥文化）

**075** ★☆☆ ‥‥‥‥‥‥‥‥‥‥‥‥‥‥‥‥‥‥‥‥‥‥‥‥‥‥‥‥‥ □□□

飛鳥寺を建てたのは何氏？ 蘇我氏

**076** ★★★ ‥‥‥‥‥‥‥‥‥‥‥‥‥‥‥‥‥‥‥‥‥‥‥‥‥‥‥‥‥ □□□

聖徳太子が現在の大阪市に建てた寺院は？ 四天王寺

**077** ★★★ ‥‥‥‥‥‥‥‥‥‥‥‥‥‥‥‥‥‥‥‥‥‥‥‥‥‥‥‥‥ □□□

聖徳太子が現在の斑鳩村に建てた、現存する世界最 法隆寺［斑鳩寺］
古の木造建築群がある寺院は？

**078** ★☆☆ ‥‥‥‥‥‥‥‥‥‥‥‥‥‥‥‥‥‥‥‥‥‥‥‥‥‥‥‥‥ □□□

蘇我馬子が氏寺として創建した飛鳥寺の前身は？ 法興寺

**079** ★★★ ‥‥‥‥‥‥‥‥‥‥‥‥‥‥‥‥‥‥‥‥‥‥‥‥‥‥‥‥‥ □□□

南大門、中門、塔、金堂、講堂を南北一直線に並べる 四天王寺式伽藍
伽藍配置は？ 配置

**080** ★☆☆ ‥‥‥‥‥‥‥‥‥‥‥‥‥‥‥‥‥‥‥‥‥‥‥‥‥‥‥‥‥ □□□

塔と金堂を左右に並べて奥に講堂を置く伽藍配置 法隆寺式伽藍配
は？ 置

**081** ★☆☆ ‥‥‥‥‥‥‥‥‥‥‥‥‥‥‥‥‥‥‥‥‥‥‥‥‥‥‥‥‥ □□□

塔を中心に、左右に西・東金堂、北に中金堂を置く伽 飛鳥寺式伽藍配
藍配置は？ 置

第1章

第2章

日本歴史

第3章

第4章

第5章

082 ★★★ □□□
法隆寺金堂釈迦三尊像は誰の作？

鞍作鳥
（止利［鳥］仏師とも）

083 ★★☆ □□□
法隆寺夢殿の本尊である国宝の仏像は？

救世観音像

084 ★★☆ □□□
法隆寺に伝わる左手に水瓶を持つ国宝の仏像は？

百済観音像

085 ★☆☆ □□□
法隆寺に伝わる飛鳥時代の仏教工芸品で、装飾に玉虫の羽根を用いたものは？

玉虫厨子

086 ★★☆ □□□
広隆寺に伝わる飛鳥時代の仏像は？

（木造）弥勒菩薩半跏思惟像

087 ★★☆ □□□
中宮寺に伝わる飛鳥時代の仏像は？

（木造）菩薩半跏像

088 ★☆☆ □□□
中宮寺に伝わる日本最古とされる刺繍は？

天寿国繍帳［天寿国曼荼羅繍帳］

# 文化（白鳳文化）

089 ★★★ □□□
白鳳文化時代を代表する建築物の東塔がある寺院は？

薬師寺

090 ★★★ □□□
問題89の金堂に安置されている白鳳時代の三尊像は？

薬師三尊像

091 ★☆☆ □□□
問題89の東院堂に安置されている金銅像は？

聖観世音菩薩像

092 ★★☆ □□□
白鳳文化時代の壁画で法隆寺に残るものは？

法隆寺金堂壁画

**093** ★★★ ·································································································· □□□ ·······

白鳳時代の壁画が残る古墳は？

<ruby>高<rt>たか</rt></ruby><ruby>松<rt>まつ</rt></ruby><ruby>塚<rt>づか</rt></ruby>古墳

第1章

第**2**章

日本歴史

第3章

第4章

第5章

# ⑥ 奈良時代（なら）

都が平城京（へいじょうきょう）（奈良）に定められてから平安京（へいあん）に移るまでの期間、すなわち和銅3（710）～延暦13（794）年（えんりゃく）の85年間のことを奈良時代といいます。仏教が国家による独占管理下におかれたので、僧侶の権力が強まった時代です。

---

094 ★★★ □□□
710年に藤原京（ふじわらきょう）から移された新しい都は？　**平城京**

095 ★☆☆ □□□
問題94における天皇の生活の場は何と呼ばれた？　**内裏**（だいり）

096 ★★☆ □□□
8世紀に蝦夷（えみし）対策の拠点として現在の宮城県に築かれた城柵は？　**多賀城**（たがじょう）

097 ★★★ □□□
聖武天皇に嫁いだ藤原不比等（ふじわらのふひと）の娘は？　**光明子**（こうみょうし）

098 ★☆☆ □□□
藤原不比等の死後、政権の座に就いた皇族は？　**長屋王**（ながやおう）

099 ★★☆ □□□
問題97の女性を皇后に立てるために藤原氏が起こした事件は？　**長屋王の変**（ながやおう）

100 ★★★ □□□
藤原4兄弟が病死した後、政権の座に就いた人物は？　**橘諸兄**（たちばなのもろえ）

101 ★★☆ □□□
唐（とう）から帰国し、問題100の政権下で活躍したのは玄昉（げんぼう）と誰？　**吉備真備**（きびのまきび）

102 ★☆☆ □□□
玄昉らの排除を求めて乱を起こして鎮圧された人物は？　**藤原広嗣**（ひろつぐ）

**103** ★★★　□□□
聖武天皇が詔を出して、全国に建立しようとした寺院は？

国分寺（と国分尼寺）

**104** ★☆☆　□□□
聖武天皇が大仏造立の詔を出した場所は？

近江国紫香楽宮

**105** ★★★　□□□
聖武天皇の後を継いで天皇となった聖武天皇の娘は？

孝謙天皇

**106** ★☆☆　□□□
東大寺大仏が完成して開眼供養が開かれた西暦年は？

752年

**107** ★★★　□□□
光明皇太后のもとで勢力を伸ばした光明皇太后の甥は？

藤原仲麻呂

**108** ★☆☆　□□□
問題107を倒そうとして逆に滅ぼされた橘諸兄の子は？

橘奈良麻呂

**109** ★★★　□□□
問題107が淳仁天皇を擁立し、天皇から賜った名は？

恵美押勝

**110** ★☆☆　□□□
口分田不足から政府が723年に出した法は？

三世一身法

**111** ★★☆　□□□
開墾した田地の私有を永代認める743年に出された法は？

墾田永年私財法

**112** ★★★　□□□
孝謙上皇が寵愛した僧は？

道鏡

**113** ★★★　□□□
問題112を排除しようとして挙兵したが、失敗して滅ぼされた人物は？

恵美押勝
[藤原仲麻呂]

第1章

第2章

日本歴史

第3章

第4章

第5章

| | |
|---|---|
| **114** ★☆☆ □□□ | |
| 孝謙上皇は重祚して天皇に再び即位したが何天皇と呼ばれる? | 称徳天皇 |
| **115** ★☆☆ □□□ | |
| 問題 112 の僧の皇位実現を阻んだ事件は? | 宇佐八幡宮神託事件 |
| **116** ★☆☆ □□□ | |
| 問題 115 の事件で天皇の怒りを買い、大隅国に配流された人物は? | 和気清麻呂 |
| **117** ★☆☆ □□□ | |
| 称徳天皇の死後、天智天皇系から即位した天皇は? | 光仁天皇 |
| **118** ★★★ □□□ | |
| 平城京から長岡京へ遷都した天皇は? | 桓武天皇 |
| **119** ★★★ □□□ | |
| 長岡京造営を主導したが暗殺された人物は? | 藤原種継 |

## 文化（天平文化）

| | |
|---|---|
| **120** ★☆☆ □□□ | |
| 『古事記』の成立年は? | 712 年 |
| **121** ★★★ □□□ | |
| 皇室に伝わる『帝紀』や『旧辞』を誦習していたとされる人物は? | 稗田阿礼 |
| **122** ★★★ □□□ | |
| 問題 121 が誦習した内容を『古事記』として筆録した人物は? | 太安万侶 |
| **123** ★☆☆ □□□ | |
| 『日本書紀』の成立年は? | 720 年 |
| **124** ★★★ □□□ | |
| 『日本書紀』を中心となって編纂したのは誰? | 舎人親王 |

**125** ★★☆ ☐☐☐
713 年に編纂が始まった諸国の地誌をまとめたものは？ 『風土記』

**126** ★☆☆ ☐☐☐
問題 125 の中で、ほぼ完本として現存するのは？ 『出雲国風土記』

**127** ★★☆ ☐☐☐
現存最古の漢詩集は？ 『懐風藻』

**128** ★★★ ☐☐☐
奈良時代に成立した約 4,500 首の歌を収録した歌集は？ 『万葉集』

**129** ★★☆ ☐☐☐
問題 128 に収録されている「貧窮問答歌」の作者は？ 山上憶良

**130** ★★★ ☐☐☐
奈良時代に唐から日本に律を伝えた僧は？ 鑑真

**131** ★★★ ☐☐☐
問題 130 の僧が奈良に建立した寺院は？ 唐招提寺

**132** ★★★ ☐☐☐
奈良時代に民衆に布教して社会事業を行った僧は？ 行基

**133** ★☆☆ ☐☐☐
奈良時代に日本で行われていた仏教の 6 つの宗派（南都六宗）は？ 三論・成実・法相・倶舎・華厳・律（順不同）

**134** ★★☆ ☐☐☐
東大寺法華堂の日光・月光菩薩像の彫像手法は？ 塑造
※像そのものは塑像

**135** ★★☆ ☐☐☐
東大寺法華堂の不空羂索観音像の彫像手法は？ 乾漆造
※像そのものは乾漆像

天平時代に建造された法隆寺の八角形の建物の名称
は？

夢殿

# 7 平安時代（前期）

400年も続いた平安時代は①前期、②中期、③後期の3つの時期に分けて学びましょう。①平安京と天皇親政（桓武天皇）、②摂関家と国風文化（藤原道長）、③院政と武士（源平）が特徴です。　※源平：源氏と平氏

**137** ★★★　□□□
794年に、長岡京から平安京に遷都した天皇は？　**桓武天皇**

**138** ★☆☆　□□□
国司交代を監視するために797年に設けられた令外官は？　**勘解由使**

**139** ★★★　□□□
桓武天皇から征夷大将軍に任命され、蝦夷の軍事指導者阿弖流為を降伏させたのは？　**坂上田村麻呂**

**140** ★★☆　□□□
問題139の征夷大将軍が現在の岩手県に築いた城柵は？　**胆沢城**

**141** ★☆☆　□□□
平城上皇と嵯峨天皇の対立から起きた事件は？　**薬子の変**

**142** ★★☆　□□□
令外官の蔵人の長官にあたる蔵人頭に最初に任命された藤原氏の人物は？　**藤原冬嗣**

**143** ★☆☆　□□□
平安京内の警備のために設けられた令外官は？　**検非違使**

**144** ★☆☆　□□□
嵯峨天皇のもとで編纂された律令の補足修正は？　**弘仁格式**

**145** ★★☆　□□□
問題144に次いで編纂されたのは貞観格式と何？　**延喜格式**

**146** ★★★　□□□
清和天皇の時代に臣下として初めて摂政になったのは誰？　**藤原良房**

**147** ★☆☆ ···································································· □□□
問題 146 は西暦何年のこと？　　　　　　　　　　866 年

**148** ★★★ ···································································· □□□
藤原基経の死後、宇多天皇が重用した学者は？　　菅原道真

**149** ★☆☆ ···································································· □□□
問題 148 の人物が建議して中止になったのは？　　遣唐使

**150** ★★☆ ···································································· □□□
問題 148 の人物が藤原時平の讒言で大宰権帥に左　昌泰の変
遷された事件は？

**151** ★☆☆ ···································································· □□□
問題 148 の人物作の和歌に『東風吹かば…』がある　梅
が、この後に出てくる花の名は？

**152** ★★★ ···································································· □□□
太宰府天満宮と並んで、問題 148 の人物を祀る京都　北野天満宮
の神社は？

**153** ★☆☆ ···································································· □□□
延喜・天暦の治と呼ばれる時代の 2 天皇は？　　醍醐・村上天皇

# 文化（弘仁・貞観文化）

**154** ★★★ ···································································· □□□
最澄が唐から帰国後に開いた仏教の宗は？　　　　天台宗

**155** ★★★ ···································································· □□□
最澄が比叡山に開いた寺院は？　　　　　　　　　延暦寺

**156** ★★☆ ···································································· □□□
空海が遣唐留学生として入った中国の地の当時の名　長安
称は？

**157** ★★☆ ···································································· □□□
問題 156 の青龍寺で空海が師事した人物は？　　　恵果

**158** ★★★ ···································································· □□□
空海が唐から帰国後に開いた仏教の宗は？　　　　真言宗

|  | |  |  | |
|---|---|---|---|---|
| **159** ★★★ | | 空海が高野山に開いた寺院は？ | 金剛峯寺 | □□□ |
| **160** ★★★ | | 空海が嵯峨天皇から賜り、密教の根本道場とした寺院は？ | 教王護国寺 [東寺] | □□□ |
| **161** ★☆☆ | | 神道と仏教が融合していった現象を何という？ | 神仏習合 | □□□ |
| **162** ★★★ | | 平安仏教と山岳信仰が結びついて生まれた宗教は？ | 修験道 | □□□ |
| **163** ★★★ | | 問題 162 の祖とされる人物は？ | 役小角 | □□□ |
| **164** ★★☆ | | 平安時代初期に見られる、1つの木材から像を彫り出す技法は？ | 一木造 | □□□ |
| **165** ★★☆ | | 京都府の神護寺にある国宝の仏像は？ | 神護寺薬師如来像 | □□□ |
| **166** ★★☆ | | 大阪府の観心寺にある国宝の仏像は？ | 観心寺如意輪観音像 | □□□ |
| **167** ★☆☆ | | 貴族が子弟教育のために設けた教育機関は？ | 大学別曹 | □□□ |
| **168** ★☆☆ | | 空海が創設した庶民にも教育機会を与えた施設は？ | 綜芸種智院 | □□□ |
| **169** ★★☆ | | 平安時代初期の三筆は、弘法大師 [空海]、嵯峨天皇、もう1人は？ | 橘逸勢 | □□□ |

第1章

第2章

日本歴史

第3章

第4章

第5章

# 8 平安時代（中期）

藤原氏の摂関政治が完成し、いわゆる国風文化が展開した時期です。

---

**170** ★☆☆ ........................................................... □□□
任国に赴任する国司の最上席者は何と呼ばれた？ 　受領

**171** ★☆☆ ........................................................... □□□
任国に赴任せずに国司として収入のみを受け取ること
を何という？ 　遥任

**172** ★★★ ........................................................... □□□
所領を中央の権力者に寄進して保護を受ける荘園は？ 　寄進地系荘園

**173** ★★☆ ........................................................... □□□
902年に出された最初の荘園整理令は？ 　延喜の荘園整理
令

**174** ★☆☆ ........................................................... □□□
荘園が租税の納入を免除されることを何という？ 　不輸（の権）

**175** ★★☆ ........................................................... □□□
939年に自ら「新皇」と称し、関東で反乱を起こした
人物は？ 　平将門

**176** ★★☆ ........................................................... □□□
10世紀に瀬戸内海の海賊を率いて反乱を起こした人
物は？ 　藤原純友

**177** ★☆☆ ........................................................... □□□
藤原氏北家の地位は安和の変で不動になるが、その
変で左遷された人物は？ 　源高明

**178** ★★★ ........................................................... □□□
11世紀に摂関政治の全盛期を現出した父子は？ 　藤原道長・頼通

**179** ★★☆ ........................................................... □□□
問題178の父が「この世をばわが世とぞ…」と歌った
と伝える日記は？ 　小右記

**180** ★☆☆ □□□
問題 179 の日記の作者は？　藤原実資

**181** ★★☆ □□□
陸奥の豪族安倍氏が源頼義・源義家父子と清原氏に
滅ぼされた役は？　前九年の役

**182** ★☆☆ □□□
朝鮮半島で新羅を滅ぼして半島を統一した国家は？　高麗

**183** ★☆☆ □□□
唐が滅びた後に中国を再統一した国家は？　宋

**184** ★☆☆ □□□
1019 年に女真族が壱岐・対馬を襲った事件は？　刀伊の入寇

# 文化（国風文化）

**185** ★★★ □□□
最初の勅撰和歌集は？　『古今和歌集』

**186** ★★★ □□□
長編小説『源氏物語』の作者は？　紫式部

**187** ★★★ □□□
随筆『枕草子』の作者は？　清少納言

**188** ★★★ □□□
仮名文日記の最初とされる『土佐日記』の作者は？　紀貫之

**189** ★☆☆ □□□
阿弥陀仏信仰によって来世で極楽浄土に往生する教
えは？　浄土教

**190** ★★☆ □□□
浄土教を京の市中で説いた僧で市聖と称された人物
は？　空也

**191** ★★☆ □□□
念仏往生の教えを『往生要集』で説いた僧は？　源信

**192** ★★★ ･････････････････････････････････････････････ □□□
藤原頼通が宇治に建てた阿弥陀堂は？　平等院鳳凰堂

**193** ★☆☆ ･････････････････････････････････････････ □□□
問題 192 に安置されている像高約 284cm の仏像
は？　阿弥陀如来像

**194** ★★☆ ･････････････････････････････････････････ □□□
問題 193 の仏像はどのような技法で造られている？　寄木造

**195** ★★★ ･････････････････････････････････････････ □□□
問題 194 の技法を完成したとされる人物は？　定朝

# 9 平安時代（後期）

院政の時代です。荘園は全国に広がり、武士が成長し、朝廷は治安を維持するのが困難になっていきます。朝廷貴族も新興勢力に注目して、説話集や絵巻物が生まれました。

196 ★★☆ □□□
平安時代中期以降、荘園に対し、国司の支配する領を何という？
公領 [国衙領]

197 ★★☆ □□□
清原氏の内紛を平定した 1083 ～ 87 年の役は？
後三年の役

198 ★★★ □□□
問題 197 の後、奥州藤原氏が勢力の中心地としたのは？
平泉

199 ★★☆ □□□
奥州藤原氏の初代から 3 代までの名前は？
清衡・基衡・秀衡

200 ★★☆ □□□
1068 年に即位し、翌年、延久の荘園整理令を出した人物は？
後三条天皇

201 ★★★ □□□
問題 200 の子で、1086 年に院政を開始した人物は？
白河上皇

202 ★☆☆ □□□
院政の時代、有力者に一国の支配権と収益を与える制度は？
知行国制度

203 ★★★ □□□
1156 年に起こった、崇徳上皇と後白河天皇の争いを何という？
保元の乱

204 ★☆☆ □□□
平清盛と源義朝の対立から 1159 年に起きた争いを何という？
平治の乱

**205** ★☆☆ ......................................................... □□□
問題204の結果、源義朝の子、頼朝はどこに流された？ | 伊豆

**206** ★★☆ ......................................................... □□□
平清盛の娘で高倉天皇の中宮になった人物は？ | 徳子 [建礼門院]

**207** ★★★ ......................................................... □□□
平清盛が外戚となって即位させた天皇は？ | 安徳天皇

**208** ★★☆ ......................................................... □□□
平清盛が日宋貿易のために修築した、現神戸市にあった港は？ | 大輪田泊

**209** ★☆☆ ......................................................... □□□
平氏の官職独占に対して1177年に起こった平氏打倒の陰謀事件は？ | 鹿ケ谷の陰謀

**210** ★☆☆ ......................................................... □□□
平氏追討の令旨を出した後白河法皇の子は？ | 以仁王

**211** ★★★ ......................................................... □□□
源頼朝が挙兵の際に根拠地としたのは？ | 鎌倉

**212** ★☆☆ ......................................................... □□□
1180年、平氏が一時、京を遷したところは？ | 福原京

**213** ★★★ ......................................................... □□□
1185年、平氏を壇ノ浦で滅亡に追い込んだ武将は？ | 源義経

**214** ★★☆ ......................................................... □□□
壇ノ浦で崩御した安徳天皇を祀る神社は？ | 赤間神宮

**215** ★☆☆ ......................................................... □□□
問題214の神社にまつわる物語で、小泉八雲の『怪談』にも取り上げられたのは？ | 耳なし芳一

**216** ★★★ ......................................................... □□□
義経に頼朝追討の宣旨を下した人物は？ | 後白河法皇

# 文化（院政期）

**217** ★★★ ··················································· □□□
奥州藤原氏が平泉に建てた阿弥陀堂は？ 　中尊寺金色堂

**218** ★★☆
福島県いわき市にある平安時代末期建造の阿弥陀堂　白水阿弥陀堂
は？

**219** ★★★ ··················································· □□□
平氏が一族の繁栄を願って納経をした神社は？ 　厳島神社

**220** ★☆☆ ··················································· □□□
後白河法皇が編んだ今様の歌集は？ 　『梁塵秘抄』

**221** ★☆☆ ··················································· □□□
平将門の乱を描いた軍記物は？ 　『将門記』

**222** ★★☆ ··················································· □□□
平安時代末期の四大絵巻物の１つとされ、擬人化し　『鳥獣（人物）戯
た動物を描く作品は？ 　画』

**223** ★★☆ ··················································· □□□
平安時代末期の四大絵巻物の１つとされ、寺社縁起　『信貴山縁起絵
に関する作品は？ 　巻』

**224** ★☆☆ ··················································· □□□
平安時代末期の四大絵巻物の１つとされ、小説に関　『源氏物語絵巻』
する作品は？

**225** ★☆☆ ··················································· □□□
平安時代末期の四大絵巻物の１つとされ、応天門の　『伴大納言絵巻』
変に関する作品は？

第1章

第2章

日本歴史

第3章

第4章

第5章

# ⑩ 鎌倉時代
かま くら

武士（源氏）が初めて政治権力者となり統治したものの、時代とともに衰退した時代です。ポイントは、宮中は平安時代と同じように現在の京都に置かれましたが、武士たちは鎌倉に中央政府を置いたので、中心が2つあったということです。

| | | |
|---|---|---|
| **226** ★★★<br>1185年に頼朝が全国に置くことを認められた職種は？ | 守護と地頭<br>しゅご じとう | □□□ |
| **227** ★★★<br>1192年に頼朝が任ぜられた官職は？ | 征夷大将軍<br>せい い たい しょう ぐん | □□□ |
| **228** ★☆☆<br>鎌倉幕府において御家人を統率する機関は？ | 侍所<br>さむらいどころ | □□□ |
| **229** ★☆☆<br>鎌倉幕府において一般政務や財政を担当する機関は？ | 政所<br>まんどころ<br>（初期は公文所）<br>く もん じょ | □□□ |
| **230** ★☆☆<br>鎌倉幕府において裁判事務を担当する機関は？ | 問注所<br>もん ちゅう じょ | □□□ |
| **231** ★★☆<br>鎌倉時代の相続の原則は？ | 分割相続 | □□□ |
| **232** ★★★<br>地頭による荘園の侵略の解決法として行われた土地の折半は？ | 下地中分<br>した じ ちゅう ぶん | □□□ |
| **233** ★★★<br>鎌倉幕府の2代将軍は？ | 源頼家<br>みなもとの より いえ | □□□ |
| **234** ★★☆<br>2代将軍が廃されて将軍になった2代将軍の弟は？ | 源実朝<br>みなもとの さね とも | □□□ |
| **235** ★☆☆<br>2代将軍が幽閉され暗殺された場所は？ | 修禅寺（所在地名・温泉名は修善寺）<br>しゅ ぜん じ | □□□ |

**236** ★★☆ ……………………………………… □□□
3代将軍を鶴岡八幡宮で暗殺した2代将軍の子は？　公暁

**237** ★★★ ……………………………………… □□□
北条氏が世襲した、幕府の実権を預かる地位は？　執権

**238** ★★★ ……………………………………… □□□
北条時政の子で、問題237の2代目に就任した人物は？　北条義時

**239** ★★★ ……………………………………… □□□
朝廷勢力の挽回のために承久の乱を起こした上皇は？　後鳥羽上皇

**240** ★☆☆ ……………………………………… □□□
問題239の上皇は承久の乱に敗れた後、どこに流された？　隠岐

**241** ★★☆ ……………………………………… □□□
承久の乱後、幕府が京都監視のために置いた機関は？　六波羅探題

**242** ★★★ ……………………………………… □□□
鎌倉幕府3代執権は？　北条泰時

**243** ★★☆ ……………………………………… □□□
問題242が合議制に基づく政治を行うために任命したのは？　評定衆

**244** ★★★ ……………………………………… □□□
問題242が1232年に制定した最初の武家法典は？　御成敗式目[貞永式目]

**245** ★☆☆ ……………………………………… □□□
問題244は何カ条から成る？　51カ条

**246** ★★☆ ……………………………………… □□□
鎌倉幕府5代執権は？　北条時頼

**247** ★★☆ ……………………………………… □□□
問題246が所領関連の裁判の迅速化を図って任命したのは？　引付衆

**248** ★☆☆ ･････････････････････････････ □□□

北条氏の嫡流の当主を何と呼ぶ？

得宗

**249** ★☆☆ ･････････････････････････････ □□□

幕府が 1297 年に出した御家人救済策は？

永仁の徳政令

**250** ★★☆ ･････････････････････････････ □□□

鎌倉時代に流通していた銭は？

宋銭

**251** ★★☆ ･････････････････････････････ □□□

14 世紀初期に皇室で対立していたのは大覚寺統と何
統？

持明院統

**252** ★★★ ･････････････････････････････ □□□

1318 年に大覚寺統から即位した天皇は？

後醍醐天皇

**253** ★☆☆ ･････････････････････････････ □□□

問題 252 は倒幕計画に失敗し、どこに流された？

隠岐

**254** ★★☆ ･････････････････････････････ □□□

問題 252 の皇子で、鎌倉幕府打倒のために挙兵した
人物は？

護良親王

**255** ★☆☆ ･････････････････････････････ □□□

鎌倉時代末期、幕府内で専横な振る舞いをしていた
内管領は？

長崎高資

**256** ★★★ ･････････････････････････････ □□□

鎌倉幕府打倒のために挙兵した河内国の土豪は？

楠木正成

**257** ★★★ ･････････････････････････････ □□□

六波羅探題を攻め破った武将は？

足利高氏
（のち尊氏）

**258** ★★★ ･････････････････････････････ □□□

鎌倉を攻めて幕府を滅ぼした武将は？

新田義貞

**259** ★☆☆ ･････････････････････････････ □□□

鎌倉攻めの際、東勝寺で自刃した 14 代執権は？

北条高時

# 対外

**260** ★★☆ □□□
日本に朝貢を強要してきた元の皇帝は？
フビライ・ハーン

**261** ★★★ □□□
元が2度にわたり九州に来襲した事件をまとめて何という？
元寇

**262** ★★★ □□□
問題261が起こった時の執権は？
北条時宗

**263** ★★☆ □□□
問題261の様子を伝える『蒙古襲来絵詞』に描かれている御家人は？
竹崎季長

# 文化

**264** ★★★ □□□
浄土宗の開祖は？
法然

**265** ★★☆ □□□
問題264が説いた「南無阿弥陀仏」とただひたすらに念仏を唱える教えは？
専修念仏

**266** ★★★ □□□
浄土真宗の開祖は？
親鸞

**267** ★★☆ □□□
問題266が著した自らの信仰と思想を論じた仏書は？
『教行信証』

**268** ★★☆ □□□
問題266が説いた、煩悩の深い人こそ阿弥陀仏の救済対象であるという教えは？
悪人正機

**269** ★★☆ □□□
問題268の教えを伝える唯円作とされる仏書は？
『歎異抄』

第1章

第2章

日本歴史

第3章

第4章

第5章

**270** ★★★ ················································································ □□□
時宗の開祖は？

一遍

**271** ★★☆ ················································································ □□□
問題 270 の伝記を記した絵巻は？

一遍上人絵伝

**272** ★☆☆ ················································································ □□□
時宗の総本山で、通称遊行寺と呼ばれる寺院は？

清浄光寺

**273** ★★★ ················································································ □□□
法華経至上主義を唱えて新宗を開いた人物は？

日蓮

**274** ★★☆ ················································································ □□□
問題 273 の宗で唱える「南無妙法蓮華経」の七字を
何と呼ぶ？

題目

**275** ★★☆ ················································································ □□□
問題 273 が執筆して執権北条時頼に提出した文書
は？

『立正安国論』

**276** ★★★ ················································································ □□□
禅宗の臨済宗の開祖は？

栄西

**277** ★★☆ ················································································ □□□
問題 276 が臨済宗布教のために著した仏書は？

『興禅護国論』

**278** ★☆☆ ················································································ □□□
問題 276 が著した茶の製法や飲茶の効能を述べた
書物は？

『喫茶養生記』

**279** ★☆☆ ················································································ □□□
臨済宗において、参禅者に与えらえる問題は？

公案

**280** ★★★ ················································································ □□□
禅宗の曹洞宗の開祖は？

道元

**281** ★★☆ ················································································ □□□
問題 280 が著した仏教思想書は？

『正法眼蔵』

**282** ★★☆ ················································································ □□□
曹洞宗において、ただひたすら座禅することを何とい
う？

只管打坐

283 ★★★　□□□
建長寺の開山となった宋の僧侶は？　蘭渓道隆

284 ★☆☆　□□□
建長寺の開基は？　北条時頼

285 ★★★　□□□
円覚寺の開山となった宋の僧侶は？　無学祖元

286 ★☆☆　□□□
円覚寺の開基は？　北条時宗

287 ★★☆　□□□
藤原定家が後鳥羽上皇の命で編纂した和歌集は？　『新古今和歌集』

288 ★★☆　□□□
西行が著した歌集は？　『山家集』

289 ★☆☆　□□□
源実朝が著した歌集は？　『金槐和歌集』

290 ★★☆　□□□
鴨長明が著した随筆は？　『方丈記』

291 ★★☆　□□□
吉田兼好が著した随筆は？　『徒然草』

292 ★★☆　□□□
天台座主の慈円が著した歴史書は？　『愚管抄』

293 ★☆☆　□□□
北条実時が武蔵に開いた学問所は？　金沢文庫

294 ★★★　□□□
大仏様［天竺様］の代表で奈良にある建築物は？　東大寺南大門

295 ★★★　□□□
禅宗様［唐様］の代表で鎌倉にある建築物は？　円覚寺舎利殿

296 ★★★　□□□
和様の代表で京都にある建築物は？　蓮華王院本堂［三十三間堂］

**297** ★★★ ┄┄┄┄┄┄┄┄┄┄┄┄┄┄┄┄┄┄┄┄┄┄┄┄┄┄┄ □□□ ┄┄┄┄

折衷様［新和様］の代表で河内にある建築物は？

観心寺金堂

**298** ★★☆ ┄┄┄┄┄┄┄┄┄┄┄┄┄┄┄┄┄┄┄┄┄┄┄┄┄┄┄ □□□ ┄┄┄┄

運慶・快慶の代表作の仏像で東大寺南大門にあるのは？

東大寺南大門金剛力士像

**299** ★★☆ ┄┄┄┄┄┄┄┄┄┄┄┄┄┄┄┄┄┄┄┄┄┄┄┄┄┄┄ □□□ ┄┄┄┄

康勝の代表作の仏像で六波羅蜜寺にあるのは？

六波羅蜜寺空也上人像

# ⑪ 建武の新政

建武の新政による朝廷独裁政権は約3年で崩壊します。

**300** ★★★ ········································· □□□ ·····
後醍醐天皇が始めた新政を何と呼ぶ？　　　建武の新政

**301** ★★☆ ········································· □□□ ·····
足利尊氏が新政府に反旗を翻すきっかけとなった乱　中先代の乱
は？

**302** ★☆☆ ········································· □□□ ·····
問題301の事件で鎌倉を一時奪還した人物は？　北条時行

## 12 室町時代
（むろまち）

鎌倉時代に続き武士（足利氏）が政治権力者となり統治したものの、土地問題や一揆などのもめごとで日本全体が分裂した時代です。

---

**303** ★☆☆ □□□
足利尊氏を征夷大将軍に任じた北朝の天皇は？
（あしかがたかうじ せいいたいしょうぐん）
光明天皇（こうみょう）

**304** ★★★ □□□
後醍醐天皇の南朝があったのはどこ？
（ごだいご）
吉野（よしの）

**305** ★☆☆ □□□
高師直と対立していた足利尊氏の弟は？
（こうのもろなお）
足利直義（ただよし）

**306** ★☆☆ □□□
武家社会では相続方式が分割相続から何になった？
単独相続

**307** ★★★ □□□
1352 年に出された守護の徴税権を認める令は？
（しゅご）
半済令（はんぜいれい）

**308** ★★★ □□□
室町幕府の 3 代将軍は？
足利義満（あしかがよしみつ）

**309** ★☆☆ □□□
問題 308 が京都室町に造営した邸宅の通称は？
花の御所

**310** ★★☆ □□□
問題 308 が明徳の乱で滅ぼした人物は？
（めいとく）
山名氏清（やまなうじきよ）

**311** ★★☆ □□□
問題 308 が南北朝の合一に成功した西暦年は？
1392 年

**312** ★★☆ □□□
問題 308 が応永の乱で討伐した人物は？
（おうえい）
大内義弘（おおうちよしひろ）

**313** ★★★ □□□
室町幕府で将軍を補佐する役割は？
管領（かんれい）

**314** ★☆☆ □□□
問題 313 は 3 氏が交代で務めたが、それは細川氏、斯波氏と何氏？
（ほそかわ）（しば）
畠山氏（はたけやま）

**315** ★★☆
初代の鎌倉公方は誰？　　　　　　　　　　　　足利基氏

**316** ★☆☆
鎌倉公方を補佐する関東管領を世襲したのは何氏？　上杉氏

**317** ★★★
1428 年、近江坂本の馬借の蜂起から始まった土一揆　正長の土一揆
は？

**318** ★☆☆
1438 年に発生した永享の乱で討たれた人物は？　　足利持氏

**319** ★★☆
嘉吉の乱で赤松満祐に暗殺された室町幕府 6 代将軍　足利義教
は？

**320** ★★☆
室町幕府 8 代将軍は？　　　　　　　　　　　　　足利義政

**321** ★★★
1467 年に勃発した守護大名による全国規模の戦乱　応仁の乱
は？

**322** ★☆☆
問題 321 における東軍の大将は？　　　　　　　　細川勝元

**323** ★☆☆
問題 321 における西軍の大将は？　　　　　　　　山名持豊［宗全］

**324** ★☆☆
1485 年、南山城の国人らが蜂起した一揆は？　　　山城国一揆

**325** ★★★
一向宗徒の国人らが守護富樫正親を敗死させた一揆　加賀の一向一揆
は？

# 対外

**326** ★☆☆
鎌倉幕府が建長寺船を派遣した国は？　　　　　　元

**327** ★☆☆
足利尊氏が天龍寺船を派遣した国は？　元

**328** ★★★
足利義満が明と開始した貿易で日本が持参した札は？　勘合

**329** ★☆☆
問題328の貿易で義満が明皇帝から与えられた封号は？　日本国王源道義

**330** ★☆☆
日明貿易を巡って寧波で衝突事件を起こしたのは大内氏と何氏？　細川氏

**331** ★☆☆
日明貿易では大内氏はどの地の商人と結んでいた？　博多

**332** ★★☆
1392年に高麗を倒して朝鮮を建てた人物は？　李成桂

**333** ★☆☆
1419年に李氏朝鮮の世宗が対馬を襲撃した事件は？　応永の外寇

**334** ★★☆
1429年に琉球を統一して王国をつくりあげた中山王は？　尚巴志

**335** ★☆☆
1457年に和人を相手に武装蜂起したアイヌの首領は？　コシャマイン

# 文化

**336** ★★★
能の理論書『風姿花伝』を著した人物は？　世阿弥

**337** ★★★
足利義満が将軍職を義持に譲った後、北山に建てたものは？　金閣

**338** ★☆☆
問題337の第1層の建築様式は？　寝殿造

**339** ★★★　□□□
足利義政が東山に建てたのは？　銀閣

**340** ★★★　□□□
問題 339 の下層部分の建築様式は？　書院造

**341** ★☆☆　□□□
京都五山の別格上位の寺院は？　南禅寺

**342** ★☆☆　□□□
京都五山の第 1 位と第 2 位は？　天龍寺と相国寺

**343** ★☆☆　□□□
鎌倉五山の第 1 位と第 2 位は？　建長寺と円覚寺

**344** ★★★　□□□
龍安寺や大徳寺大仙院の庭園に見られる作庭方式は？　枯山水

**345** ★★★　□□□
天龍寺の開山で天龍寺庭園の作庭をした人物は？　夢窓疎石

**346** ★★☆　□□□
水墨画『寒山拾得図』を描いた相国寺の禅僧は？　周文

**347** ★★☆　□□□
水墨画『瓢鮎図』を描いた人物は？　如拙

**348** ★★★　□□□
『天橋立図』や『四季山水図巻［山水長巻］』を描いた人物は？　雪舟

**349** ★★☆　□□□
連歌集の『新撰菟玖波集』を撰集した中心人物は？　宗祇

**350** ★☆☆　□□□
足利学校を再興した関東管領は？　上杉憲実

第1章

第2章

日本歴史

第3章

第4章

第5章

# ⑬ 戦国時代

日本全体をまとめる独占的な権力を持った人がおらず、織田信長や武田信玄、上杉謙信、毛利元就など有名な地方のリーダーが生まれた時代です。

---

**351** ★☆☆ ----------------------------------------□□□
1536 年に京都で延暦寺勢力と法華宗勢力が衝突した乱は？ | 天文法華の乱

**352** ★★★ ----------------------------------------□□□
1543 年にポルトガル人から日本に鉄砲が伝わった地は？ | 種子島

**353** ★☆☆ ----------------------------------------□□□
16 世紀後半の日本と欧州との貿易を何と呼ぶ？ | 南蛮貿易

**354** ★★★ ----------------------------------------□□□
1549 年にキリスト教を日本に伝えた人物は？ | フランシスコ・ザビエル

**355** ★★☆ ----------------------------------------□□□
陶晴賢を討ち、大内氏・尼子氏を制し、中国 10 か国を領有した戦国大名は？ | 毛利元就

**356** ★★☆ ----------------------------------------□□□
相模国を支配し、関東をほぼ掌握した北条氏 3 代目の戦国大名は？ | 北条氏康

**357** ★★★ ----------------------------------------□□□
甲斐国を支配した戦国大名で、上杉氏と川中島の戦いで対決した人物は？ | 武田信玄

**358** ★★☆ ----------------------------------------□□□
越前国一乗谷を本拠地とし、浅井長政と連合して織田信長に対抗した人物は？ | 朝倉義景

**359** ★★★ ----------------------------------------□□□
越後国を支配した戦国大名で、関東管領を譲られた人物は？ | 上杉謙信

**360** ★★★ ·········································································· □□□
戦国大名が領国内で発した法律は？　　　　　　　　分国法

**361** ★★★ ·········································································· □□□
戦国大名が城下町での自由な商業活動を許した政策　楽市・楽座
は？

**362** ★☆☆ ·········································································· □□□
有力な寺院・神社の周辺に発達した町を何という？　門前町

**363** ★☆☆ ·········································································· □□□
一向宗寺院を中心として形成された町を何という？　寺内町

**364** ★☆☆ ·········································································· □□□
自由都市の港町であった堺や博多は、それぞれ何と　堺は会合衆、博多
呼ばれた豪商が運営していた？　　　　　　　　　　は年行事

**365** ★★★ ·········································································· □□□
1560 年に織田信長が今川義元を討ち取った戦い　桶狭間の戦い
は？

**366** ★☆☆ ·········································································· □□□
1567 年に織田信長が最初に楽市令を出したのはど　美濃加納
こ？

**367** ★★★ ·········································································· □□□
1568 年に織田信長が入京するために奉じた室町幕　足利義昭
府将軍は？

第1章

第2章

日本歴史

第3章

第4章

第5章

# ⑭ 安土桃山時代

織田信長によって日本の中央部がまとまってきたものの、本能寺の変で亡くなり、その後、部下であった豊臣秀吉が天下統一を達成した時代です。

| | | |
|---|---|---|
| **368** ★★☆ □□□ | | |
| 織田信長が足利義昭を追放して室町幕府を滅ぼしたのは西暦何年？ | 1573 年 | |
| **369** ★★☆ □□□ | | |
| 織田信長が京都居住と布教を許したポルトガル人宣教師は？ | ルイス・フロイス | |
| **370** ★☆☆ □□□ | | |
| 1570 年に織田信長が浅井・朝倉軍を破った戦いは？ | 姉川の戦い | |
| **371** ★☆☆ □□□ | | |
| 1571 年に織田信長が焼き討ちした寺院は？ | 比叡山延暦寺 | |
| **372** ★★★ □□□ | | |
| 1575 年に織田信長が徳川家康と連合して武田勝頼を破った戦いは？ | 長篠の戦い | |
| **373** ★★★ □□□ | | |
| 1576 年に織田信長が築き始めた城は？ | 安土城 | |
| **374** ★★★ □□□ | | |
| 1582 年に織田信長を本能寺で襲った人物は？ | 明智光秀 | |
| **375** ★★☆ □□□ | | |
| キリシタン大名らに天正遣欧使節の派遣を勧めた人物は？ | ヴァリニャーニ | |
| **376** ★★☆ □□□ | | |
| 天正遣欧使節を派遣した大名は、有馬晴信、大村純忠、もう1人は？ | 大友義鎮［宗麟］ | |

**377** ★☆☆
1582年に羽柴秀吉が明智光秀を滅亡させた戦いは？
山崎の戦い

**378** ★★★
羽柴秀吉が石高制を確立するために1582年から行った政策は？
太閤検地

**379** ★☆☆
1583年に羽柴秀吉が柴田勝家を破った戦いは？
賤ヶ岳の戦い

**380** ★☆☆
1584年に羽柴秀吉が徳川家康と交えた戦いは？
小牧・長久手の戦い

**381** ★★☆
1587年に豊臣秀吉がキリシタンを邪法として、宣教師の国外追放を命じた令は？
バテレン追放令

**382** ★★★
豊臣秀吉が身分制を確立するために1588年に出した武器に関する令は？
刀狩令

**383** ★☆☆
1590年に豊臣秀吉の小田原攻めで滅ぼされたのは何氏？
後北条氏

**384** ★☆☆
1592年に豊臣秀次の名で出された身分統制令は？
人掃令

**385** ★★★
1592年、豊臣秀吉による最初の朝鮮出兵は何の役と呼ばれる？
文禄の役

**386** ★★☆
1596年、豊臣秀吉が宣教師・信者26名を処刑するきっかけとなった事件は？
サン・フェリペ号事件

**387** ★★★
1597年、豊臣秀吉による2度目の朝鮮出兵は何の役と呼ばれる？
慶長の役

**388** ★★★ ········· □□□
関ヶ原の戦いで西軍を率いていた人物は？　石田三成

# 文化

**389** ★★☆ ········· □□□
西本願寺にある聚楽第の遺構とされる建築物は？　西本願寺飛雲閣

**390** ★☆☆ ········· □□□
竹生島にある伏見城の遺構とされる建築物は？　都久夫須麻神社本殿

**391** ★★★ ········· □□□
『唐獅子図屏風』の作者は？　狩野永徳

**392** ★★☆ ········· □□□
『松林図屏風』の作者は？　長谷川等伯

**393** ★★★ ········· □□□
侘茶を大成させて妙喜庵茶室の待庵を造った人物は？　千利休

**394** ★★☆ ········· □□□
京都でかぶき踊りを始めて人気を博した人物は？　出雲阿国

# ⑮ 江戸時代（前期）

江戸時代は4つの期に分けて学びましょう。第1期は江戸幕府成立から元禄期ごろまでで、鎖国体制の完成後、武断政治から文治政治へ転換していきます。

**395** ★☆☆ □□□
江戸幕府が開かれた西暦年は？　　1603年

**396** ★★★ □□□
江戸幕府の初代将軍は？　　徳川家康

**397** ★★★ □□□
江戸幕府の2代将軍は？　　徳川秀忠

**398** ★★☆ □□□
徳川氏が豊臣氏を滅ぼした戦いは？　　大坂の陣
（冬の陣・夏の陣）

**399** ★★★ □□□
1615年に江戸幕府が出した大名統制法は？　　武家諸法度

**400** ★★☆ □□□
1615年に江戸幕府が出した朝廷統制法は？　　禁中並公家諸法度

**401** ★☆☆ □□□
問題399・400の制定に関わった「黒衣の宰相」と呼ばれた徳川家康のブレーンは？　　金地院崇伝
[以心崇伝]

**402** ★☆☆ □□□
天台宗の僧で徳川家3代にわたって仕え、上野に寛永寺を創建した人物は？　　天海

**403** ★★★ □□□
江戸幕府の3代将軍の家光が大名に新たに義務付けたものは？　　参勤交代

**404** ★★☆ □□□
1627年に幕府の法度を無視して紫衣着用勅許の綸旨を出した天皇は？

後水尾天皇

**405** ★☆☆ □□□
問題404の勅許を無効とする幕府に反対して流罪にされた大徳寺の住職は？

沢庵

**406** ★★★ □□□
1637年に勃発した天草四郎を首領とした乱は？

島原の乱

**407** ★★☆ □□□
1641年にオランダ商館はどこに移された？

出島［長崎］

**408** ★★☆ □□□
オランダ商館は問題407に移される前はどこにあった？

平戸島

**409** ★★☆ □□□
1651年に由井正雪が引き起こした事件は？

慶安の変

**410** ★☆☆ □□□
3代将軍家光の異母弟で4代将軍家綱を補佐した人物は？

保科正之

**411** ★☆☆ □□□
1657年に江戸で起こった振袖火事とも呼ばれる大火災は？

明暦の大火

**412** ★★☆ □□□
5代将軍綱吉の側用人となった人物は？

柳沢吉保

**413** ★★★ □□□
綱吉が出した動物や弱者の保護令は？

生類憐みの令

**414** ★☆☆ □□□
綱吉の時代、財政改善のために貨幣を改悪した勘定吟味役は？

荻原重秀

# 文化（寛永期）

**415** ★★☆ □□□
桂離宮の建築様式は？
**数寄屋造**

**416** ★★☆ □□□
日光東照宮の本殿・石の間及び拝殿（御本社）の建築様式は何造と呼ばれる？
**権現造**

**417** ★★☆ □□□
坂上田村麻呂創建と伝えられる北法相宗の寺院で、懸造の本堂を持つのは？
**清水寺**

**418** ★★★ □□□
国宝『風神雷神図屏風』を描いた人物は？
**俵屋宗達**

**419** ★★☆ □□□
赤絵の絵付けに成功した有田の陶工は？
**酒井田柿右衛門**

# 文化（元禄期）

**420** ★★★ □□□
紀行文『おくのほそ道』を著した、俳聖と称される人物は？
**松尾芭蕉**

**421** ★★★ □□□
浮世草子と呼ばれる小説『好色一代男』などを著した人物は？
**井原西鶴**

**422** ★★☆ □□□
人形浄瑠璃の脚本家で『曽根崎心中』を著した人物は？
**近松門左衛門**

**423** ★★☆ □□□
人形浄瑠璃で義太夫節を創始した人物は？
**竹本義太夫**

**424** ★★★ □□□
『紅白梅図屏風』『燕子花図屏風』などの作品で有名な画家は？
**尾形光琳**

**425** ★★★ □□□
浮世絵の『見返り美人図』を描いた人物は？
**菱川師宣**

**426** ★☆☆ □□□
朱子学の啓蒙に努めて京学派を興した人物は？
**藤原惺窩**

**427** ★★☆　□□□
儒者として徳川家康に用いられ、その子孫が代々幕府に仕えた人物は？
林羅山

**428** ★☆☆　□□□
陽明学派の祖で近江聖人と称された人物は？
中江藤樹

**429** ★☆☆　□□□
『読史余論』『折たく柴の記』を著した人物は？
新井白石

**430** ★★☆　□□□
『大和本草』を著した本草学者は？
貝原益軒

**431** ★★☆　□□□
『農業全書』を著した人物は？
宮崎安貞

**432** ★★☆　□□□
『発微算法』を著した和算の学者は？
関孝和

**433** ★☆☆　□□□
日本独自の暦である貞享暦を作った天文・暦学の学者は？
渋川春海 [安井算哲]

# 16 江戸時代（中期）

江戸時代中期は、徳川吉宗による享保の改革がある程度成果を上げます。その後、老中田沼意次は商業資本を利用した積極政策を採りますが、天災・飢饉が相次ぎ、その政策は裏目に出ます。

**434** ★★★ □□□
綱吉の死後、家宣・家継の政務を補佐した人物は？ 　新井白石

**435** ★☆☆ □□□
問題 434 による政治刷新は何と呼ばれる？ 　正徳の治

**436** ★★☆ □□□
富士川などを開削して水路を開いた人物は？ 　角倉了以

**437** ★★☆ □□□
東廻り海運・西廻り海運を整備した人物は？ 　河村瑞賢

**438** ★☆☆ □□□
大坂は大商業都市となり天下の何と呼ばれた？ 　台所

**439** ★★★ □□□
江戸幕府の 8 代将軍は？ 　徳川吉宗

**440** ★☆☆ □□□
問題 439 は御三家のうちどこの出身？ 　紀伊

**441** ★★★ □□□
問題 439 が行った幕政改革は何と呼ばれる？ 　享保の改革

**442** ★☆☆ □□□
問題 441 の一環として、金銭の貸借は当事者間で解決するように命じたのは？ 　相対済令

**443** ★★☆ □□□
問題 441 の一環として、直訴状を受理するために設けたものは？ 　目安箱

**444** ★☆☆ □□□
問題 441 の一環として、裁判・刑罰の基準を定めたものは？ 　公事方御定書

**445** ★★★ □□□
問題441の一環として、浪費・奢侈を戒めた令は？　倹約令

**446** ★★☆ □□□
問題441の一環として、参勤交代の負担軽減と引き換えに米を納めさせた法は？　上米（の制）

**447** ★★☆ □□□
問題441の一環として、家禄が低い者が高い役職に就く際、就任期間のみ家禄を足したのは？　足高（の制）

**448** ★★★ □□□
問題441の一環として、豊凶にかかわらず年貢高を固定して納めさせたものは？　定免法

**449** ★☆☆ □□□
百姓や町人らが豪農・米屋・高利貸しを襲うことを何という？　打ちこわし

**450** ★☆☆ □□□
下層農民が村役人の不正・不公平を領主へ訴え出ることを何という？　村方騒動

**451** ★★★ □□□
10代将軍の時代に老中を務め、重商主義政策を採った人物は？　田沼意次

**452** ★☆☆ □□□
問題451が干拓を進めた地は？　印旛沼・手賀沼

**453** ★★☆ □□□
問題451が老中を務めた時代に起こった飢饉は？　天明の飢饉

# 17 江戸時代（後期）

江戸時代後期は、老中松平定信による幕政改革が行われる一方、外国との接触も多くなり外交問題が生じます。江戸では文化・文政期に化政文化と呼ばれる町人文化が開花します。

**454** ★★★
11代将軍のもとで老中首座・将軍補佐になった白河藩主は？
**松平定信**

**455** ★★★
問題454が行った改革は何と呼ばれる？
**寛政の改革**

**456** ★☆☆
問題455の一環として、旗本や御家人に対して札差からの借金を破棄させた令は？
**棄捐令**

**457** ★★★
問題455の一環として、飢饉対策や米価調整のために米を備蓄させた政策は？
**囲米**

**458** ★☆☆
問題455の一環として、町の運営費を倹約させ一部を救貧対策に積み立てさせたのは？
**七分積金**

**459** ★★★
問題455の一環として、石川島に設置された浮浪者収容所は？
**人足寄場**

**460** ★★☆
問題455の一環として、朱子学以外の学問を禁止した令は？
**寛政異学の禁**

**461** ★★★
江戸幕府の11代将軍で大御所政治を行った人物は？
**徳川家斉**

**462** ★★★
1837年に、もと大坂町奉行の与力が起こした反乱事件は？
**大塩平八郎の乱**

| 463 ★★☆ | □□□ |
| 1839 年に、高野長英や渡辺崋山が処罰された弾圧事件は？ | 蛮社の獄 |

| 464 ★★★ | □□□ |
| 天保の改革を行った老中は？ | 水野忠邦 |

| 465 ★★☆ | □□□ |
| 問題 464 の一環として江戸・大坂周辺地を幕府直轄領にしようと出した令は？ | 上知令 |

## 対外（江戸時代初期〜後期）

| 466 ★★★ | □□□ |
| 豊臣秀吉の時代から江戸初期に行われた貿易形式は？ | 朱印船貿易 |

| 467 ★☆☆ | □□□ |
| リーフデ号が漂着したのはどこ？ | 豊後 |

| 468 ★★☆ | □□□ |
| リーフデ号に乗っていたイギリス人で徳川家康の外交顧問になった人物は？ | ウィリアム・アダムス |

| 469 ★★☆ | □□□ |
| リーフデ号に乗っていたオランダ人で徳川家康に信任された人物は？ | ヤン・ヨーステン |

| 470 ★☆☆ | □□□ |
| 薩摩藩が琉球王国に侵攻して、琉球を支配下に置いた西暦年は？ | 1609 年 |

| 471 ★☆☆ | □□□ |
| 薩摩の支配下に入った琉球王国が幕府に派遣したのは？ | 謝恩使・慶賀使 |

| 472 ★★☆ | □□□ |
| 1654 年に来日し、黄檗山萬福寺を開創した中国の僧は？ | 隠元 |

**473** ★☆☆ □□□
1699 年に起こった松前氏とアイヌの戦いは？ | シャクシャインの戦い

**474** ★★☆ □□□
1708 年に屋久島に上陸したイタリア人のカトリック司祭は？ | シドッチ

**475** ★☆☆ □□□
問題 474 から知識を得て『西洋紀聞』と『采覧異言』を著した人物は？ | 新井白石

**476** ★★★ □□□
1792 年、日本人漂流民の送還と通商交渉のため根室に来航したロシア人は？ | ラクスマン

**477** ★☆☆ □□□
問題 476 が日本に連れ帰った漂流民の船頭は？ | 大黒屋光太夫

**478** ★★☆ □□□
1804 年に通商交渉のため長崎に来航したロシア使節を率いていた外交官は？ | レザノフ

**479** ★★☆ □□□
ロシアの海軍軍人が松前奉行配下の役人に捕らえられた事件は？ | ゴローニン事件

**480** ★★☆ □□□
樺太が離島であることを発見した探検家は？ | 間宮林蔵

**481** ★☆☆ □□□
長崎港にイギリス軍艦が不法侵入した事件は？ | フェートン号事件

**482** ★★☆ □□□
1825 年に幕府が出した外国船の強制退去令は？ | 異国船打払令

**483** ★★☆ □□□
1837 年に漂流人の送還と通商交渉に来航したアメリカの商船は？ | モリソン号

**484** ★☆☆ □□□
1846 年に浦賀に来航したアメリカ東インド艦隊司令長官は？ | ジェイムズ・ビッドル

第1章

第2章

日本歴史

第3章

第4章

第5章

# 文化（後期〜化政期）

**485** ★★★　□□□
『古事記伝』を著して日本古来の精神への復帰を主張した人物は？
本居宣長

**486** ★★☆　□□□
復古神道を唱えて日本古来の信仰を尊び、他宗を排斥した人物は？
平田篤胤

**487** ★★★　□□□
前野良沢と杉田玄白が訳述した西洋医学の解剖書は？
『解体新書』

**488** ★☆☆　□□□
蘭学入門書『蘭学階梯』を著し、蘭学塾の芝蘭堂を開いた人物は？
大槻玄沢

**489** ★☆☆　□□□
蘭日辞書『ハルマ和解』を作った人物は？
稲村三伯

**490** ★★☆　□□□
エレキテルや不燃布の火浣布を発明した人物は？
平賀源内

**491** ★★★　□□□
全国を測量して『大日本沿海輿地全図』を作成した人物は？
伊能忠敬

**492** ★☆☆　□□□
『暦象新書』で万有引力説や地動説を紹介した長崎通詞は？
志筑忠雄

**493** ★★★　□□□
長崎に診療所鳴滝塾を開いたオランダ商館医のドイツ人は？
フィリップ・フランツ・フォン・シーボルト

**494** ★★☆　□□□
大坂に蘭学塾の適塾を開いた人物は？
緒方洪庵

**495** ★★☆　□□□
『自然真営道』を著して無階級社会を主張した人物は？
安藤昌益

**496** ★☆☆ □□□
『稽古談』を著して商工業の有用性を説いた人物は？ 海保青陵

**497** ★★☆ □□□
『経世秘策』や『西域物語』を著して交易を支持した人物は？ 本多利明

**498** ★★☆ □□□
京都で公家たちに尊王論を説き、宝暦事件で追放された人物は？ 竹内式部

**499** ★★☆ □□□
江戸で尊王論を説き、明和事件で死刑に処せられた人物は？ 山県大弐

**500** ★☆☆ □□□
黄表紙と呼ばれる小説の『金々先生栄花夢』を著した人物は？ 恋川春町

**501** ★☆☆ □□□
滑稽本の『東海道中膝栗毛』を著した人物は？ 十返舎一九

**502** ★☆☆ □□□
読本の『雨月物語』を著した人物は？ 上田秋成

**503** ★☆☆ □□□
読本の『南総里見八犬伝』を著した人物は？ 曲亭［滝沢］馬琴

**504** ★★☆ □□□
美人画の『弾琴美人』を作成した浮世絵師は？ 鈴木春信

**505** ★★☆ □□□
美人画の『婦女人相十品』を作成した浮世絵師は？ 喜多川歌麿

**506** ★★★ □□□
役者絵の『三代目大谷鬼次の奴江戸兵衛』を作成した浮世絵師は？ 東洲斎写楽

**507** ★★★ □□□
風景画の『富嶽三十六景』を作成した浮世絵師は？ 葛飾北斎

**508** ★★★ □□□
風景画の『東海道五十三次』を作成した浮世絵師は？ 歌川広重

509 ★★☆ ............ □□□ ..........

伊豆韮山に反射炉を築いた人物は？

江川太郎左衛門
[英龍・坦庵]

黒船の来航に始まる戊辰戦争までの動乱の時期です。

---

510 ★★★ ☐☐☐
1853 年に浦賀に来航したアメリカ東インド艦隊司令長官は？

ペリー

511 ★☆☆ ☐☐☐
ペリーの初来航時の幕府の老中首座は？

阿部正弘

512 ★★★ ☐☐☐
1854 年に日米間で調印された、「神奈川条約」とも呼ばれる条約は？

日米和親条約

513 ★☆☆ ☐☐☐
問題 512 に基づき開かれた日本の 2 つの港は？

下田と箱館
（現函館）

514 ★★☆ ☐☐☐
問題 512 に基づき、問題 513 の 1 つの都市に着任したアメリカ総領事は？

タウンゼント・ハリス

515 ★★★ ☐☐☐
無勅許で日米修好通商条約に調印した大老は？

井伊直弼

516 ★☆☆ ☐☐☐
日米修好通商条約がアメリカに認めていた司法上の権利は？

領事裁判権

517 ★☆☆ ☐☐☐
日米修好通商条約が日本に認めていなかった通商上の権利は？

関税自主権

518 ★☆☆ ☐☐☐
安政五か国条約において、外国人の居住と営業を認めた地域は何と呼ばれた？

居留地

**519** ★★★ ················································································· □□□
問題 515 の人物が反対派に対し行った弾圧事件は？　安政の大獄

**520** ★★★ ················································································· □□□
問題 519 に憤激した浪士に問題 515 の人物が暗殺された事件は？　桜田門外の変

**521** ★★☆ ················································································· □□□
公武合体政策によって将軍家茂に降嫁した孝明天皇の妹は？　和宮

**522** ★★☆ ················································································· □□□
薩摩藩の島津久光一行が江戸からの帰路に起こした事件は？　生麦事件

**523** ★☆☆ ················································································· □□□
長州藩の高杉晋作が創設した新しい軍隊は？　奇兵隊

**524** ★★★ ················································································· □□□
江戸幕府の 15 代将軍は？　徳川慶喜

**525** ★★★ ················································································· □□□
問題 524 が征夷大将軍の職を辞して政権を朝廷に返上したことを何という？　大政奉還

# 19 明治時代

江戸時代までは政権の所在地に基づく名称で時代区分を呼んでいますが、明治以降は元号に基づく名称となっています。

**526** ★☆☆ ────────────────────── □□□
明治新政府が天皇親政を強調して公布したのは？　五箇条の誓文

**527** ★★★ ────────────────────── □□□
江戸城の無血開城の談判で旧幕府側に立っていた人物は？　勝海舟

**528** ★★★ ────────────────────── □□□
箱館の五稜郭に立てこもった旧幕府軍の指導者は？　榎本武揚

**529** ★☆☆ ────────────────────── □□□
諸藩が土地と人民の支配権を朝廷に返還したことを何という？　版籍奉還

**530** ★★★ ────────────────────── □□□
元藩主を江戸に住まわせ、全国の藩を廃止した政策は？　廃藩置県

**531** ★☆☆ ────────────────────── □□□
1871年に不平等条約改正のために欧米に派遣された使節団は？　岩倉使節団

**532** ★☆☆ ────────────────────── □□□
日本最初の鉄道は新橋とどこの間で開通した？　横浜

**533** ★★★ ────────────────────── □□□
1872年に群馬県に官営模範工場として作られた製糸場は？　富岡製糸場

**534** ★★★ ────────────────────── □□□
国立銀行条例を定めて銀行制度の整備に尽力した人物は？　渋沢栄一

**535** ★★★ ────────────────────── □□□
納税方式を物納から金納に改めた政策は？　地租改正

**536** ★☆☆
北海道の警備・開拓にあたった農業従事の兵士は？ 屯田兵

**537** ★★☆
土佐に立志社、大阪に愛国社を設立した人物は？ 板垣退助

**538** ★☆☆
朝鮮と日朝修好条規を結ぶきっかけとなった日朝の
衝突事件は？ 江華島事件

**539** ★★★
明治政府がもと武士階級に対して帯刀を禁止した令
は？ 廃刀令

**540** ★★★
もと武士階級が受けていた俸禄を全廃した政策は？ 秩禄処分

**541** ★★★
1877年に西郷隆盛を盟主にして起こった明治政府に
対する反乱は？ 西南戦争

**542** ★★☆
琉球王国が廃止され沖縄県が設置されたことを何と
いう？ 琉球処分

**543** ★☆☆
条約改正のために欧化政策を採り、鹿鳴館で舞踏会
を開いた人物は？ 井上馨

**544** ★★★
日本の初代内閣総理大臣は？ 伊藤博文

**545** ★☆☆
大日本帝国憲法が発布されたのは何年？ 1889年

**546** ★☆☆
大日本帝国憲法が規定する帝国議会の二院は貴族院
と何？ 衆議院

---

**547** ★☆☆ ·········· □□□

問題 546 の議員の選挙権は、初期段階では基本的に誰に与えられていた？

直接国税を 15 円以上納める満 25 歳以上の男子

---

**548** ★★☆ ·········· □□□

1891 年に来日中のロシア皇太子が警備中の巡査津田三蔵（だ さん ぞう）に襲撃された事件は？

大津事件（おお つ）

---

**549** ★☆☆ ·········· □□□

問題 548 の裁判における大審院長児島惟謙（こ じま い けん）の判断は司法のどのような性質を内外に示すことになった？

司法の独立

---

**550** ★★★ ·········· □□□

1894 年の日清戦争の翌年に結ばれた日清間の講和条約は？

下関条約（しものせき）

---

**551** ★☆☆ ·········· □□□

1901 年に操業を開始した官営の製鉄所は？

八幡製鉄所（や わた）

---

**552** ★★☆ ·········· □□□

桂内閣（かつら）が 1902 年にある国と締結した軍事同盟は？

日英同盟（にち えい どう めい）

---

**553** ★★★ ·········· □□□

1904 年の日露戦争の翌年に結ばれた日露間の講和条約は？

ポーツマス条約

---

**554** ★☆☆ ·········· □□□

問題 553 には日本への賠償金が含まれていなかったため、憤った民衆が調印日に暴徒化して起こった事件は？

日比谷焼き討ち事件（ひ びゃ）

---

**555** ★★☆ ·········· □□□

1911 年に条約改正を経て関税自主権を回復した外務大臣は？

小村寿太郎（こ むら じゅ た ろう）

---

**556** ★★☆ ·········· □□□

辛亥革命（しん がい）を起こして中華民国を建国した人物は？

孫文（そん ぶん）

第 1 章

第 2 章

日本歴史

第 3 章

第 4 章

第 5 章

**557** ★☆☆ ..........................................□□□
問題556が唱えた中国革命の基本原理は？

三民主義

**558** ★☆☆ ..........................................□□□
労働者団体の友愛会を創始した人物は？

鈴木文治

# 文化

**559** ★★☆ ..........................................□□□
札幌農学校の初代教頭を務めたアメリカ人は？

ウィリアム・スミス・クラーク

**560** ★☆☆ ..........................................□□□
日本に帰化して『怪談』などを著した学者は？

小泉八雲（ラフカディオ・ハーン）

**561** ★★★ ..........................................□□□
ペスト菌を発見した、「日本の細菌学の父」と呼ばれる人物は？

北里柴三郎

**562** ★★★ ..........................................□□□
『小説神髄』の著者は？

坪内逍遥

**563** ★☆☆ ..........................................□□□
『浮雲』の著者は？

二葉亭四迷

**564** ★☆☆ ..........................................□□□
『金色夜叉』の著者は？

尾崎紅葉

**565** ★☆☆ ..........................................□□□
『五重塔』の著者は？

幸田露伴

**566** ★★★ ..........................................□□□
『たけくらべ』の著者は？

樋口一葉

**567** ★★★ ..........................................□□□
『舞姫』の著者は？

森鷗外

**568** ★☆☆ ..........................................□□□
『牛肉と馬鈴薯』の著者は？

国木田独歩

**569** ★☆☆　　　　　　　　　　　　　　　　　□□□
『蒲団（ふとん）』の著者は？　　　　　　　　　田山花袋（たやまかたい）

**570** ★★☆　　　　　　　　　　　　　　　　　□□□
『破戒（はかい）』の著者は？　　　　　　　　　島崎藤村（しまざきとうそん）

**571** ★☆☆　　　　　　　　　　　　　　　　　□□□
『あらくれ』の著者は？　　　　　　　　　　　徳田秋声（とくだしゅうせい）

**572** ★★★　　　　　　　　　　　　　　　　　□□□
『吾輩（わがはい）は猫（ねこ）である』の著者は？　　　夏目漱石（なつめそうせき）

**573** ★★☆　　　　　　　　　　　　　　　　　□□□
『みだれ髪（がみ）』の著者は？　　　　　　　　与謝野晶子（よさのあきこ）

**574** ★☆☆　　　　　　　　　　　　　　　　　□□□
『一握（いちあく）の砂（すな）』の著者は？　　　　　石川啄木（いしかわたくぼく）

**575** ★★★　　　　　　　　　　　　　　　　　□□□
俳句の革新と万葉調和歌の復興を行った人物は？　正岡子規（まさおかしき）

**576** ★☆☆　　　　　　　　　　　　　　　　　□□□
雑誌『ホトトギス』を主宰した人物は？　　　　高浜虚子（たかはまきょし）

**577** ★☆☆　　　　　　　　　　　　　　　　　□□□
短歌雑誌『アララギ』を創刊した人物は？　　　伊藤佐千夫（いとうさちお）

**578** ★★☆　　　　　　　　　　　　　　　　　□□□
『或（あ）る女（おんな）』の著者は？　　　　　　　　有島武郎（ありしまたけお）

**579** ★☆☆　　　　　　　　　　　　　　　　　□□□
『暗夜行路（あんやこうろ）』の著者は？　　　　　　志賀直哉（しがなおや）

**580** ★★★　　　　　　　　　　　　　　　　　□□□
『お目出（めで）たき人（ひと）』の著者は？　　　　武者小路実篤（むしゃのこうじさねあつ）

**581** ★★☆　　　　　　　　　　　　　　　　　□□□
雑誌『青鞜（せいとう）』を創刊した人物は？　　　平塚らいてう（ひらつからいちょう）

**582** ★★★　　　　　　　　　　　　　　　　　□□□
『茶の本』を著し、東京美術学校の設立に貢献した人　岡倉天心（おかくらてんしん）
物は？

**583** ★☆☆

彫刻『老猿』の作者は？　　　　　　　　　　　　高村光雲

**584** ★★★

『学問のす〻め』や『西洋事情』を著した人物は？　福沢諭吉

**585** ★★☆

『西国立志編』や『自由之理』を訳した人物は？　中村正直

**586** ★★★

『民約訳解』を訳し、啓蒙思想を普及させた人物は？　中江兆民

**587** ★★★

『武士道』を著した人物は？　　　　　　　　　　新渡戸稲造

**588** ★★★

慶應義塾（のちの慶應義塾大学）を設立した人物は？　福沢諭吉

**589** ★★☆

同志社英学校（のちの同志社大学）を設立した人物は？　新島襄

**590** ★★☆

東京専門学校（のちの早稲田大学）を設立した人物は？　大隈重信

**591** ★★★

女子英学塾（のちの津田塾大学）を設立した人物は？　津田梅子

# ⑳ 大正時代
たい しょう

明治、昭和時代に挟まれ 1912 年～ 1926 年まで続いた「大正時代」はわずか 15 年と短く、日本史の教科書でも取り上げられることは少ない時代の 1 つ。しかしこの時代にはさまざまな出来事が発生し、それらが日本の歴史を変えてきた重要な出来事となっています。

**592** ★☆☆ ‥‥‥‥‥‥‥‥‥‥‥‥‥‥‥‥‥‥‥‥‥‥‥‥□□□‥‥‥
日本政府が対華二十一カ条の要求をした相手は？ 　　袁世凱
たい か 　　　　　　　　　　　　　　　　　　　　　　えん せい がい

**593** ★☆☆ ‥‥‥‥‥‥‥‥‥‥‥‥‥‥‥‥‥‥‥‥‥‥‥‥□□□‥‥‥
シベリア出兵を宣言した内閣総理大臣は？ 　　　寺内正毅
　　　　　　　　　　　　　　　　　　　　　　　てら うち まさ たけ

**594** ★★☆ ‥‥‥‥‥‥‥‥‥‥‥‥‥‥‥‥‥‥‥‥‥‥‥‥□□□‥‥‥
問題 593 の内閣が総辞職する原因となった事件は？ 　米騒動

**595** ★★★ ‥‥‥‥‥‥‥‥‥‥‥‥‥‥‥‥‥‥‥‥‥‥‥‥□□□‥‥‥
問題 593 の後を継いで組閣した、平民宰相と呼ばれ 　原敬
た人物は？ 　　　　　　　　　　へい みん さい しょう 　　　はら たかし

**596** ★☆☆ ‥‥‥‥‥‥‥‥‥‥‥‥‥‥‥‥‥‥‥‥‥‥‥‥□□□‥‥‥
第一次世界大戦の講和会議の開催地は？ 　　　　パリ

**597** ★★☆ ‥‥‥‥‥‥‥‥‥‥‥‥‥‥‥‥‥‥‥‥‥‥‥‥□□□‥‥‥
問題 596 の講和会議で結ばれた条約は？ 　　　ヴェルサイユ条約

**598** ★☆☆ ‥‥‥‥‥‥‥‥‥‥‥‥‥‥‥‥‥‥‥‥‥‥‥‥□□□‥‥‥
国際連盟の創設を提案した米大統領は？ 　　　　トーマス・ウッド
　　　　　　　　　　　　　　　　　　　　　　　ロウ・ウィルソン

**599** ★★★ ‥‥‥‥‥‥‥‥‥‥‥‥‥‥‥‥‥‥‥‥‥‥‥‥□□□‥‥‥
護憲三派内閣を率いた内閣総理大臣は？ 　　　　加藤高明
　　　　　　　　　　　　　　　　　　　　　　　か とう たか あき

**600** ★☆☆ ‥‥‥‥‥‥‥‥‥‥‥‥‥‥‥‥‥‥‥‥‥‥‥‥□□□‥‥‥
男子普通選挙法では選挙権が与えられた男子は何歳 　25 歳
以上？

601 ★★★ ‥‥‥‥‥‥‥‥‥‥‥‥‥‥‥‥‥‥‥‥‥‥‥‥‥‥‥‥‥‥‥ □□□

問題600の直前に成立した、社会運動を取り締まる
目的の法律は？　　　　　　　　　　　　　治安維持法

# 文化

602 ★☆☆ ‥‥‥‥‥‥‥‥‥‥‥‥‥‥‥‥‥‥‥‥‥‥‥‥‥‥‥‥‥‥‥ □□□

ラジオ放送が開始された年は？　　　　　　　1925年

603 ★☆☆ ‥‥‥‥‥‥‥‥‥‥‥‥‥‥‥‥‥‥‥‥‥‥‥‥‥‥‥‥‥‥‥ □□□

KS磁石鋼を発明した人物は？　　　　　　　本多光太郎

604 ★★★ ‥‥‥‥‥‥‥‥‥‥‥‥‥‥‥‥‥‥‥‥‥‥‥‥‥‥‥‥‥‥‥ □□□

黄熱病の研究中にガーナで死去した細菌学者は？　野口英世

605 ★★★ ‥‥‥‥‥‥‥‥‥‥‥‥‥‥‥‥‥‥‥‥‥‥‥‥‥‥‥‥‥‥‥ □□□

『善の研究』を著した哲学者は？　　　　　　西田幾多郎

606 ★★☆ ‥‥‥‥‥‥‥‥‥‥‥‥‥‥‥‥‥‥‥‥‥‥‥‥‥‥‥‥‥‥‥ □□□

『神代史の研究』を著した歴史学者は？　　　津田左右吉

607 ★☆☆ ‥‥‥‥‥‥‥‥‥‥‥‥‥‥‥‥‥‥‥‥‥‥‥‥‥‥‥‥‥‥‥ □□□

『古寺巡礼』を著した倫理学者は？　　　　　和辻哲郎

608 ★★☆ ‥‥‥‥‥‥‥‥‥‥‥‥‥‥‥‥‥‥‥‥‥‥‥‥‥‥‥‥‥‥‥ □□□

『遠野物語』を著した民俗学者は？　　　　　柳田国男

609 ★★★ ‥‥‥‥‥‥‥‥‥‥‥‥‥‥‥‥‥‥‥‥‥‥‥‥‥‥‥‥‥‥‥ □□□

天皇機関説を唱えて『憲法撮要』を著した法学者は？　美濃部達吉

610 ★★★ ‥‥‥‥‥‥‥‥‥‥‥‥‥‥‥‥‥‥‥‥‥‥‥‥‥‥‥‥‥‥‥ □□□

民本主義を主張して黎明会を結成した政治学者は？　吉野作造

611 ★★☆ ‥‥‥‥‥‥‥‥‥‥‥‥‥‥‥‥‥‥‥‥‥‥‥‥‥‥‥‥‥‥‥ □□□

『貧乏物語』を著した経済学者は？　　　　　河上肇

612 ★★★ ‥‥‥‥‥‥‥‥‥‥‥‥‥‥‥‥‥‥‥‥‥‥‥‥‥‥‥‥‥‥‥ □□□

『羅生門』の著者は？　　　　　　　　　　芥川龍之介

613 ★★☆ ‥‥‥‥‥‥‥‥‥‥‥‥‥‥‥‥‥‥‥‥‥‥‥‥‥‥‥‥‥‥‥ □□□

問題612や菊池寛らが発行した同人雑誌は？　『新思潮』

**614** ★☆☆
永井荷風や谷崎潤一郎は何派と呼ばれた？　耽美派

**615** ★★★
『こころ』の著者は？　夏目漱石

**616** ★★★
『蟹工船』の著者は？　小林多喜二

**617** ★☆☆
『太陽のない街』の著者は？　徳永直

**618** ★★☆
問題616や問題617のような作品は何文学と呼ばれる？　プロレタリア文学

**619** ★★☆
『人間万歳』の著者は？　武者小路実篤

**620** ★☆☆
問題619や志賀直哉らが発行した同人雑誌は？　『白樺』

**621** ★★☆
『大菩薩峠』の著者は？　中里介山

**622** ★★☆
『鳴門秘帳』『宮本武蔵』などの著者は？　吉川英治

**623** ★★☆
『鞍馬天狗』の著者は？　大佛次郎

**624** ★★☆
児童文芸雑誌『赤い鳥』を創刊した人物は？　鈴木三重吉

**625** ★★★
『銀河鉄道の夜』の著者は？　宮沢賢治

**626** ★★☆
『雪国』『伊豆の踊子』などの著者は？　川端康成

**627** ★★☆
『細雪』の著者は？　谷崎潤一郎

628 ★★☆ ‥‥‥‥‥‥‥‥‥‥‥‥‥‥‥‥‥‥‥‥‥‥‥‥ □□□ ‥‥

『放浪記』の著者は？　　　　　　　　林芙美子

629 ★★★ ‥‥‥‥‥‥‥‥‥‥‥‥‥‥‥‥‥‥‥‥‥‥‥‥ □□□ ‥‥

東京駅舎を設計した建築家は？　　　　辰野金吾

630 ★☆☆ ‥‥‥‥‥‥‥‥‥‥‥‥‥‥‥‥‥‥‥‥‥‥‥‥ □□□ ‥‥

旧帝国ホテルを設計したアメリカ人建築家は？　フランク・ロイド・
　　　　　　　　　　　　　　　　　　　　　　　ライト

# 21 昭和時代

昭和の元号を冠した時代（1926-89）を指しますが、明治時代や大正時代のようにある特定のイメージで語ることのできない時代です。第二次世界大戦の敗北とその後の改革による変動があまりにも大きく、戦前と戦後とは同じ時代とは思えないほどの大きな変化を遂げているからです。

**631** ★☆☆
1928 年に関東軍が爆殺した満州軍閥は？　張作霖

**632** ★☆☆
問題 631 の事件が起こった時の内閣総理大臣は？　田中義一

**633** ★★★
問題 632 に代わって組閣した総理大臣は？　浜口雄幸

**634** ★☆☆
問題 633 の内閣のもとで金解禁を断行した蔵相は？　井上準之助

**635** ★☆☆
問題 633 の内閣が調印した軍縮条約は？　ロンドン海軍軍縮条約

**636** ★★★
問題 635 に関して首相の狙撃事件につながった問題は？　統帥権干犯問題

**637** ★★★
1931 年の柳条湖事件に端を発した紛争は？　満州事変

**638** ★☆☆
問題 637 の調査のために国際連盟が派遣した調査団は？　リットン調査団

**639** ★★★
1932 年の五・一五事件で暗殺された首相は？　犬養毅

**640** ★★☆　□□□
1936 年の二・二六事件で暗殺された大蔵大臣は？　高橋是清

**641** ★★★　□□□
日中全面戦争のきっかけとなった 1937 年の日中衝突事件は？　盧溝橋事件

**642** ★★☆　□□□
日独伊三国同盟が調印された時の内閣総理大臣は？　近衛文麿

**643** ★★☆　□□□
日本が真珠湾攻撃を行った時の内閣総理大臣は？　東条英機

**644** ★☆☆　□□□
1945 年、連合国が日本の降伏を勧告して発した宣言は？　ポツダム宣言

**645** ★★☆　□□□
日本国憲法が発布された年月日は？　1946 年 11 月 3 日

**646** ★★☆　□□□
日本国憲法が施行された年月日は？　1947 年 5 月 3 日

**647** ★☆☆　□□□
第 18 回オリンピックが東京で開催された年は？　1964 年

**648** ★☆☆　□□□
大阪万国博覧会が開催された年は？　1970 年

**649** ★★☆　□□□
沖縄が日本に返還されて沖縄県が再発足した年は？　1972 年

**650** ★★★　□□□
問題 649 の時の内閣総理大臣は？　佐藤栄作

**651** ★★★　□□□
日中共同声明に調印した時の内閣総理大臣は？　田中角栄

**652** ★☆☆　□□□
消費税が導入された時の内閣総理大臣は？　竹下登

# 文化

**653** ★★☆ ........................................................ □□□
日本人として最初のノーベル賞（物理学賞）を受賞し
たのは？　　　　　　　　　　　　　　　　　　湯川秀樹

**654** ★☆☆ ........................................................ □□□
『堕落論』の著者は？　　　　　　　　　　　　坂口安吾

**655** ★★☆ ........................................................ □□□
『走れメロス』『斜陽』『人間失格』などの著者は？　　太宰治

**656** ★☆☆ ........................................................ □□□
『潮騒』『金閣寺』『仮面の告白』などの著者は？　三島由紀夫

**657** ★☆☆ ........................................................ □□□
映画『悲しき口笛』に出演して大スターになった女性
歌手は？　　　　　　　　　　　　　　　　　美空ひばり

# ㉒ 写真編

外国人観光客の関心の強いものについて基礎的な知識を問う写真問題です。

## 建築物

**658** ★★★ □□□

写真は、白鳳様式で奈良時代初期に建立された三重塔である。この塔がある寺院は？

薬師寺

**659** ★☆☆ □□□

問題658の寺院は当時の天皇が皇后の病気平癒を祈願して建立を発願したものだが、その天皇は？

天武天皇

**660** ★☆☆ □□□

写真は、奥州藤原氏が平安時代末期に再建した寺院の浄土庭園で世界遺産に登録されている。この庭園がある寺院は？

毛越寺

**661** ★★☆ □□□

問題660の奥州藤原氏初代当主は？

藤原清衡

**662** ★★★ ..................................................................................................... □□□
写真は、東大寺の宝庫<ruby>東大寺<rt>とうだいじ</rt></ruby>だが、その名称は？

正倉院<ruby>正倉院<rt>しょうそういん</rt></ruby>

**663** ★☆☆ ..................................................................................................... □□□
問題 662 に収めてある遺愛品はどの天皇のもの？

聖武天皇<ruby>聖武天皇<rt>しょうむ</rt></ruby>

**664** ★★☆ ..................................................................................................... □□□
写真は、<ruby>唐招提寺<rt>とうしょうだいじ</rt></ruby>の金堂だが、この寺院の開基は？

鑑真<ruby>鑑真<rt>がんじん</rt></ruby>

**665** ★☆☆ ..................................................................................................... □□□
問題 664 の建物の屋根形式は何造と呼ばれる？

寄棟造<ruby>寄棟造<rt>よせむねづくり</rt></ruby>

**666** ★★★ ..................................................................................................... □□□
写真は、<ruby>弘仁<rt>こうにん</rt></ruby>・<ruby>貞観<rt>じょうがん</rt></ruby>期に建立された五重塔である。この建物がある寺院は？

室生寺<ruby>室生寺<rt>むろうじ</rt></ruby>

**667** ★☆☆ ..................................................................................................... □□□
問題 666 の寺院は、<ruby>高野山<rt>こうやさん</rt></ruby>に対して、ある別名で呼ばれている。その名は？

女人高野<ruby>女人高野<rt>にょにんこうや</rt></ruby>

**668** ★★★ ..................................................................................................... □□□
写真は、11 世紀に建立された<ruby>阿弥陀<rt>あみだ</rt></ruby>堂である。その名称は？

平等院鳳凰堂<ruby>平等院鳳凰堂<rt>びょうどういんほうおうどう</rt></ruby>

**669** ★★☆ ..................................................................................................... □□□
問題 668 の<ruby>阿弥陀<rt>あみだ</rt></ruby>堂が建立された時代に広まっていた厭世的な思想に基づく歴史観は？

末法思想<ruby>末法思想<rt>まっぽうしそう</rt></ruby>

第1章
第2章
日本歴史
第3章
第4章
第5章

**670** ★★★ ☐☐☐

写真は、投入堂と呼ばれる建物である。この建物がある都道府県は？

鳥取県

**671** ★☆☆ ☐☐☐

問題 670 の建物がある寺院の山号は？

三徳山

**672** ★★☆ ☐☐☐

写真は、院政期に建立された白水阿弥陀堂である。この建物がある市は？

（福島県）いわき市

**673** ★☆☆ ☐☐☐

問題 672 と同時期に建てられた阿弥陀堂で大分県豊後高田市にあるものは？

富貴寺大堂

**674** ★★★ ☐☐☐

写真は、鎌倉にある寺院の舎利殿である。その寺院の名称は？

円覚寺

**675** ★☆☆ ☐☐☐

問題 674 のような屋根の構造を何造という？

入母屋造

**676** ★★★ ☐☐☐

写真は、1199 年に上棟された門である。この建物がある寺院は？

東大寺

写真（上から 2 つめ）：© 願成寺

677 ★★☆ ･･･････････････････････････････････ □□□
大勧進職として問題 676 の門の再建を果たした人物は？　　重源

678 ★★☆ ･･･････････････････････････････････ □□□
写真は、大阪府にある鎌倉時代の代表建築物である。この建物がある寺院は？　　観心寺

679 ★☆☆ ･･･････････････････････････････････ □□□
問題 678 に安置してある弘仁・貞観期の国宝の仏像は？　　如意輪観音像

680 ★★☆ ･･･････････････････････････････････ □□□
写真は、京都府にある和様の代表建築物である。この建物の正式名称は？　　蓮華王院本堂

681 ★★★ ･･･････････････････････････････････ □□□
問題 680 がある寺院を後白河上皇のために造営した人物は？　　平清盛

682 ★★★ ･･･････････････････････････････････ □□□
写真の建物がある寺院の正式名称は？　　鹿苑寺
※舎利殿「金閣」が有名なため一般に「金閣寺」と呼ばれる

683 ★☆☆ ･･･････････････････････････････････ □□□
問題 682 はある寺院の山外塔頭である。ある寺院とは？　　相国寺

**684** ★★★ ················································ ☐☐☐

写真の建物がある寺院名
は?

慈照寺

**685** ★☆☆ ················································ ☐☐☐

問題 684 の建物の初層は書院造の仏間だが、その名
称は?

心空殿

**686** ★☆☆ ················································ ☐☐☐

写真は、京都府にある夢窓
疎石作の庭園である。この
庭園の借景になっている山
は何?

亀山と嵐山

**687** ★★☆ ················································ ☐☐☐

問題 686 の寺院 (天龍寺) は足利尊氏が建立した。
どの方の菩提を弔うため?

後醍醐天皇

**688** ★★★ ················································ ☐☐☐

写真の庭園がある寺院
名は?

龍安寺

**689** ★☆☆ ················································ ☐☐☐

問題 688 の庭園には 15 個の石が置かれているが、
その配置に由来する俗称がある。それは何か。

虎の子渡し

**690** ★★★ ················································ ☐☐☐

写真は、国宝に指定されて
いる現存天守だが、その名
称は?

彦根城

**691** ★★☆ ················································ ☐☐☐

問題 690 の江戸時代の城主は何氏?

井伊氏

**692** ★★★ ･･･････････････････････････････････････ □□□ ･･････

写真は、国宝に指定されている現存天守だが、その名称は？

犬山城

**693** ★☆☆ ･･･････････････････････････････････････ □□□ ･･････

問題 692 の城が面している川は？

木曽川

**694** ★★★ ･･･････････････････････････････････････ □□□ ･･････

写真は、京都府にある桃山文化時代の国宝建築物である。この建物がある寺院は？

西本願寺

**695** ★☆☆ ･･･････････････････････････････････････ □□□ ･･････

問題 694 の寺院には、障壁画や欄間彫刻などで華麗に装飾された国宝の建物があるが、その名称は？

西本願寺書院

**696** ★★★ ･･･････････････････････････････････････ □□□ ･･････

写真は、世界遺産に登録されている霊廟の門で国宝に指定されているが、その名称は？

陽明門

**697** ★☆☆ ･･･････････････････････････････････････ □□□ ･･････

問題 696 がある施設に隣接した輪王寺にある徳川家光の霊廟は？

大猷院霊廟

**698** ★★★ ･･･････････････････････････････････････ □□□ ･･････

写真の建物の名称は？

桂離宮

**699** ★☆☆ .......................................................................... □□□
問題 698 は書院造に茶室建築を加味したものだが、何造と呼ばれる？　　数寄屋造

**700** ★★☆ .......................................................................... □□□
写真は、萩郊外に設立された私塾だが、その名称は？　　松下村塾

**701** ★★★ .......................................................................... □□□
問題 700 で高杉晋作や伊藤博文らを教育した指導者は？　　吉田松陰

**702** ★★☆ .......................................................................... □□□
写真は、明治時代に東京に建てられた聖堂だが、その名称は？　　ニコライ堂

**703** ★★☆ .......................................................................... □□□
問題 702 の実施設計者は？　　ジョサイア・コンドル

**704** ★★★ .......................................................................... □□□
写真は、明治 42 年に東宮御所として建築された建物だが、現在の名称は？　　迎賓館赤坂離宮

**705** ★☆☆ .......................................................................... □□□
問題 704 の設計者は？　　片山東熊

**706** ★☆☆ ･･･････････････････････････････････････････････････････ □□□

写真は、世界遺産「明治日本の産業革命遺産 製鉄・製鋼、造船、石炭産業」に登録されている建物だが、その名称は？

占勝閣
（せんしょうかく）

**707** ★☆☆ ･･･････････････････････････････････････････････････････ □□□

問題 706 が所在する施設は？

長崎造船所
（ながさき）

## 彫刻

**708** ★★☆ ･･･････････････････････････････････････････････････････ □□□

写真は、縄文時代に造られた土人形だが、何と呼ばれる？

土偶
（どぐう）

**709** ★☆☆ ･･･････････････････････････････････････････････････････ □□□

問題 708 が発掘された青森県にある遺跡名は？

亀ヶ岡遺跡
（かめがおか）

**710** ★★★ ･･･････････････････････････････････････････････････････ □□□

写真は、7 世紀初頭までに造られたとされる木造弥勒菩薩半跏思惟像だが、この像がある寺院は？

広隆寺
（こうりゅうじ）

**711** ★★☆ ･･･････････････････････････････････････････････････････ □□□

問題 710 の像とよく比較される木造菩薩半跏像がある奈良県生駒郡斑鳩町の寺院は？

中宮寺
（ちゅうぐうじ）

**712** ★★☆ □□□
写真の仏像の名称は？

阿修羅像（あしゅらぞう）

**713** ★☆☆ □□□
問題 712 が伝わる寺院は？

興福寺（こうふくじ）

**714** ★★★ □□□
写真の薬師三尊像（やくしさんぞんぞう）が伝わる寺院は？

薬師寺（やくしじ）

**715** ★☆☆ □□□
問題 714 には白鳳期（はくほう）の聖観世音菩薩像（しょうかんぜおんぼさつぞう）も伝わるが、その像を安置する堂宇は？

東院堂（とういんどう）

**716** ★★★ □□□
写真の不空羂索観音像（ふくうけんじゃくかんのんぞう）を安置する仏堂は？

東大寺法華堂（とうだいじほっけどう）

**717** ★☆☆ □□□
問題 716 の像の彫像技法は何と呼ばれる？

乾漆造（かんしつぞう）

**718** ★★☆　　　　　　　　　　　　　　　　　□□□

写真は、8世紀末に造られた薬師
如来像（にょらいぞう）だが、この像が伝わる寺院
は？

神護寺（じんごじ）

**719** ★☆☆　　　　　　　　　　　　　　　　　□□□

問題718の像の両足の衣の襞に見られるような衣文（えもん）
の技法を何と呼ぶ？

翻波式（ほんぱしき）

**720** ★★★　　　　　　　　　　　　　　　　　□□□

写真の像が安置してある堂
宇の名称は？

平等院鳳凰堂（びょうどういんほうおうどう）

**721** ★★☆　　　　　　　　　　　　　　　　　□□□

問題720は寄木造（よせぎ）で作られているが、その完成者
は？

定朝（じょうちょう）

**722** ★★★　　　　　　　　　　　　　　　　　□□□

写真は、平泉（ひらいずみ）にある阿弥陀（あみだ）
堂内部である。この仏堂が
ある寺院は？

中尊寺（ちゅうそんじ）

**723** ★☆☆　　　　　　　　　　　　　　　　　□□□

問題722の仏堂を建立した人物は？

藤原清衡（ふじわらのきよひら）

**724** ★★★

写真は、空也上人像と呼ばれるが、この像がある寺院は？

六波羅蜜寺

**725** ★★☆

問題724の像の作者は？

康勝

**726** ★★★

写真の像がある寺院は？

高徳院

**727** ★☆☆

問題726の像の造立を記録する歴史書は？

『吾妻鏡』

**728** ★★☆

写真の彫刻の作品名は？

手

**729** ★☆☆

問題728の作者は？

高村光太郎

# 絵画

**730** ★★★ ·········· □□□

写真は、飛鳥時代の染織工芸品の模本だが、その名称は？

天寿国繍帳
[天寿国曼荼羅繍帳]

**731** ★☆☆ ·········· □□□

問題 730 を所蔵する寺院は？

中宮寺

**732** ★★★ ·········· □□□

写真は、古墳の壁画である。この壁画がある古墳は？

高松塚古墳

**733** ★☆☆ ·········· □□□

問題 732 の古墳がある都道府県は？

奈良県

**734** ★★★ ·········· □□□

写真は、ある絵巻物の一部である。この絵巻物の名称は？

『鳥獣（人物）戯画』

**735** ★☆☆ ·········· □□□

問題 734 の絵巻物が伝わる寺院は？

高山寺

**736** ★★★

写真（部分）は、平安時代末期に描かれた絵巻物で、場面は『山崎長者の巻』（飛倉の巻）と呼ばれる。この絵巻物の名称は？

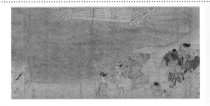

『信貴山縁起（絵巻）』

**737** ★☆☆

問題736は問題734と並んで四大絵巻の一つに数えられる。四大絵巻の中で、応天門の変を題材にした絵巻物は？

『伴大納言絵巻』（四大絵巻は他、『源氏物語絵巻』）

**738** ★★★

写真は、御家人と元軍の戦いを描いたものだが、この名称は？

『蒙古襲来絵詞』

**739** ★☆☆

問題738で描かれている御家人の名前は？

竹崎季長

**740** ★★★

写真の図で描かれている人物は？

明恵

**741** ★☆☆

問題740の図が伝わる寺院は？

高山寺

**742** ★★★ ..................................................☐☐☐
写真は、『瓢鮎図』と呼ばれる水墨画だが、その作者は?

如拙

**743** ★☆☆ ..................................................☐☐☐
問題742の図が伝わる妙心寺の塔頭は?

退蔵院

**744** ★★★ ..................................................☐☐☐
写真は、『秋冬山水図』と呼ばれる山水画だが、その作者は?

雪舟

**745** ★☆☆ ..................................................☐☐☐
問題744の作者の作品で、横15mを超える大作は?

『四季山水図巻
[山水長巻]』

**746** ★★★ ..................................................☐☐☐
写真の作品の名称は?

『唐獅子図屏風』

**747** ★☆☆ ..................................................☐☐☐
問題746の作者は?

狩野永徳

**748** ★★★ ..................................................☐☐☐
写真は、6曲1双から成る屏風だが、この作品の名称は?

『松林図屏風』

**749** ★☆☆ ……………………………………………………… □□□

問題 748 の作者は？

長谷川等伯

**750** ★★★ ……………………………………………………… □□□

写真は、2 曲 1 双から成る屏風だが、この作品の名称は？

『風神雷神図屏風』

**751** ★☆☆ ……………………………………………………… □□□

問題 750 の作者は？

俵屋宗達

**752** ★★☆ ……………………………………………………… □□□

写真は、肉筆浮世絵だが、その名称は？

『見返り美人図』

**753** ★☆☆ ……………………………………………………… □□□

問題 752 の作者は？

菱川師宣

**754** ★★★ ……………………………………………………… □□□

写真は、『紅白梅図屏風』だが、その作者は？

尾形光琳

**755** ★☆☆ ……………………………………………………… □□□

問題 754 はその作者の二大傑作の 1 つとされるが、もう 1 つの作品名は？

『燕子花図屏風』

**756** ★★★ ......................................................  □□□
写真の文人画に描かれている人物
は？

鷹見泉石
（たか　み　せん　せき）

**757** ★☆☆ ......................................................  □□□
問題 756 の作者は？

渡辺崋山
（わた　なべ　か　ざん）

**758** ★★★ ......................................................  □□□
写真の作品名は？

『悲母観音』
（ひ　ぼ　かん　のん）

**759** ★☆☆ ......................................................  □□□
問題 758 の作者は？

狩野芳崖
（か　のう　ほう　がい）

**760** ★★★ ......................................................  □□□
写真の作品名と作者は？

『無我』横山大観
（む　が）　（よこ　やま　たい　かん）

**761** ★☆☆ ......................................................  □□□
問題 760 の作者が制作した、幅 40m 以上に及ぶ大
作は？

『生々流転』
（せい　せい　る　てん）

**762** ★★★

写真の作品の作者は？

黒田清輝（くろだせいき）

□□□

---

**763** ★☆☆

問題762が結成した洋画団体は？

白馬会（はくばかい）

□□□

**764** ★★☆

写真の作品の作者は？

上村松園（うえむらしょうえん）（作品名は『序の舞（じょのまい）』）

□□□

**765** ★☆☆

問題764の作者が師事した日本画家で、猫を題材に描いた『班猫（はんびょう）』の作者は？

竹内栖鳳（たけうちせいほう）

□□□

**766** ★★☆

写真の作品の作者は？

竹久夢二（たけひさゆめじ）

□□□

**767** ★☆☆

問題766の作者が作詞し、多忠亮（おおのただすけ）が作曲した歌曲名は？

『宵待草（よいまちぐさ）』

□□□

学んだ知識が地図上の場所とリンクしていれば解ける問題ばかりです。実際の
ガイドでは歴史の知識に加え、地理感も重要なので、しっかり押さえておきま
しょう。 ※195ページの地図をご覧のうえ、問題を解いてください

---

**768** ★★☆　　　　　　　　　　　　　　　　□□□
治承・寿永の乱の末に平氏が滅亡した地は？

サ（下関市壇ノ浦）

**769** ★★☆　　　　　　　　　　　　　　　　□□□
問題768で入水した天皇とその天皇が祀られている
神社は？

安徳天皇で神社
は赤間神宮（下関市）

**770** ★★☆　　　　　　　　　　　　　　　　□□□
藤原泰衡が源義経を急襲した地は？

ウ（岩手県平泉町）

**771** ★★☆　　　　　　　　　　　　　　　　□□□
問題770の舞台となった館は？

衣川館

**772** ★★☆　　　　　　　　　　　　　　　　□□□
承久の乱に敗れた上皇が流された地は？

コ（隠岐）

**773** ★★☆　　　　　　　　　　　　　　　　□□□
鎌倉幕府討幕計画の元弘の変が露見し、問題772の
地に流された天皇は？

後醍醐天皇

**774** ★★☆　　　　　　　　　　　　　　　　□□□
日蓮が鎌倉幕府によって流された地は？

エ（佐渡島）

**775** ★★☆　　　　　　　　　　　　　　　　□□□
問題774の地には室町時代の猿楽師も流されてい
る。それは誰か？

世阿弥

**776** ★★☆　　　　　　　　　　　　　　　　□□□
中世、武士の一族の安東氏が交易拠点とした地は？

イ（五所川原市、十三湊）

---

| 777 ★★☆ | □□□ |
|---|---|
| 問題 776 の遺跡名は？ | 十三湊遺跡 |

| 778 ★★☆ | □□□ |
|---|---|
| 戦国大名の朝倉氏が本拠地としたのは？ | ㋖（一乗谷） |

| 779 ★★☆ | □□□ |
|---|---|
| 問題 778 の戦国大名の最後の当主は？ | 朝倉義景 |

| 780 ★★☆ | □□□ |
|---|---|
| 1600 年、オランダ共和国の商船のリーフデ号が漂着した地は？ | ㋜（臼杵市） |

| 781 ★★☆ | □□□ |
|---|---|
| 問題 780 の船の乗船者で、後に徳川家康の外交顧問となったイギリス人は？ | ウィリアム・アダムス（三浦按針） |

| 782 ★★☆ | □□□ |
|---|---|
| もとは金森氏の領地だったが江戸幕府領になった地は？ | ㋕（飛騨高山） |

| 783 ★★☆ | □□□ |
|---|---|
| 問題 782 に江戸幕府が置いた役所名は？ | 高山陣屋 |

| 784 ★★☆ | □□□ |
|---|---|
| 江戸時代、庶民に開かれた閑谷学校が置かれた地は？ | ㋘（備前市） |

| 785 ★★☆ | □□□ |
|---|---|
| 問題 784 の学校を設置した人物は陽明学者の熊沢蕃山を招聘して日本最初の藩校を開いた。その藩校の名称は？ | 花畠教場 |

| 786 ★★☆ | □□□ |
|---|---|
| 江戸時代に私塾の咸宜園が設置された地は？ | ㋞（日田市） |

| 787 ★☆☆ | □□□ |
|---|---|
| 問題 786 の塾を創立した人物は？ | 広瀬淡窓 |

| 788 ★☆☆ | □□□ |
|---|---|
| 1792 年にロシア軍人ラクスマンが来航した地は？ | ㋐（根室） |

第1章

第2章

日本歴史

第3章

第4章

第5章

**789** ★★★ □□□
問題 788 の来航時に帰国した大黒屋光太夫らから聴取した内容などをもとに桂川甫周が著した地誌は？

『北槎聞略』

**790** ★★★ □□□
江戸時代、新居関所が置かれた場所は？

⑦（湖西市）

**791** ★★★ □□□
問題 790 の関所の正式名称は？

今切関所

**792** ★★★ □□□
1874 年、板垣退助が立志社を設立した地は？

⑤（高知県）

**793** ★★★ □□□
問題 792 の団体に参加し、『東洋大日本国国憲按』を起草した人物は？

植木枝盛

**794** ★★★ □□□
明治時代、日本で初めての公害事件が起こった地は？

⑦（日光市、足尾銅山事件）

**795** ★★★ □□□
問題 794 について衆議院議員を辞職して明治天皇に直訴した人物は？

田中正造

**796** ★★★ □□□
領主の苛政に耐えかねて、益田四郎時貞を総大将とする農民軍が蜂起して城に立てこもった地は？

⑨（南島原市、島原の乱）

**797** ★★★ □□□
問題 796 の農民軍が立てこもった城の名称は？

原城

# 第3章

# 一般常識
[一問一答]

## 「一般常識」問題の特徴

試験のガイドラインでは、次のように定められています。

（1）試験方法

・試験は、現代の日本の産業、経済、政治及び文化についての主要な
　事柄（日本と世界との関わりを含む。）のうち、外国人観光旅客の
　関心の強いものについての基礎的な知識（例えば、試験実施年度
　の前年度に発行された「観光白書」のうち、外国人観光旅客の誘客
　に効果的な主要施策及び旅行者の安全・安心確保に必要となる知
　識、並びに新聞（一般紙）の1面等で大きく取り上げられた時事問
　題等）を問うものとする。

・試験の方式は、多肢選択式（マークシート方式）とする。

・試験時間は20分とする。

・試験の満点は、50点とする。

・問題の数は、20問程度とする。

（2）合否判定

・合否判定は、原則として30点を合格基準点として行う。

※「全国通訳案内士試験ガイドライン」より

　近年は、ガイドラインに沿って、観光に関連する問題の出題割合が増えて
います。そのため、産業、経済、政治及び文化の学習に際しては、「観光白書」
を参照しながら、観光と関連付けて行う方が効率的・効果的です。

　また、オリンピック、国際博覧会など国際的に重要なイベントが日本で開催される場合、あるいは、日本の文化・自然・産業遺産が世界遺産や無形文化遺産などに登録される場合、これらに関わる問題は出題される傾向が強く、本参考書と共に過去問題も参照し、重要なキーワードをチェックして、掘り下げて学習することも必要になるでしょう。

　さらに、新聞で、産業、経済、政治にかかわる重要事件及び外国人観光旅客に関わる事項（観光サービス、交通など）はチェックしておき、簡単に正解できるものを取りこぼすことがないようにしましょう。

　本書の「一般常識」編では、産業、経済、政治及び文化を大分類とし、さらにサブ分類を設けて、体系的に記憶を整理できるようにしました。経済、政治は中学公民で扱うレベルの設問を配置しているので難しくはないと思われますが、産業、文化は難しい問題も若干あるかもしれません。クリアできた設問は設問のチェックボックスに印を付けていきましょう。そうすれば、どの分野の知識の強化を必要としているかが明確になるはずです。

# 「一般常識」の出題傾向

▶ 2020

| 大問 | 形式 | テーマ | 小問 | マークシート | 正解の必須知識 |
|---|---|---|---|---|---|
| 1 | 説明文に関する質問に答える。 | 観光 | 1 | 1 | 選手村の所在地 |
| | | | 2 | 2 | 首都高の地下化 |
| | | | 3 | 3 | 国立競技場の運営方式 |
| 2 | | 観光 | 1 | 4 | 国際会議開催件数 |
| | | | 2 | 5 | 国際観光旅客税法の運用 |
| | | | 3 | 6 | 明日の日本を支える観光ビジョン |
| 3 | | 観光 | 1 | 7 | 宿泊費 |
| | | | 2 | 8 | 日本の旅行収支 |
| | | | 3 | 9 | 2019 年の旅行消費額 |
| | | | 4 | 10 | 訪日外国人旅行者の平均宿泊数 |
| | | | 5 | 11 | 日本人・訪日外国人の延べ宿泊数 |
| 4 | | 社会 | | 12 | 正しい説明を選ぶ |
| 5 | | 社会・観光 | 1 | 13 | 観光地域づくり法人（DMO） |
| | | | 2 | 14 | スポーツを核としたまちづくり |
| | | | 3 | 15 | 農山漁村の地域活性化 |
| 6 | | 観光 | | 16 | 国立公園満喫プロジェクト |
| 7 | | 社会 | | 17 | 働き方改革の法律 |
| 8 | | 社会 | | 18 | LGBT の社会運動 |
| 9 | | 観光 | 1 | 19 | 国際旅行者数 |
| | | | 2 | 20 | 外国人訪問者数 |
| | | | 3 | 21 | 国際観光収入 |
| | | | 4 | 22 | 国際観光支出 |
| 10 | | 観光 | | 23 | 海外危険度レベル |

| 大問 | 形式 | テーマ | 小問 | マークシート | 正解の必須知識 |
|---|---|---|---|---|---|
| 1 | | 観光 | | 1 | 訪日外国人旅行者数 |
| 2 | | 社会 | | 2 | 日本の人口動態について |
| 3 | | 観光 | | 3 | ラグビーワールドカップの効果 |
| 4 | | 観光 | | 4 | 文化観光促進法 |
| 5 | | 観光 | | 5 | 多言語対応に関するアンケート |
| 6 | | 観光 | | 6 | MICE について |
| 7 | | 観光・経済 | | 7 | 生きた歴史体感プログラム |
| 8 | | 文化 | | 8 | 人間国宝の定義 |
| 9 | | 文化 | | 9 | 寺院が一番多い都道府県 |
| 10 | 説明文に関する質問に答える。 | 観光・経済 | 1 | 10 | パッケージツアーの旅行業法上の名称 |
| | | | 2 | 11 | ウポポイ |
| 11 | | 観光・政治 | 1 | 12 | 旅館業法 |
| | | | 2 | 13 | 出入国在留管理庁 |
| 12 | | 社会 | 1 | 14 | 目標の一つ目（貧困や飢餓の解消） |
| | | | 2 | 15 | SDGs（持続可能な観光ガイドライン） |
| 13 | | 観光・社会 | | 16 | ワーケーション |
| 14 | | 観光・経済 | | 17 | MaaS について |
| 15 | | 文化 | 1 | 18 | 日本遺産の概要 |
| | | | 2 | 19 | ユネスコ無形文化遺産最新登録 |
| | | | 3 | 20 | 世界自然遺産への登録勧告機関 |

| 大問 | 形式 | テーマ | 小問 | マークシート | 正解の必須知識 |
|---|---|---|---|---|---|
| 1 | 説明文に関する質問に答える。 | 観光 | | 1 | 2019 年の訪日外国人旅行者消費動向 |
| 2 | | 観光 | 1 | 2 | 2019 年の訪日外国人旅行者の内訳 |
| | | | 2 | 3 | CIQ の意味 |
| 3 | | 観光・経済 | | 4 | 宿泊施設の直販サイト普及レベル |
| 4 | | 社会 | | 5 | パリ協定 |
| 5 | | 観光 | 1 | 6 | アドベンチャーツーリズムについて 1 |
| | | | 2 | 7 | アドベンチャーツーリズムについて 2 |
| 6 | | 観光 | 1 | 8 | ユニバーサルツーリズム |
| | | | 2 | 9 | 心のバリアフリー |
| 7 | | 観光・社会 | | 10 | ダークツーリズム |
| 8 | | 観光 | | 11 | 新型コロナウイルス対策 |
| 9 | | 社会 | | 12 | トンガ諸島で起きた海底火山噴火 |
| 10 | | 社会 | | 13 | 2025 年日本国際博覧会 |
| 11 | | 経済 | | 14 | 2024 年発行予定の新札 |
| 12 | | 観光 | | 15 | ユニークベニュー |
| 13 | | 文化 | | 16 | エイサー |
| 14 | | 文化 | | 17 | どんど焼 |
| 15 | | 文化 | | 18 | 日光東照宮 |
| 16 | | 文化 | | 19 | 和食 |
| 17 | | 文化 | | 20 | 奄美大島、徳之島、沖縄島北部および西表島 |

▶ **2023**

| 大問 | 形式 | テーマ | 小問 | マークシート | 正解の必須知識 |
|---|---|---|---|---|---|
| なし | 説明文に関する質問に答える。 | 観光 | 1 | 1 | 明日の日本を支える観光ビジョンの数値目標 |
| | | | 2 | 2 | 日本版持続可能な観光ガイドライン |
| | | | 3 | 3 | 2021年の日本人国内旅行の状況 |
| | | | 4 | 4 | 宿泊業の概況 |
| | | | 5 | 5 | 関連企業の売上高及び利益状況 |
| | | | 6 | 6 | 地方における高付加価値なインバウンド観光地づくりモデル観光地 |
| | | 労働 | 7 | 7 | 労働生産性の説明 |
| | | | 8 | 8 | 日本で働く高度外国人材 |
| | | 社会 | 9 | 9 | 出生時育児休業（産後パパ育休）制度 |
| | | | 10 | 10 | 同上 |
| | | | 11 | 11 | パートナーシップ制度 |
| | | 行政 | 12 | 12 | マイナンバーカード |
| | | 文化 | 13 | 13 | 国民の祝日 |
| | | | 14 | 14 | 沖縄国際海洋博覧会 |
| | | | 15 | 15 | 同上 |
| | | | 16 | 16 | 明治神宮 |
| | | | 17 | 17 | 鉄道：有楽町線・南北線の延伸 |
| | | | 18 | 18 | 世界遺産暫定リスト：彦根城 |
| | | | 19 | 19 | 無形文化遺産：伝統的酒造り |

# ❶ 産業

「航空」「鉄道」「船舶」「宿泊」「食品」「工芸品」「農林水産業」などの知識が問われます。場合によっては日本地理と重複するところがあるので、まとめて押さえておきましょう。

## 航空

**001** ★★☆ □□□
国内または国際的な航空輸送ネットワークの拠点となる空港を何という？

拠点空港（ハブ空港）

**002** ★★☆ □□□
問題 1 の空港は設置と管理の主体により、3 つの区分があるが、それぞれ何と呼ばれる？

会社管理空港、国管理空港、特定地方管理空港

**003** ★☆☆ □□□
問題 1 の空港で、世界初の海上空港として、面積約 5.10km² の沖合人工島に、3,500m の滑走路を設置した、1994 年 9 月開港の空港を何という？

関西国際空港

**004** ★☆☆ □□□
問題 1 の空港で、面積 5.8km² の沖合人工島に 3,500m の滑走路を設置した、2005 年 2 月開港の空港を何という？

中部国際空港

**005** ★★★ □□□
運航と運営を効率化して、低価格運賃でサービスを提供する航空会社をアルファベット 3 文字で何という？

LCC (Low Cost Carrier)

**006** ★★★ ･････････････････････････････････････････････ □□□

ファースト、ビジネス、エコノミーなど、複数の座席クラスを提供し、機内食などのサービスを運賃に含めている航空会社をアルファベット3文字で何という？

FSC（Full Service Carrier）

**007** ★☆☆ ･････････････････････････････････････････････ □□□

全日空（ANA）の連結子会社で2019年10月に、バニラエアと経営統合した日本初の格安航空会社を何という？

ピーチ・アビエーション

**008** ★☆☆ ･････････････････････････････････････････････ □□□

カンタス航空、日本航空（JAL）などが出資する格安航空会社を何という？

ジェットスター・ジャパン

**009** ★☆☆ ･････････････････････････････････････････････ □□□

中国の格安航空会社が、日本企業と共同出資して設立し、2021年より日本航空（JAL）の連結子会社となった格安航空会社を何という？

スプリング・ジャパン

**010** ★☆☆ ･････････････････････････････････････････････ □□□

2014年に楽天、ノエビア、アルペンなどが出資し、問題4の空港を拠点としていたが、2020年11月に自己破産を申請した格安航空会社を何という？

エアアジア・ジャパン

**011** ★☆☆ ･････････････････････････････････････････････ □□□

JAL100%子会社で成田空港を拠点として、主に中長距離国際線を就航させる格安航空会社を何という？

ZIPAIR Tokyo

**012** ★☆☆ ･････････････････････････････････････････････ □□□

羽田空港を主要拠点の一つとしているが、2015年に民事再生法を申請し、その後2022年12月に東京証券取引所のグロース市場に上場した格安航空会社を何という？

スカイマーク

**013** ★☆☆ ･････････････････････････････････････････････ □□□

1998年に初就航した、北海道資本の会社で、現在は問題14の会社と経営統合された格安航空会社を何という？

エア・ドゥ

## 鉄道

**022** ★☆☆ ·········································································· □□□
JR 土讃線多度津駅と大歩危駅を結ぶ JR 四国の観
光列車を何という？

四国まんなか千
年ものがたり

**023** ★☆☆ ·········································································· □□□
上越妙高駅と糸魚川駅（一部泊駅まで）を結ぶ、えち
ごトキめき鉄道の観光列車を何という？

えちごトキめきリ
ゾート 雪月花

**024** ★☆☆ ·········································································· □□□
天橋立駅と西舞鶴駅（一部福知山駅）を結ぶ京都丹
後鉄道の観光列車を何という？

丹後くろまつ号

**025** ★☆☆ ·········································································· □□□
八戸線の八戸駅と久慈駅を結ぶ JR 東日本の観光列
車を何という？

TOHOKU
EMOTION

**026** ★☆☆ ·········································································· □□□
秋田駅と青森駅を結ぶ JR 東日本の観光列車を何と
いう？

リゾートしらかみ

**027** ★☆☆ ·········································································· □□□
花巻駅と釜石駅を結ぶ JR 東日本の観光列車を何と
いう？

SL 銀河

**028** ★☆☆ ·········································································· □□□
磐越西線（郡山駅～喜多方駅間）及び東北本線（郡
山駅～仙台駅間）で運行されている JR 東日本の観
光列車を何という？

フルーティアふく
しま

**029** ★☆☆ ·········································································· □□□
大月駅と河口湖駅を結ぶ富士急行の観光列車を何と
いう？

富士山ビュー特
急

**030** ★☆☆ ·········································································· □□□
黒部峡谷鉄道の観光列車を何という？

トロッコ電車

**031** ★☆☆ ·········································································· □□□
京都市と亀岡市を結ぶ JR 西日本の観光列車を何と
いう？

嵯峨野トロッコ列
車

**032** ★★☆ ·········································································· □□□
JR 九州の豪華クルーズトレインを何という？

ななつ星 in 九州

| 033 ★★☆ | | □□□ |
|---|---|---|
| JR 東日本の豪華クルーズトレインを何という？ | | TRAIN SUITE 四季島 |

| 034 ★★☆ | | □□□ |
|---|---|---|
| JR 西日本の豪華クルーズトレインを何という？ | | TWILIGHT EXPRESS 瑞風 |

| 035 ★★★ | | □□□ |
|---|---|---|
| 東海道新幹線が開通したのは何年？ | | 1964 年 |

| 036 ★★★ | | □□□ |
|---|---|---|
| JR グループ 6 社が共同して提供するパスで、外国から「短期滞在」の入国資格により観光目的で日本を訪れる外国人旅行者が購入できるチケットを何という？ | | ジャパン・レール・パス（Japan Rail Pass） |

| 037 ★☆☆ | | □□□ |
|---|---|---|
| 問題 36 のチケットが利用できる日本国籍保持者の海外在留期間は連続して何年以上か？ | | 10 年以上 |

| 038 ★☆☆ | | □□□ |
|---|---|---|
| 問題 36 のチケットが利用できるフェリー航路は？ | | JR西日本宮島フェリーの宮島航路 |

# 船舶

| 039 ★★★ | | □□□ |
|---|---|---|
| 2019 年度でクルーズ船（日本船及び外国船含む）の寄港回数が 1 番多かった日本の港はどこ？ | | 那覇港 |

| 040 ★☆☆ | | □□□ |
|---|---|---|
| 2015 年度から 4 年連続でクルーズ船（日本船及び外国船含む）の寄港回数が1番多かったが、2019 年に 2 番目になった日本の港はどこ？ | | 博多港 |

| 041 ★☆☆ | | □□□ |
|---|---|---|
| 2019 年度でクルーズ船（日本船及び外国船含む）の寄港回数が 3 番目に多かった日本の港はどこ？ | | 横浜港 |

042 ★☆☆ ·········································· □□□
2019年度でクルーズ船（日本船及び外国船含む）の
寄港回数が4番目に多かった日本の港はどこ？

長崎港

043 ★☆☆ ·········································· □□□
2019年（1月〜12月）の訪日クルーズ旅客数は？

215.3万人

044 ★☆☆ ·········································· □□□
2019年（1月〜12月）の訪日クルーズ船の寄港回数
は？

2,866回

045 ★★★ ·········································· □□□
2021年（1月〜12月）の訪日クルーズ旅客数は？

ゼロ

046 ★☆☆ ·········································· □□□
三菱重工業長崎造船所によって建造され、2004年
3月に就航した、サファイア・プリンセスを姉妹船と
する世界最大級の外航クルーズ客船を何という？

ダイヤモンド・プリンセス

047 ★☆☆ ·········································· □□□
イタリアのセストリポネンテのフィンカンティエリで建
造され、2007年に就航した、コスタ・クルーズが運
行している外航クルーズ客船で、2023年6月に長崎
港に3年4か月ぶりにした客船は？

コスタ・セレーナ

048 ★☆☆ ·········································· □□□
イタリアのモンファルコーネ造船所で建造され、
2010年10月に就航した、キュナード・ラインが運航
している、クイーン・ヴィクトリアを姉妹船とする外航
クルーズ客船を何という？

クイーン・エリザベス（3代目）

# 観光

049 ★★★ ·········································· □□□
企業などの会議、研修旅行または国際機関・団体、学
会などが行う国際会議、展示会・見本市などで多くの
人が集まるビジネスイベントを総称して何という？

MICE

| 050 ★★☆ | □□□ |
|---|---|
| 問題 49 のビジネスイベントの開催時にレセプションなどの目的で利用する文化施設や公的空間を何という？ | ユニークベニュー |

| 051 ★☆☆ | □□□ |
|---|---|
| 国際博覧会条約に基づき、国際博覧会の開催を承認する機関を何という？ | 博覧会国際事務局 |

| 052 ★☆☆ | □□□ |
|---|---|
| 開催期間が 6 週間以上 6 か月以内の国際博覧会を何という？ | 登録博覧会 |

| 053 ★☆☆ | □□□ |
|---|---|
| 開催期間が 3 週間以上 3 か月以内の国際博覧会を何という？ | 認定博覧会 |

| 054 ★★★ | □□□ |
|---|---|
| 全国産業観光推進協議会が産業観光を推進するために、産業観光サミット in 愛知・名古屋以来毎年開催しているイベントを何という？ | 全国産業観光フォーラム |

| 055 ★★★ | □□□ |
|---|---|
| 日本政府がビジット・ジャパン・キャンペーンを立ち上げ、本格的に外客誘致を開始したのは何年？ | 2003 年 |

| 056 ★★★ | □□□ |
|---|---|
| 訪日外客数が 1,000 万人を超えたのは何年？ | 2013 年 |

| 057 ★★★ | □□□ |
|---|---|
| 訪日外国人旅行者数が日本人の海外旅行者数を上回ったのは何年？ | 2015 年 |

| 058 ★★★ | □□□ |
|---|---|
| 訪日外客数が 2,000 万人を超えたのは何年？ | 2016 年 |

| 059 ★★★ | □□□ |
|---|---|
| 2030 年の訪日外客数政府目標は何万人？ | 6,000 万人 |

**060** ★★★ ☐☐☐

2022 年の訪日外国人旅行者数を国・地域別で見た場合の 1 位から 3 位はどこ?

| 1位 | 韓国 |
| 2位 | 台湾 |
| 3位 | アメリカ |

**061** ★★★ ☐☐☐

2024 年 1 月発表の JNTO 推計値に基づく 2023 年 1 月から 12 月の訪日外国人旅行者数を国・地域別で見た場合の 1 位から 3 位はどこ?

| 1位 | 韓国 |
| 2位 | 台湾 |
| 3位 | 中国 |

**062** ★★★ ☐☐☐

観光基盤の拡充・強化を図るための財源確保のため、2019 年 1 月から、船舶または航空会社が、チケット代金に上乗せする等の方法で、日本から出国する旅客から出国 1 回につき 1,000 円を徴収する税を何という?

国際観光旅客税（出国税）

**063** ★★★ ☐☐☐

次の A ～ G は問題 62 の課税対象外であるが、空欄①～⑤を適切な言葉で埋めよ。

A. 船舶または ① の乗員

B. 強制退去者等

C. 公用船または公用機（政府専用機等）により ② する者

D. ③ 旅客（入国後 24 時間以内に出国する者）

E. ④ 中に、天候その他の理由により日本に緊急着陸等した者

F. 日本から出国したが、天候その他の理由により日本に帰ってきた者

G. ⑤ 歳未満の者

① 航空機
② 出国
③ 乗継
④ 外国間を航行
⑤ 2

**064** ★★★ ☐☐☐

消費税に加え、酒税・たばこ税・関税が免除される商業施設を何という?

空港型市中免税店

| 065 ★★★ | □□□ |
|---|---|
| 映画・アニメ制作活動を誘致し、ロケ活動を支援し、観光振興を図る組織を何という？ | フィルム・コミッション |

| 066 ★☆☆ | □□□ |
|---|---|
| 京都御所の参観の事前申し込みは必要か？ | 不要 |

| 067 ★★☆ | □□□ |
|---|---|
| 京都にある、海外からの賓客に対して宿泊その他の接遇を行い、日本への理解と友好を深めてもらうための国の施設を何という？ | 京都迎賓館 |

| 068 ★★☆ | □□□ |
|---|---|
| 片山東熊が設計し、新バロック様式を採用した、1909 年完成の、現在は迎賓館として使用されている建物を何という？ | 赤坂離宮 |

| 069 ★☆☆ | □□□ |
|---|---|
| 1995 年に開催された APEC 大阪に際して建てられ、2019 年 6 月に開催された第 14 回 20 か国・地域首脳会合（G20 大阪サミット）では、夕食会・文化行事の会場となった建物を何という？ | 大阪迎賓館 |

| 070 ★☆☆ | □□□ |
|---|---|
| 律令時代に、外国の使節を接待した館を何という？ | 鴻臚館 |

| 071 ★★★ | □□□ |
|---|---|
| 最終的に輸出となる物品の消費税免税購入についての購入者誓約書を何という？ | 輸出免税物品購入記録票 |

| 072 ★★☆ | □□□ |
|---|---|
| 免税で購入した消耗品は、購入後何日以内に日本国外に持ち出さなければならないか？ | 30 日以内 |

| 073 ★★★ | □□□ |
|---|---|
| 例えば家電製品や服飾品などの一般物品を対象とし、1人1日1店舗の購入金額の合計をいくら超えると免税扱いとなるか？ | 5,000 円 |

**074** ★★★ ・・・・・・・・・・・・・・・・・・・・・・・・・・・・・・・・・・・・・・ □□□

食品類や薬品類などの消耗品を対象とし、1人1日1店舗の購入金額の合計がいくらを超えると免税扱いとなるか？

5,000 円

**075** ★★☆ ・・・・・・・・・・・・・・・・・・・・・・・・・・・・・・・・・・・・・・ □□□

海外における観光宣伝、外国人観光旅客に対する観光案内、外国人観光旅客の来訪促進などを行い、国際観光の振興を図ることを目的として、2003 年 10 月に設立された独立行政法人を何という？

国際観光振興機構（JNTO）

**076** ★☆☆ ・・・・・・・・・・・・・・・・・・・・・・・・・・・・・・・・・・・・・・ □□□

問題 75 の認定外国人観光案内所について、常時英語による対応が可能で、英語を除く 2 以上の言語での案内が常時可能な体制があり、全国の観光案内を提供する、原則年中無休で、Wi-Fi を備えた、ゲートウェイや外国人来訪者の多い立地にあるものの認定区分（カテゴリー）を何という？

カテゴリー3

**077** ★☆☆ ・・・・・・・・・・・・・・・・・・・・・・・・・・・・・・・・・・・・・・ □□□

問題 75 の認定外国人観光案内所の認定制度について、少なくとも英語で対応可能なスタッフが常駐し、広域の案内を提供するものの認定区分（カテゴリー）を何という？

カテゴリー2

**078** ★☆☆ ・・・・・・・・・・・・・・・・・・・・・・・・・・・・・・・・・・・・・・ □□□

問題 75 の認定外国人観光案内所の認定制度について、常駐でなくとも何らかの方法で英語対応可能で、地域の案内を提供するものの認定区分（カテゴリー）を何という？

カテゴリー1

| | |
|---|---|
| 079 ★☆☆ □□□ | |
| 問題75の認定外国人観光案内所の認定制度について、観光案内を専業としない施設であっても、外国人旅行者を積極的に受け入れる意欲があり、公平・中立な立場で地域の案内を提供するものは何と呼ばれる？ | パートナー施設 |
| 080 ★★★ □□□ | |
| 正式には「特定複合観光施設区域の整備の推進に関する法律」といい、また「IR法」や「カジノ法」とも呼ばれ、2016年12月に成立した、カジノを中心とした複合観光施設の整備を促す法律を何という？ | 統合型リゾート整備推進法 |
| 081 ★★★ □□□ | |
| 居住国とは異なる国や地域を訪ねて医療サービス（診断や治療など）を受けることを何という？ | メディカル・ツーリズム |
| 082 ★☆☆ □□□ | |
| 問題81の2020年の日本における潜在的な需要は年間約何万人か？ | 43万人 |
| 083 ★☆☆ □□□ | |
| 問題81について、国内に世界有数のバイオポリス（バイオメディカル研究開発施設）を設立し、2003年には保健省が中心となってキャンペーン企画を打ち出し、中東などの国に対して誘致を働きかけている国はどこ？ | シンガポール |
| 084 ★☆☆ □□□ | |
| 問題81について、2002年に政府観光庁が「医療ハブ構想」を発表し、ビザ発行手続きの簡素化などを進め、2003年には「アジアの健康首都」を宣言した国はどこ？ | タイ |

**085** ★☆☆ ･････････････････････････････････ □□□
問題 81 について、2009 年 1 月に医療法が改正さ　　韓国
れ、外国人患者向けに限定されたビザ「医療滞在ビザ
(Medical Visa)」が新設された国はどこ？

**086** ★☆☆ ･････････････････････････････････ □□□
日本において「医療滞在ビザ」が解禁され、医療滞在　　2011 年 1 月
ビザにより、最長 6 か月滞在が可能になり、3 年以内
なら何度でも入国可能となったのは何年？

**087** ★★☆ ･････････････････････････････････ □□□
2020 年 3 月に観光庁が発表した調査結果によると、　　4 兆 8,135 億円
2019 年のインバウンド客の旅行消費額はいくらか？

**088** ★★☆ ･････････････････････････････････ □□□
令和 5 年度からの新たな「観光立国推進基本計画」　　消費額：5 兆円
での訪日外国人旅行消費額と単価の目標はそれぞれ　　消費額単価：20
いくらか？　　万円

**089** ★★☆ ･････････････････････････････････ □□□
伝統や文化の魅力の発信を通じて、まちのイメージ　　全国京都会議
アップと観光客誘致を図る目的で、小京都と呼ばれる
26 市町と京都が参加して、1985 年 5 月に結成され
た会議を何という？

**090** ★★☆ ･････････････････････････････････ □□□
1990 年に公益財団法人日本さくらの会の創立 25 周　　日本さくら名所
年記念として、9 つの選定基準によって選ばれた桜の　　100 選
名所を何という？

**091** ★★☆ ･････････････････････････････････ □□□
全国工場夜景都市協議会が主催し、工場夜景観光の　　工場夜景サミット
魅力と可能性を探るイベントを何という？

092 ★☆☆ ...................................................... □□□

特定の観光地において、訪問客の著しい増加などが、住民の生活や自然環境、景観などに対して、マイナスの影響をもたらし、また、観光客の満足度も低下させるような状況を何という？

オーバーツーリズム

# 宿泊

093 ★★★ ...................................................... □□□

ホテル・旅館・簡易宿泊所・下宿を営業する旅館業の業務の適正な運営の確保について定めた法律で1948 年に公布・施行されたものを何という？

旅館業法

094 ★☆☆ ...................................................... □□□

ホテル、旅館、簡易宿泊所、下宿の営業には誰の許可が必要か？

都道府県知事

095 ★★★ ...................................................... □□□

民泊について、一定のルールを定め、健全な民泊サービスの普及を図るものとして、新たに制定された法律で、2017 年 6 月に成立したものを何という？

住宅宿泊事業法（民泊新法）

096 ★★★ ...................................................... □□□

上記の法律では、年間の営業日数を何日以内と定めている？

180 日以内

# 食品

097 ★★☆ ...................................................... □□□

一般社団法人日本穀物検定協会が良質な米作りの推進と米の消費拡大に役立てるために、炊飯した白飯を試食して評価する食味官能試験に基づき、1971年度産米から全国規模の産地品種について行っているものを何という？

米の食味ランキング

098 ★☆☆ ...................................................... □□□

滋賀県農業技術センターが開発し、2014 年に品種登録した米を何という？

みずかがみ

**099** ★☆☆

山形県立農業試験場で「庄内29号」「あきたこまち」の交配により作出された米を何という？

はえぬき

**100** ★☆☆

福井県農業試験場で「あわみのり」「越南173号」の交配により作出された米を何という？

あきさかり

**101** ★☆☆

青森県産業技術センターが開発した「青系187号」という品種で、寒さやいもち病に強い米を何という？

青天の霹靂

**102** ★☆☆

北海道中央農業試験場で「ひとめぼれ」「あきほ」などの交配により作出された米を何という？

ななつぼし

**103** ★☆☆

北海道上川農業試験場で「北海287号」「ほしたろう」の交配により作出された米を何という？

ゆめぴりか

**104** ★★☆

酒類業組合法に基づき、清酒の製法品質についての表示の基準を規定したもので、1990年4月1日から適用されているものを何という？

清酒の製法品質表示基準

**105** ★★☆

問題104で使用材料が米、米こうじ、醸造アルコールで、精米歩合が50%以下で、麹米使用割合が15%以上の吟醸造り、固有の香味、色沢が特に良好とされる清酒を何という？

大吟醸酒

**106** ★☆☆

問題104で使用材料が米、米こうじ、醸造アルコールで、精米歩合が60%以下で、麹米使用割合が15%以上の吟醸造り、固有の香味、色沢が良好とされる清酒を何という？

吟醸酒

**107** ★★☆ ..................................................... □□□ ..........

問題 104 で使用材料が米、米こうじで、麹米使用割　　純米酒
合が 15% 以上の香味、色沢が良好とされる清酒を何
という？

**108** ★☆☆ ..................................................... □□□ ..........

問題 104 で使用材料が米、米こうじで、精米歩合が　　純米吟醸酒
60% 以下で、麹米使用割合が 15% 以上の吟醸造り、
固有の香味、色沢が良好とされる清酒を何という？

**109** ★☆☆ ..................................................... □□□ ..........

問題 104 で使用材料が米、米こうじで、精米歩合が　　純米大吟醸酒
50% 以下で、麹米使用割合が 15% 以上の吟醸造り、
固有の香味、色沢が特に良好とされる清酒を何とい
う？

**110** ★☆☆ ..................................................... □□□ ..........

問題 104 で使用材料が米、米こうじで、精米歩合が　　特別純米酒
60% 以下または特別な製造方法であり、麹米使用割
合が 15% 以上の香味、色沢が特に良好とされる清酒
を何という？

**111** ★★☆ ..................................................... □□□ ..........

問題 104 で使用材料が米、米こうじ、醸造アルコール　　本醸造酒
で、精米歩合が 70% 以下で、麹米使用割合が 15%
以上の香味、色沢が良好とされる清酒を何という？

**112** ★☆☆ ..................................................... □□□ ..........

問題 104 で使用材料が米、米こうじ、醸造アルコール　　特別本醸造酒
で、精米歩合が 60% 以下または特別な製造方法で
あり、麹米使用割合が 15% 以上の香味、色沢が特に
良好とされる清酒を何という？

---

**113** ★☆☆ ·········································· □□□ ·········

任意団体である長期熟成酒研究会の定義において | **熟成古酒**
「満3年以上蔵元で熟成させた、糖類添加酒を除く
清酒」を何という?

**114** ★☆☆ ·········································· □□□ ·········

即席ラーメンが初登場したのは何年代? | **1950年代**

**115** ★☆☆ ·········································· □□□ ·········

ファストフード店が日本に初登場したのは何年代? | **1970年代**

# 工芸品

**116** ★★★ ·········································· □□□ ·········

以下の要件をすべて満たし、法律に基づく経済産業 | **伝統的工芸品**
大臣の指定を受けた工芸品のことを何という?

1. 主として日常生活で使用する工芸品であること。
2. 製造工程のうち、製品の持ち味に大きな影響を与
   える部分は、手作業が中心であること。
3. 100年以上の歴史を有し、今日まで継続している
   伝統的な技術・技法により製造されるものである
   こと。
4. 主たる原材料が原則として100年以上継続的に使
   用されていること。
5. 一定の地域で当該工芸品を製造する事業者がある
   程度の規模を保ち、地域産業として成立している
   こと。

**117** ★★☆ ·········································· □□□ ·········

朝鮮出兵の時に連れてこられた朝鮮の陶工（とうこう）が佐賀県 | **伊万里焼（いまりやき）・有田焼（ありたやき）**
で作り始めた磁器で、キメが細かく、透明感のある白
磁に染め付けや華やかな絵付けを施すことを特徴と
する伝統的工芸品を何という?

**118** ★☆☆

岩手県盛岡市周辺で作られている金工品で、さびにくく、保温性に優れていることを特徴とし、素朴な美しさが魅力となっている伝統的工芸品を何という？

南部鉄器

**119** ★★☆

東京都で作られているガラス工芸品で、色被せ硝子などに施された華やかなカットを特徴とする伝統的工芸品を何という？

江戸切子

**120** ★☆☆

広島県安芸郡で作られている筆で、自然毛を材料とし、「コマ」という木型を使って穂先を出すことを特徴とする伝統的工芸品を何という？

熊野筆

**121** ★★☆

石川県能登半島で作られている漆器で、地元でしか採れない地の粉を使用していることに特徴があり、沈金や蒔絵という表現がよく知られている伝統的工芸品を何という？

輪島塗

**122** ★★☆

京都市特産の絹織物で、生地を先染めしてから多彩な織り方を行うことを特徴とする伝統的工芸品を何という？

西陣織

**123** ★★☆

福岡県で作られている人形で、繊細で豊かな表情や曲線美を特徴とする伝統的工芸品を何という？

博多人形

**124** ★☆☆

岩手県奥州市や盛岡市で作られている箪笥で、漆塗りや飾り金具が施されていることを特徴とする伝統的工芸品を何という？

岩谷堂箪笥

**125** ★☆☆

静岡県静岡市周辺で作られている竹工品で、細い丸ひごを組んで作っていることを特徴とする伝統的工芸品を何という？

駿河竹千筋細工

**126** ★☆☆ ･･････････････････････････････ □□□
愛知県で作られている仏壇で、「みつまくり（3枚の持ち上げ扉）」を備え、宮殿御坊造という構造を持つことを特徴とする伝統的工芸品を何という？
　名古屋仏壇

**127** ★☆☆ ･･････････････････････････････ □□□
山梨県甲府市で作られる半貴石などを使った石細工で、原石を削り出し、手作業で彫刻して磨く、という工程を特徴とする伝統的工芸品を何という？
　甲州水晶貴石細工

## 農林水産業

**128** ★★★ ･･････････････････････････････ □□□
世界的に重要かつ伝統的な農林水産業を営む地域（農林水産業システム）を、国際連合食糧農業機関（FAO）が認定する制度を何という？
　世界農業遺産（GIAHS）

**129** ★☆☆ ･･････････････････････････････ □□□
上記の制度で、2023年12月現在、日本で認定された地域の数はいくつか？
　15地域

> 解説　2022年に「峡東地域の扇状地に適応した果樹農業システム」「森・里・湖に育まれる漁業と農業が織りなす琵琶湖システム」、2023年に「人と牛が共生する美方地域の伝統的但馬牛飼育システム」「大都市近郊に今も息づく武蔵野の落ち葉堆肥農法」が認定された。

**130** ★☆☆ ･･････････････････････････････ □□□
生きものを育む農法を島内の水田で実施し、トキなどの豊かな生態系を維持する里山と、集落コミュニティの機能を高める多様な農村文化を継承する、2011年6月世界農業遺産認定の農林水産業システムの名称を何という？
　トキと共生する佐渡の里山

131 ★☆☆

急傾斜にある棚田や家を守る間垣などの景観を残しながら、江戸時代から続く、揚げ浜式製塩法などを継承する、2011年6月世界農業遺産認定の農林水産業システムの名称を何という?

能登の里山里海

132 ★☆☆

茶畑の周りの草地から刈り取った草を茶畑に敷く、茶草場農法を継承し、草地には希少な生物が生息している、2013年5月世界農業遺産認定の農林水産業システムの名称を何という?

静岡の茶草場農法

133 ★☆☆

「野焼き」「放牧」「採草」により人が管理することで日本最大級の草原を維持し、長年草を活用した農業が行われて景観が保持され、数多くの希少な動植物が生息する、2013年5月世界農業遺産認定の農林水産業システムの名称を何という?

阿蘇の草原の維持と持続的農業

134 ★☆☆

椎茸栽培に用いるクヌギ林により水源涵養し、ため池を連結させることで水を有効利用する、2013年5月世界農業遺産認定の農林水産業システムの名称を何という?

クヌギ林とため池がつなぐ国東半島・宇佐の農林水産循環

135 ★☆☆

水源林の育成や河川清掃などの管理により清流を保ち、鵜飼漁、友釣りなど、鮎の伝統漁法が継承されている、2015年12月世界農業遺産認定の農林水産業システムの名称を何という?

清流長良川の鮎

136 ★☆☆

斜面の梅林周辺に薪炭林を残し、梅栽培を行いつつ、紀州備長炭の生産と水源涵養や崩落防止の機能をもたせた、2015年12月世界農業遺産認定の農林水産業システムの名称を何という?

みなべ・田辺の梅システム

**137** ★☆☆ □□□
山間地において、針葉樹による木材生産と広葉樹を活用した椎茸栽培、和牛や茶の生産、焼畑などの複合経営を行う、2015年12月世界農業遺産認定の農林水産業システムの名称を何という?

高千穂郷・椎葉山の山間地農林業複合システム

**138** ★☆☆ □□□
「契約講」などの水管理で災害に強い農業・農村を形成し、「居久根」といわれる屋敷林が湿地生態している、2017年11月世界農業遺産認定の農林水産業システムの名称を何という?

持続可能な水田農業を支える「大崎耕土」の伝統的水管理システム

**139** ★☆☆ □□□
沢を開墾して階段状にわさび田を作り、肥料を使わず湧水に含まれる養分で栽培する伝統的な農業を継承する、2018年3月世界農業遺産認定の農林水産業システムの名称を何という?

静岡水わさびの伝統栽培－発祥の地が伝える人とわさびの歴史－

**140** ★☆☆ □□□
傾斜地に茅をすき込み土壌流出を防ぎ、斜面のまま耕作する独特な農法で、雑穀など多様な品目を栽培している、2018年3月世界農業遺産認定の農林水産業システムの名称を何という?

にし阿波の傾斜地農耕システム

**141** ★★☆ □□□
2022年の農林水産物輸出入概況による日本の農林水産物の最大の輸出先はどこ?

中国

**142** ★☆☆ □□□
2022年の農林水産物輸出入概況による日本の農林水産物で輸出金額で最大の品目は何?

アルコール飲料

**143** ★☆☆ □□□
農林水産物の政府の輸出額目標は2025年と2030年でそれぞれいくら?

2025年：2兆円
2030年：5兆円

**144** ★★★ ······················································ □□□

農林水産大臣が監督し、馬主および馬の登録、調教師と騎手の免許などの業務を行い、抽選馬の育成などを行う特殊法人を何という？

日本中央競馬会（JRA）

**145** ★★☆ ······················································ □□□

人口20万人以上の地方自治体などが農林水産大臣の認可を受けて開設する卸売市場を何という？

中央卸売市場

**146** ★★☆ ······················································ □□□

問題145で、築地市場に代わり、2018年10月に開場した東京都江東区にある市場を何という？

豊洲市場

# ② 経済

最新の「観光白書」や新聞（一般紙）に掲載された時事問題をベースに出題されるので是非チェックしてください。

## 財政・福祉

**147** ★★☆ ．．．．．．．．．．．．．．．．．．．．．．．．．．．．．．．．．．．．．．．．．．．．．．．．．．．．☐☐☐．．．．．

電気や鉄道料金など行政機関の承認によって決められる価格は？

公共料金

**148** ★★☆ ．．．．．．．．．．．．．．．．．．．．．．．．．．．．．．．．．．．．．．．．．．．．．．．．．．．．☐☐☐．．．．．

日本銀行が、市中銀行へ資金を貸し出す際の利率を何という？

政策金利
（公定歩合）

**149** ★★★ ．．．．．．．．．．．．．．．．．．．．．．．．．．．．．．．．．．．．．．．．．．．．．．．．．．．．☐☐☐．．．．．

第2次安倍内閣が2013年に行った日本銀行による長期国債買い入れ政策を何という？

異次元金融緩和

**150** ★★☆ ．．．．．．．．．．．．．．．．．．．．．．．．．．．．．．．．．．．．．．．．．．．．．．．．．．．．☐☐☐．．．．．

日本銀行が政策金利を上げ下げすることで景気を調整する政策を何という？

金融政策

**151** ★★★ ．．．．．．．．．．．．．．．．．．．．．．．．．．．．．．．．．．．．．．．．．．．．．．．．．．．．☐☐☐．．．．．

紙幣を発行するのは日本銀行だが、硬貨を発行するのは？

造幣局

**152** ★★★ ．．．．．．．．．．．．．．．．．．．．．．．．．．．．．．．．．．．．．．．．．．．．．．．．．．．．☐☐☐．．．．．

税の負担者と納入者が同じ税を何という？

直接税

**153** ★★★ ．．．．．．．．．．．．．．．．．．．．．．．．．．．．．．．．．．．．．．．．．．．．．．．．．．．．☐☐☐．．．．．

税の負担者と納入者が違う税を何という？

間接税

**154** ★★★ ．．．．．．．．．．．．．．．．．．．．．．．．．．．．．．．．．．．．．．．．．．．．．．．．．．．．☐☐☐．．．．．

問題152と問題153の比率を何という？

直間比率

**155** ★★★ ．．．．．．．．．．．．．．．．．．．．．．．．．．．．．．．．．．．．．．．．．．．．．．．．．．．．☐☐☐．．．．．

課税標準が大きくなるにつれて課税率も高くなる制度は？

累進課税

**156** ★★★ ········································ □□□
問題 155 に基づく税の例は？

所得税や相続税

**157** ★★★ ········································ □□□
2022 年時点での国の歳入のうち、上位 4 つを順にいうと？

公債金、消費税、所得税、法人税

**158** ★★★ ········································ □□□
2022 年時点での国の歳出のうち、上位 3 つを順にいうと？

社会保障関係費、国債費、地方財政費

**159** ★★☆ ········································ □□□
政府が歳出の増減や減税・増税などで景気を調整することを何という？

財政政策

**160** ★★☆ ········································ □□□
日本の社会保障の 4 つの柱は？

社会保険、社会福祉、公的扶助、公衆衛生

**161** ★★★ ········································ □□□
2013 年 6 月に閣議決定された成長戦略で、製造業の国際競争力強化や高付加価値サービス産業の創出による産業基盤の強化、医療・エネルギーなど戦略分野の市場創造、国際経済連携の推進や海外市場の獲得などを掲げているものを何という？

日本再興戦略

**162** ★★★ ········································ □□□
2013 年 12 月に成立した法律に基づき、地域限定の規制緩和や税制優遇で民間からの投資を引き出し、事業がしやすい環境を創出することを目的とした経済特別区域構想を何という？

国家戦略特区

**163** ★★☆ □□□

アメリカの連邦準備銀行を統轄し、公定歩合、公開市場操作の方針などの金融政策を決定する組織を何という？

米連邦準備理事会（FRB）

**164** ★★★ □□□

2019年10月1日より、消費税率（地方消費税率2.2%を含む）は何%になった？

10%

**165** ★★★ □□□

消費税に関して、「酒類・外食を除く飲食料品の譲渡」及び「週2回以上発行される新聞の定期購読契約に基づく譲渡」を対象に実施される制度を何という？

軽減税率制度

**166** ★★★ □□□

問題165の制度が適用される場合の税率は何%か？

8%（消費税率6.24%、地方消費税率1.76%）

**167** ★★★ □□□

東日本大震災の復旧・復興事業の地方負担（国の直轄・補助事業の地方負担分、地方税の減収分など）に充当するために創設された交付税を何という？

震災復興特別交付税（復興交付税）

**168** ★☆☆ □□□

日本育英会、日本国際教育協会、内外学生センターなどに国の学生支援事業を統合し、2004年に独立行政法人として発足した国家的育英奨学機関を何という？

日本学生支援機構（JASSO）

## 社会生活

**169** ★★☆ □□□

1950年代に「三種の神器」と呼ばれたのは、テレビ、冷蔵庫と何？

洗濯機

| 170 ★★☆ | □□□ |
|---|---|
| マスコミは 1953 年を「○○元年」と呼んだが、○○は何? | 電化 |

| 171 ★★★ | □□□ |
|---|---|
| 1950 年代後半からの日本の経済成長は何と呼ばれる? | 高度経済成長 |

| 172 ★★☆ | □□□ |
|---|---|
| 1960 年代後半に日本で普及した耐久消費財を示す 3C とは、カラーテレビ、クーラーと何? | 自動車 |

| 173 ★★☆ | □□□ |
|---|---|
| 日本人の海外旅行が自由化されたのは何年? | 1964 年 |

| 174 ★★★ | □□□ |
|---|---|
| 1973 年、1979 年と 2 度にわたって訪れた経済的混乱は? | 石油危機 |

| 175 ★★☆ | □□□ |
|---|---|
| 戦後初めて日本経済がマイナス成長になったのは何年? | 1974 年 |

| 176 ★★☆ | □□□ |
|---|---|
| 1980 年代末ごろからの日本における地価や株価の急騰を何と呼ぶ? | バブル経済 |

| 177 ★★★ | □□□ |
|---|---|
| 情報の双方向通信が可能な世界的情報ネットワークとは? | インターネット |

| 178 ★★★ | □□□ |
|---|---|
| 各店舗の販売状況、自動車などの移動経路、SNS 投稿など、膨大な不特定情報を整理・分析し、マーケティングなどへの活用が可能なものを何という? | ビッグデータ |

**179** ★★★ □□□

パソコン、スマートフォンなどを用いてインターネット上のサービスを利用し、ホストコンピュータやストレージにデータの蓄積や処理を任せる使い方のことを何という？　クラウド・コンピューティング

**180** ★★★ □□□

夫婦と子どもだけによって構成される家族を何という？　核家族

**181** ★★☆ □□□

問題180の家族が日本全体に占める割合は？　約6割

## 消費

**182** ★★★ □□□

商品を購入後一定期間内に契約を解除できる制度は？　クーリングオフ

**183** ★★★ □□□

消費者が商品欠陥で害を受けた場合、製造者に無過失責任を問える法律は？　PL法（製造物責任法）

**184** ★★★ □□□

需要と供給が一致するところで決まる価格を何という？　均衡価格

**185** ★★★ □□□

問題184の価格に付帯的な要因が加味されて決まる価格を何という？　市場価格

**186** ★★★ □□□

市場を支配する1企業が決める価格を何という？　独占価格

**187** ★★★ □□□

少数の企業が決める価格を何という？　寡占価格

**188** ★★★ □□□

独占禁止法に基づいて企業活動を監視している行政機関を何という？　公正取引委員会

**189** ★★★ ☐☐☐

過大な景品付き販売や誇大広告、不正表示などの消費者を惑わす行為防止のために公正取引委員会が排除命令を出す際に根拠となる法律を何という?

景品表示法 (不当景品類及び不当表示防止法)

**190** ★☆☆ ☐☐☐

以下は優良誤認表示に関する説明であるが、空欄①～③を適切な言葉で埋めよ。

優良誤認表示とは、事業者が自己の供給する商品または役務の品質、規格その他の内容について、 ① に対し、実際のものよりも著しく優良であると示し、または事実に ② して当該事業者と同種若しくは類似の商品若しくは役務を供給している ③ に係るものよりも著しく優良であると示す表示であって、不当に顧客を誘引し、 ① による自主的かつ合理的な選択を阻害するおそれがあると認められる表示である。

① 一般消費者
② 相違
③ 他の事業者

**191** ★☆☆ ☐☐☐

以下は有利誤認表示に関する説明であるが、空欄①～④を適切な言葉で埋めよ。

有利誤認表示とは、事業者が自己の供給する商品または役務の ① その他の取引条件について、実際のものまたは当該事業者と同種若しくは類似の商品若しくは役務を供給している ② に係るものよりも取引の相手方に著しく ③ であると ④ に誤認される表示であって、不当に顧客を誘引し、 ④ による自主的かつ合理的な選択を阻害するおそれがあると認められる表示である。

① 価格
② 他の事業者
③ 有利
④ 一般消費者

**192** ★☆☆ ☐☐☐

2020年の日本の一般世帯における温水便座設置率は何%だったか?

80.20%

# 環境

**193** ★★★ □□□
1988 年に制定された環境問題対策の法律は？ 　家電リサイクル法

**194** ★★★ □□□
2000 年に制定された省エネや資源の再利用に関す　循環型社会形成
る法律は？　推進基本法

**195** ★★★ □□□
1967 年に制定された、環境汚染防止のための法律　公害対策基本法
は？

**196** ★★★ □□□
1993 年に制定された、環境保護のための法律は？　環境基本法

**197** ★★★ □□□
1997 年に京都で開催された気候変動枠組条約第 3　京都議定書
回締約国会議（COP3）で採択された、気候変動への
国際的な取り組みを定めた条約を何という？

**198** ★★★ □□□
2015 年 12 月の国連気候変動枠組条約第 21 回締約　パリ協定
国会議（COP21）で採択された、2020 年からの温
暖化対策の国際ルールを何という？

# 貿易

**199** ★★★ □□□
日本はじめ合計 12 か国で交渉を進め、2018 年 12　環太平洋パー
月 30 日に発効した経済連携協定を何という？　トナーシップ
　（TPP）協定

**200** ★★★ □□□
2 つ以上の国または地域の間で、自由貿易協定（FTA）　経済連携協定
による貿易の自由化に加え、人の移動や投資などの貿　（EPA）
易以外の分野を含めて締結する包括的な経済協定を
何という？

**201** ★★★

TPP協定交渉において日本政府が農作物重要5品目としたものは何？

米・麦・牛肉・豚肉・甘味資源作物（サトウキビなど）

**202** ★☆☆

国際旅行収支は大きな括りでは○○収支に入る。何収支か？

サービス収支

## エネルギー・資源

**203** ★★★

太陽光や風力、地熱といった地球資源の一部など自然界に常に存在するエネルギーのことを何という？

再生可能エネルギー

**204** ★☆☆

問題203のエネルギーを国で定める固定価格で、一定の期間電気事業者に調達を義務付ける制度を何という？

再生可能エネルギーの固定価格買取制度

**205** ★★★

白金族元素の1つで、水素を使う燃料電池自動車において、水素と酸素を化学反応させて電気を起こすときに触媒に利用される貴金属は何？

白金

**206** ★☆☆

白金族元素の1つで、自動車の排気ガス浄化用の触媒（三元触媒）に利用される貴金属は何？

パラジウム

## 金融・決済

**207** ★★★

バブル経済の崩壊によって回収不能となった融資は何と呼ばれた？

不良債権

**208** ★★☆

JR東日本が発行するICカード乗車券と電子マネー機能を備えたカードを何という？

Suica

**209** ★★☆ ································································ □□□

JR 西日本が発行する IC カード乗車券と電子マネー機能を備えたカードを何という？　　ICOCA

**210** ★★☆ ································································ □□□

JR 東海が発行する IC カード乗車券と電子マネー機能を備えたカードを何という？　　TOICA

**211** ★★☆ ································································ □□□

JR 九州が発行する IC カード乗車券と電子マネー機能を備えたカードを何という？　　SUGOCA

**212** ★★☆ ································································ □□□

JR 北海道が発行する IC カード乗車券と電子マネー機能を備えたカードを何という？　　Kitaca

第1章

第2章

第3章

一般常識

第4章

第5章

# ③ 政治

中学の「公民」の教科書や高校の「政治・経済」の参考書をやりなおしてみるのも有効です。

## 政治思想・歴史

**213** ★★☆ □□□
ジョン・ロックが名誉革命の正当性を主張して著（あらわ）した本を何という？ 　　『統治二論』

**214** ★★☆ □□□
モンテスキューが権力分立を主張して著した本を何という？ 　　『法の精神』

**215** ★★☆ □□□
ルソーが主権が人民のものであると主張して著した本を何という？ 　　『社会契約論』

**216** ★★☆ □□□
イギリスで1642年に起こった革命を何という？ 　　清教徒（せいきょうと）革命

**217** ★★☆ □□□
イギリスで1688年に起こった革命を何という？ 　　名誉革命

**218** ★★☆ □□□
アメリカが独立宣言を出したのは何年？ 　　1776年

**219** ★★☆ □□□
フランス革命が起きたのは何年？ 　　1789年

**220** ★★★ □□□
社会権を初めて規定した憲法を何という？ 　　ワイマール憲法

**221** ★★☆ □□□
大日本帝国憲法が制定されたのは何年？ 　　1889年

**222** ★★★ □□□
大日本帝国憲法は誰を主権者と定めている？ 　　天皇

# 憲法・人権

**223** ★★☆ ・・・・・・・・・・・・・・・・・・・・・・・・・・・・・・・・・・・・ □□□

現行の日本国憲法の公布日と施行日は？

公布日：1946年
11月3日、
施行日：1947年
5月3日

**224** ★★★ ・・・・・・・・・・・・・・・・・・・・・・・・・・・・・・・・・・・・ □□□

日本国憲法の三大原則は基本的人権の尊重とあと2つは？

国民主権と平和主義

**225** ★★★ ・・・・・・・・・・・・・・・・・・・・・・・・・・・・・・・・・・・・ □□□

国民の三大義務は、勤労の義務・納税の義務とあと1つは？

子どもに普通教育を受けさせる義務

**226** ★★★ ・・・・・・・・・・・・・・・・・・・・・・・・・・・・・・・・・・・・ □□□

平和主義に関するのは憲法第何条？

第9条

**227** ★★☆ ・・・・・・・・・・・・・・・・・・・・・・・・・・・・・・・・・・・・ □□□

警察予備隊が設置されたのは何年？

1950年

**228** ★★☆ ・・・・・・・・・・・・・・・・・・・・・・・・・・・・・・・・・・・・ □□□

日米安全保障条約が最初に結ばれたのは何年？

1951年

**229** ★★★ ・・・・・・・・・・・・・・・・・・・・・・・・・・・・・・・・・・・・ □□□

非核三原則とは何？

核兵器を持たず、作らず、持ち込ませずの原則

**230** ★★★ ・・・・・・・・・・・・・・・・・・・・・・・・・・・・・・・・・・・・ □□□

基本的人権のうち、個人が自分の意思で行動する権利は？

自由権

**231** ★★★ ・・・・・・・・・・・・・・・・・・・・・・・・・・・・・・・・・・・・ □□□

基本的人権のうち、人種や性別によって差別されない権利は？

平等権

| | |
|---|---|
| **232** ★★★ □□□ | |
| 基本的人権のうち、人間らしい生活をするために保障された権利は？ | 社会権 |
| **233** ★★★ □□□ | |
| 参政権や請求権は何のための権利？ | 基本的人権を守るための権利 |
| **234** ★★★ □□□ | |
| 人権と人権の対立を調整するための原理を何という？ | 公共の福祉 |
| **235** ★★★ □□□ | |
| 自由権のうち、思想や学問の自由などを何という？ | 精神の自由 |
| **236** ★★★ □□□ | |
| 自由権のうち、奴隷的束縛からの自由などを何という？ | 身体の自由 |
| **237** ★★★ □□□ | |
| 自由権のうち、職業選択の自由などを何という？ | 経済活動の自由 |
| **238** ★★★ □□□ | |
| すべての国民の平等を規定しているのは憲法第何条？ | 第14条 |
| **239** ★★☆ □□□ | |
| 1997年に成立したアイヌの人たちに関する法律は？ | アイヌ文化振興法 |
| **240** ★★★ □□□ | |
| 男女差別をなくす目的で1985年に制定された法律は？ | 男女雇用機会均等法 |
| **241** ★★★ □□□ | |
| 生存権や教育を受ける権利や勤労の権利などを何権という？ | 社会権 |
| **242** ★★★ □□□ | |
| 「健康で文化的な最低限度の生活」の権利をうたうのは第何条？ | 第25条 |

**243** ★★★ ☐☐☐
労働三法とは、労働基準法と労働組合法とあと１つは？

労働関係調整法

**244** ★★★ ☐☐☐
労働組合法で保障されているのは団結権、団体交渉権とあと１つは？

団体行動権
（争議権）

**245** ★★★ ☐☐☐
「国民一人ひとりがやりがいや充実感を持ちながら働き、仕事上の責任を果たすとともに、家庭や地域生活などにおいても、子育て期、中高年期といった人生の各段階に応じて多様な生き方が選択・実現できる」ことを何という？

ワーク・ライフ・バランス

**246** ★★☆ ☐☐☐
労働組合の組織形態の１つであり、資格や技能などの熟練を要する職業に従事する者を対象とする組合を何という？

職種別労働組合

**247** ★★★ ☐☐☐
労働基準法では、原則として、１日８時間、１週40時間までしか労働者を働かせることはできない。例外的に１日８時間・週40時間を超えて働かせる場合、使用者が刑事罰を受けなくて済むには何を締結しなければならない？

サブロク
36協定

**248** ★★★ ☐☐☐
デザイナーや編集者など専門性が高く時間管理が難しい業務について１日８時間の勤務時間上限が適用されないことがある。これを何という？

裁量労働制

**249** ★★☆ ☐☐☐
参政権には選挙権や被選挙権の他何がある？

憲法改正の国民投票や最高裁判所裁判官の国民審査など

第1章

第2章

第3章

一般常識

第4章

第5章

| 250 ★★☆ | □□□ |
| --- | --- |
| 請求権のうち、国の機関に要望をする権利を何という？ | 請願権 |

| 251 ★★☆ | □□□ |
| --- | --- |
| 請求権のうち、行政機関の不法行為に対して請求できるのは？ | 国家賠償 |

| 252 ★★☆ | □□□ |
| --- | --- |
| 刑事裁判で無罪になったときに請求できるのは？ | 刑事補償 |

| 253 ★★☆ | □□□ |
| --- | --- |
| 開発にあたって事前に環境への影響を調査することを何という？ | 環境アセスメント |

| 254 ★★★ | □□□ |
| --- | --- |
| 知る権利の保障のために、1999 年に制定された法律を何という？ | 情報公開法 |

| 255 ★★☆ | □□□ |
| --- | --- |
| 医療に関する情報を与えられたうえでの合意を何という？ | インフォームド・コンセント |

| 256 ★★★ | □□□ |
| --- | --- |
| 1948 年に国連の総会で採択された人権尊重のための宣言を何という？ | 世界人権宣言 |

| 257 ★★☆ | □□□ |
| --- | --- |
| 人権擁護のために、1966 年に拘束力を持つ条約として採択されたものを何という？ | 国際人権規約 |

| 258 ★★☆ | □□□ |
| --- | --- |
| 子どもの権利条約が採択されたのは何年？ | 1989 年 |

| 259 ★★★ | □□□ |
| --- | --- |
| 1999 年に施行された男女平等を目指す法律を何という？ | 男女共同参画社会基本法 |

| 260 ★★☆ | □□□ |
| --- | --- |
| 結婚しても以前の姓のままでいることを何という？ | 夫婦別姓 |

**261** ★★★　□□□

日本国憲法において憲法改正の手続きを規定しているのは第何条？

第 96 条

**262** ★★★　□□□

憲法改正を国会が発議するには各議院の総議員の何分の何以上の賛成が必要？

3 分の 2 以上

**263** ★★★　□□□

憲法改正を国会が発議した場合、国民に提案して承認を得なければならない。この承認には特別の国民投票または国会の定める選挙の際行われる投票においてどれだけの賛成が必要とされるか？

過半数

# 天皇

**264** ★★★　□□□

天皇を日本国の象徴と定めているのは憲法第何条？

第 1 条

**265** ★☆☆　□□□

日本国憲法では天皇の地位の根拠を何と述べている？

日本国民の総意に基づく

**266** ★★★　□□□

天皇が国会の召集などを行う行為を何という？

国事行為

**267** ★★☆　□□□

問題 266 を行うのに必要なことは？

内閣の助言と承認

**268** ★☆☆　□□□

2017 年 6 月 16 日に公布、2019 年 4 月 30 日に施行された、第125代天皇の退位などに関して皇室典範の特例を定めた法律を何という？

天皇の退位等に関する皇室典範特例法

**269** ★☆☆　□□□

第125代天皇の退位は天皇の終身在位を定めた明治以降で初めてで、1817 年に退位した天皇以来約200 年ぶりとなる。その天皇とは誰か？

光格天皇

**270** ★☆☆ □□□

天皇が位につかれたことを公に告げられる国事行為たる儀式で, 剣璽等承継の儀・即位後朝見の儀・即位礼正殿の儀・祝賀御列の儀・饗宴の儀から成るものを何という?

即位の礼

## 国会・内閣

**271** ★★☆ □□□

現在の選挙の原則として、普通選挙、平等選挙とあと2つは?

秘密選挙と直接選挙

**272** ★★★ □□□

1選挙区から1名を選ぶ制度は何と呼ばれる?

小選挙区制

**273** ★★★ □□□

政党名を書いて投票する制度は何と呼ばれる?

比例代表制

**274** ★★☆ □□□

国会が国権の最高機関であると定めているのは憲法第何条?

第41条

**275** ★★★ □□□

国会のうち毎年1月中に召集される国会は?

通常国会

**276** ★★☆ □□□

衆議院解散後に召集されて内閣総理大臣を指名する国会は?

特別国会

**277** ★★★ □□□

衆参いずれかの総員4分の1以上の要求があったときに召集される国会は?

臨時国会

**278** ★★☆ □□□

衆議院の解散中に必要に応じて開かれる国会は?

緊急集会

**279** ★★★ □□□

2023年6月時点における衆議院の定数は?

465名

**280** ★★★ □□□

そのうち、比例代表と小選挙区の議席数は?

比例代表が176、小選挙区が289

---

**281** ★★★ ⋯⋯⋯⋯⋯⋯⋯⋯⋯⋯⋯⋯⋯⋯⋯ □□□ ⋯⋯
衆議院議員の任期と被選挙権は？

任期は4年、被選挙権は25歳以上

**282** ★★★ ⋯⋯⋯⋯⋯⋯⋯⋯⋯⋯⋯⋯⋯⋯⋯ □□□ ⋯⋯
2023年6月時点における参議院の定数は？

248名

**283** ★★★ ⋯⋯⋯⋯⋯⋯⋯⋯⋯⋯⋯⋯⋯⋯⋯ □□□ ⋯⋯
そのうち、比例代表と都道府県ごとの選挙区の議席数は？

比例代表：100
選挙区：148

**284** ★★★ ⋯⋯⋯⋯⋯⋯⋯⋯⋯⋯⋯⋯⋯⋯⋯ □□□ ⋯⋯
参議院議員の任期と被選挙権は？

任期は6年、被選挙権は30歳以上

**285** ★★★ ⋯⋯⋯⋯⋯⋯⋯⋯⋯⋯⋯⋯⋯⋯⋯ □□□ ⋯⋯
衆議院と参議院で優越が認められているのはどっち？

衆議院

**286** ★★★ ⋯⋯⋯⋯⋯⋯⋯⋯⋯⋯⋯⋯⋯⋯⋯ □□□ ⋯⋯
参議院で否決された法案を衆議院で再可決する場合に必要な票は？

出席議員の3分の2以上

**287** ★★★ ⋯⋯⋯⋯⋯⋯⋯⋯⋯⋯⋯⋯⋯⋯⋯ □□□ ⋯⋯
衆議院で可決した予算案が参議院で否決されると、どうなる？

両院協議会が開かれ、意見が一致しなければ、衆議院の議決を国会の議決とする

**288** ★★★ ⋯⋯⋯⋯⋯⋯⋯⋯⋯⋯⋯⋯⋯⋯⋯ □□□ ⋯⋯
内閣不信任の議決が認められているのは衆参どっち？

衆議院

**289** ★★☆ ⋯⋯⋯⋯⋯⋯⋯⋯⋯⋯⋯⋯⋯⋯⋯ □□□ ⋯⋯
両院に対等な権限が認められているのは？

憲法改正の発議や国政調査権

第1章

第2章

第3章

一般常識

第4章

第5章

| 290 ★★★ | | □□□ |
|---|---|---|
| 内閣総理大臣を指名・任命するのは？ | 指名は国会、任命は天皇 | |

| 291 ★★★ | | □□□ |
|---|---|---|
| 国務大臣に含まれるべき国会議員の数は？ | 過半数 | |

| 292 ★★★ | | □□□ |
|---|---|---|
| 衆議院が内閣不信任案を議決した場合、内閣はどうする？ | 総辞職するか衆議院を解散する | |

| 293 ★★★ | | □□□ |
|---|---|---|
| 衆議院が解散された場合は、何日以内に総選挙を行う？ | 40日 | |

| 294 ★★★ | | □□□ |
|---|---|---|
| 特別国会が開かれるのは選挙日から何日以内？ | 30日 | |

| 295 ★☆☆ | | □□□ |
|---|---|---|
| 外国と締結した条約を国会で承認することを何という？ | 批准（ひじゅん） | |

| 296 ★☆☆ | | □□□ |
|---|---|---|
| 1889年に制定された衆議院議員選挙法で選挙権が与えられた対象は？ | 満25歳以上で直接国税15円以上納入の男子 | |

| 297 ★☆☆ | | □□□ |
|---|---|---|
| 男子の普通選挙制が成立したのは何年？ | 1925年 | |

| 298 ★★★ | | □□□ |
|---|---|---|
| 2018年の公職選挙法の改正で、政党が「優先的に当選人（とうせんにん）となるべき候補者」に順位をつけた比例代表名簿をあらかじめ作り、個人名の得票に関係なく、名簿順で当選が決まる仕組みが導入されたが何という？ | 特定枠 | |

| 299 ★☆☆ | | □□□ |
|---|---|---|
| 上記の仕組みに基づく候補は、選挙事務所を設けたり選挙カーを使ったりするなど個人としての選挙運動は認められるか否か？ | 認められない | |

**300** ★★☆ ・・・・・・・・・・・・・・・・・・・・・・・・・・・・・・・・・・・・・・・・・・・・・・・・・・・・・・・・・・・・・ □□□

従来の比例代表で、各党が獲得した議席の枠の中で、名簿内の候補者が得た個人名票の多い順に当選する仕組みを何という？

非拘束名簿式

**301** ★☆☆ ・・・・・・・・・・・・・・・・・・・・・・・・・・・・・・・・・・・・・・・・・・・・・・・・・・・・・・・・・・・・・ □□□

2016 年の参議院選挙から「鳥取県と島根県」と「徳島県と高知県」が、県を越えた 1 つの選挙区となった、これを何という？

合区(ごうく)

## 行政

**302** ★★★ ・・・・・・・・・・・・・・・・・・・・・・・・・・・・・・・・・・・・・・・・・・・・・・・・・・・・・・・・・・・・・ □□□

2023 年 6 月時点で府省庁はいくつ設けられている？

1 府 11 省 2 庁

**303** ★★☆ ・・・・・・・・・・・・・・・・・・・・・・・・・・・・・・・・・・・・・・・・・・・・・・・・・・・・・・・・・・・・・ □□□

そのうち、1 府は何？

内閣府

**304** ★★☆ ・・・・・・・・・・・・・・・・・・・・・・・・・・・・・・・・・・・・・・・・・・・・・・・・・・・・・・・・・・・・・ □□□

そのうち、2 庁は何？

復興庁、デジタル庁

**305** ★★★ ・・・・・・・・・・・・・・・・・・・・・・・・・・・・・・・・・・・・・・・・・・・・・・・・・・・・・・・・・・・・・ □□□

国民に 12 桁の個人番号を付与(ふよ)し、社会保障や納税等に関する情報を一元(いちげん)管理する共通番号制度で、2016 年 1 月から番号の利用が開始された制度を何という？

マイナンバー制度

## 司法

**306** ★★★ ・・・・・・・・・・・・・・・・・・・・・・・・・・・・・・・・・・・・・・・・・・・・・・・・・・・・・・・・・・・・・ □□□

高等裁判所は全国にいくつ設置されている？

8 つ

**307** ★☆☆ ・・・・・・・・・・・・・・・・・・・・・・・・・・・・・・・・・・・・・・・・・・・・・・・・・・・・・・・・・・・・・ □□□

高等裁判所が置かれている四国の都市は？

高松

**308** ★★★ ・・・・・・・・・・・・・・・・・・・・・・・・・・・・・・・・・・・・・・・・・・・・・・・・・・・・・・・・・・・・・ □□□

各都道府県に 1 つずつある裁判所は？

地方裁判所

| 309 ★★★ | | |
|---|---|---|
| 家庭内の争いや未成年者の事件を扱うのは？ | 家庭裁判所 | □□□ |

| 310 ★★★ | | |
|---|---|---|
| 軽微な事件を扱うのは？ | 簡易裁判所 | □□□ |

| 311 ★★★ | | |
|---|---|---|
| 最高裁判所長官の指名と任命は？ | 内閣が指名、<br>天皇が任命 | □□□ |

| 312 ★★☆ | | |
|---|---|---|
| 最高裁判所の長官以外の任命は？ | 内閣 | □□□ |

| 313 ★★★ | | |
|---|---|---|
| 第一審の判決に不服があって上級裁判所へ審議を求めることを何という？ | 控訴 | □□□ |

| 314 ★★★ | | |
|---|---|---|
| 第二審の判決に不服があって第三審へ審議を求めることを何という？ | 上告 | □□□ |

| 315 ★★★ | | |
|---|---|---|
| 法律や行政処分の違法性を審議する権限は？ | 違憲立法審査権 | □□□ |

| 316 ★★★ | | |
|---|---|---|
| 裁判所が国会や内閣から圧力や干渉を受けないことを何という？ | 司法権の独立 | □□□ |

| 317 ★★★ | | |
|---|---|---|
| 土地の所有権争いや金銭の貸し借りなどに関する裁判を何という？ | 民事裁判 | □□□ |

| 318 ★★★ | | |
|---|---|---|
| 犯罪を裁くための裁判を何という？ | 刑事裁判 | □□□ |

| 319 ★★★ | | |
|---|---|---|
| 地方公共団体と国民の間に起こった争いを扱う裁判を何という？ | 行政裁判 | □□□ |

| 320 ★★★ | | |
|---|---|---|
| 裁判所に訴えた人を何という？ | 原告 | □□□ |

| 321 ★★★ | | |
|---|---|---|
| 裁判所に訴えられた人を何という？ | 被告 | □□□ |

**322** ★★★ □□□
問題 320 や問題 321 を助けるため訴訟に関する行為やその他一般の法律事務を行う者を何という？ 弁護士

**323** ★★☆ □□□
現行犯以外の場合、逮捕を行うには何が必要？ 逮捕令状

**324** ★★★ □□□
警察から送致された被疑者を取り調べるのは？ 検察官

**325** ★★☆ □□□
被疑者に与えられた権利は弁護人を依頼する権利ともう 1 つは？ 黙秘権

**326** ★★★ □□□
刑事裁判の場合、原告は誰になる？ 検察官

# 地方自治

**327** ★★☆ □□□
都道府県知事の被選挙権の条件は？ 満 30 歳以上の日本国民

**328** ★★☆ □□□
都道府県議会議員の被選挙権の条件は？ 満 25 歳以上の日本国民で、当該自治体の選挙権があるもの

**329** ★★★ □□□
地方公共団体の歳入で最も大きな割合を占めるのは？ 地方税

**330** ★★★ □□□
地方公共団体の歳入で 2 番目に大きな割合を占めるのは？ 地方交付税交付金

**331** ★★★ □□□
地方公共団体の歳入で 3 番目に大きな割合を占めるのは？ 国庫支出金

**332** ★★☆ □□□

直接請求権で、条例の制定・改廃(かいはい)請求に必要な署名数は？

有権者の 50 分の 1 以上

**333** ★★☆ □□□

直接請求権で、首長や議員の解職請求に必要な署名数は？

有権者の 3 分の 1 以上

**334** ★★★ □□□

公共施設などの建設、維持管理、運営などを民間の資金と経営及び技術的能力を活用して行う新しい手法をアルファベット 3 文字で何という？

PFI（Private Finance Initiative）

**335** ★★☆ □□□

2003 年 9 月施行の地方自治法の一部改正によって、公の施設（スポーツ施設、都市公園、文化施設、社会福祉施設など）の管理方法が、管理委託制度から何制度に移行した？

指定管理者制度

# 国際社会

**336** ★★☆ □□□

日本が国際連合に加盟したのは何年？

1956 年

**337** ★★★ □□□

日中共同声明の調印(ちょういん)は何年？

1972 年

**338** ★★★ □□□

日中共同声明調印時の日本の首相は？

田中角栄(たなかかくえい)

**339** ★★☆ □□□

日中平和友好条約の調印は何年？

1978 年

**340** ★★☆ □□□

日中平和友好条約調印時の日本の首相は？

福田赳夫(ふくだたけお)

**341** ★★☆ □□□

2023 年 6 月末の時点における在日外国人数は？

307 万人

**342** ★★☆ □□□

2023 年 6 月末の時点における在日外国人の比率で 1 番目と 2 番目は？

[1位] 中国人
[2位] ベトナム人

**343** ★★★ ⋯⋯⋯⋯⋯⋯⋯⋯⋯⋯⋯⋯⋯⋯⋯⋯⋯⋯⋯⋯⋯⋯⋯⋯ □□□

発展途上国と先進国の経済格差を何という？　　南北問題

**344** ★☆☆ ⋯⋯⋯⋯⋯⋯⋯⋯⋯⋯⋯⋯⋯⋯⋯⋯⋯⋯⋯⋯⋯⋯⋯⋯ □□□

発展途上国の間で経済力の格差から起こる問題を何　南南問題
という？

**345** ★★★ ⋯⋯⋯⋯⋯⋯⋯⋯⋯⋯⋯⋯⋯⋯⋯⋯⋯⋯⋯⋯⋯⋯⋯⋯ □□□

国連の機関で子どもたちの援助を行っているのは？　ユニセフ
　　　　　　　　　　　　　　　　　　　　　　　（UNICEF）

**346** ★★★ ⋯⋯⋯⋯⋯⋯⋯⋯⋯⋯⋯⋯⋯⋯⋯⋯⋯⋯⋯⋯⋯⋯⋯⋯ □□□

発展途上国などに対する政府開発援助を何という？　ODA

**347** ★★★ ⋯⋯⋯⋯⋯⋯⋯⋯⋯⋯⋯⋯⋯⋯⋯⋯⋯⋯⋯⋯⋯⋯⋯⋯ □□□

2016 年の日本の 2 国間政府開発援助の最大供与相　インド
手国は？

**348** ★★☆ ⋯⋯⋯⋯⋯⋯⋯⋯⋯⋯⋯⋯⋯⋯⋯⋯⋯⋯⋯⋯⋯⋯⋯⋯ □□□

国際援助、環境問題、人権問題などについて国境を　NGO
越えて活動している非政府組織をアルファベット 3 文
字で何という？

**349** ★★☆ ⋯⋯⋯⋯⋯⋯⋯⋯⋯⋯⋯⋯⋯⋯⋯⋯⋯⋯⋯⋯⋯⋯⋯⋯ □□□

営利を目的とせず、政府からも自立して、福祉・まち　NPO
づくり・環境保全・国際交流・災害救援などのさまざ
まな社会貢献活動を行う民間組織の総称をアルファ
ベット 3 文字で何という？

**350** ★★☆ ⋯⋯⋯⋯⋯⋯⋯⋯⋯⋯⋯⋯⋯⋯⋯⋯⋯⋯⋯⋯⋯⋯⋯⋯ □□□

国際協力機構を英語の頭文字で何という？　　　　　JICA

**351** ★★☆ ⋯⋯⋯⋯⋯⋯⋯⋯⋯⋯⋯⋯⋯⋯⋯⋯⋯⋯⋯⋯⋯⋯⋯⋯ □□□

青年海外協力隊を英語の頭文字で何という？　　　　JOCV

**352** ★★☆ ⋯⋯⋯⋯⋯⋯⋯⋯⋯⋯⋯⋯⋯⋯⋯⋯⋯⋯⋯⋯⋯⋯⋯⋯ □□□

国家主権が及ぶ範囲はどこか？　　　　　　　　　　領土、領海、領空

**353** ★★★ ⋯⋯⋯⋯⋯⋯⋯⋯⋯⋯⋯⋯⋯⋯⋯⋯⋯⋯⋯⋯⋯⋯⋯⋯ □□□

問題 352 は沿岸から何海里までか？　　　　　　　　12 海里

第1章
第2章
第3章
一般常識
第4章
第5章

| 354 ★★★ □□□ | |
|---|---|
| 沿岸から 200 海里の範囲を何と呼ぶか？ | 排他的経済水域 |

| 355 ★★★ □□□ | |
|---|---|
| 国連の本部はどこにあるか？ | ニューヨーク |

| 356 ★★★ □□□ | |
|---|---|
| 国際法についての紛争を裁くのはどこか？ | 国際司法裁判所 |

| 357 ★★☆ □□□ | |
|---|---|
| 非自治地域などの自立や安全を図るのはどこか？ | 信託統治理事会 |

| 358 ★★★ □□□ | |
|---|---|
| 国連安全保障理事会の常任理事国は？ | アメリカ イギリス フランス ロシア 中国 |

| 359 ★★★ □□□ | |
|---|---|
| 常任理事国のうち 1 国でも反対があれば議決できない権利を何という？ | 拒否権 |

| 360 ★★★ □□□ | |
|---|---|
| 紛争の拡大防止などのために国連が軍を派遣する活動は？ | 平和維持活動 |

| 361 ★★★ □□□ | |
|---|---|
| 1989 年に創設され、アジア太平洋地域の経済発展を目指して、貿易・投資の自由化、円滑化、技術協力を中心に活動してきた枠組みを英語の頭文字で何という？ | APEC (Asia Pacific Economic Cooperation) |

| 362 ★☆☆ □□□ | |
|---|---|
| 問題 361 の正式名称は？ | アジア太平洋経済協力 |

| 363 ★☆☆ □□□ | |
|---|---|
| 安全保障、経済、環境など共通の問題を抱える地域などがまとまって、国際的な協力関係を築くことを何という？ | 地域主義（リージョナリズム） |

**364** ★★★ ················································ □□□
1993 年のマーストリヒト条約により生まれた国際機構を英語の頭文字で何という？

**EU**
**(European**
**Union)**

**365** ★★☆ ················································ □□□
2016 年 6 月に、EU 残留の是非について、イギリスで行われた国民投票の結果、過半数が離脱を支持し、同国の政権が 2017 年 3 月、EU に対して正式に離脱意思を通告したことを何という？

**ブレグジット**
**(Brexit)**

**366** ★★★ ················································ □□□
1967 年にインドネシア、シンガポール、タイ、フィリピン、マレーシアの 5 か国によって結成された諸国連合を英語の頭文字で何というか？

**ASEAN**
**(Association**
**of South-east**
**Asian Nations)**

**367** ★★★ ················································ □□□
問題 366 の加盟国が域内の人、もの、サービスの自由化を進める地域経済圏で 2015 年 12 月に発足したものを何という？

**ASEAN 経済共**
**同体**

**368** ★★☆ ················································ □□□
アメリカ、カナダ、メキシコ 3 か国間で結ばれた自由貿易協定を英語の頭文字で何という？

**NAFTA（North**
**American**
**Free Trade**
**Agreement）**

> **解説** 2020 年 7 月の USMCA 発効により効力を失った。

**369** ★★★ ················································ □□□
内閣総理大臣を中心に、外交・安全保障に関する問題を日常的に審議する場として、2013 年に安全保障会議の機能を強化して創設された機関を何という？

**国家安全保障会**
**議（日本版 NSC）**

第1章
第2章
第3章
一般常識
第4章
第5章

# 4 文化

「世界遺産」「文化遺産」はガイドをする際にも最重要知識です。最新ニュースも押さえ、万全な対策で本番にのぞみましょう。

## 世界遺産

370 ★★☆ □□□

世界最古の木造建築で、1993年に世界文化遺産に登録されたのは？

法隆寺地域の仏教建造物

371 ★★☆ □□□

木造建物を配し、石造の城壁と白色の土塀をめぐらせる日本独特の城郭で、1993年に世界文化遺産に登録されたのは？

姫路城

372 ★★☆ □□□

794年から1868年にかけて天皇が居所を置いた日本の首都であり、武家政権が政治の中心を鎌倉と江戸に移した時期以外、文化・経済・政治の中心として繁栄した都市で、1994年に世界文化遺産に登録されたのは？

古都京都の文化財

373 ★★☆ □□□

茅葺きの合掌造りの大型の木造民家群から構成される集落で、1995年に世界文化遺産に登録されたのは？

白川郷・五箇山の合掌造り集落

374 ★★☆ □□□

1915年4月に建設された広島県物産陳列館で、原爆の爆心地から北西約160mの至近距離にあり、熱線と爆風を浴びて大破・全焼した建物で、1996年に世界文化遺産に登録されたのは？

原爆ドーム

**375** ★★☆ ────────────☐☐☐
瀬戸内海の島を背後に、その入江の海の中に木造建物が建ち並ぶ神社で、1996年に世界文化遺産に登録されたのは？

厳島神社

**376** ★★☆ ────────────☐☐☐
710年から794年までの時期、日本の首都であり、政治・経済・文化の中心として栄えた都市で、1998年に世界文化遺産に登録されたのは？

古都奈良の文化財

**377** ★★☆ ────────────☐☐☐
徳川初代将軍家康の霊廟が置かれ、徳川幕府の聖地となった地で、1999年に世界文化遺産に登録されたのは？

日光の社寺

**378** ★★☆ ────────────☐☐☐
中国・朝鮮・日本・東南アジア諸国との広域の交易を経済的な基盤とした王国の城郭遺跡で、国際色豊かな独特の文化の特色を如実に反映していることから、2000年に世界文化遺産に登録されたのは？

琉球王国のグスク及び関連遺産群

**379** ★★☆ ────────────☐☐☐
太古の昔から自然信仰の精神を育んだ地であり、また、6世紀に仏教が伝来して以降、真言密教をはじめとする山岳修行の場となった聖地で、2004年に世界文化遺産に登録されたのは？

紀伊山地の霊場と参詣道

**380** ★★☆ ────────────☐☐☐
島根県のほぼ中央に位置し、銀の採掘・精錬から運搬・積み出しに至る鉱山開発の総体を表す「銀鉱山跡と鉱山町」「港と港町」、及びこれらをつなぐ「街道」から成っている文化遺産で、2007年に世界文化遺産に登録されたのは？

石見銀山遺跡とその文化的景観

**381** ★★☆ □□□

11世紀〜12世紀の日本列島北部領域における、仏教に基づく理想世界の実現を目指して造営された政治・行政上の拠点で、2011年に世界文化遺産に登録されたのは？

平泉―仏国土（浄土）を表す建築・庭園及び考古学的遺跡群―

**382** ★★☆ □□□

霊山（れいざん）として多くの人々に畏敬され、平安時代から中世にかけては修験（しゅげん）の道場として繁栄した、標高3,776mの円錐成層火山（えんすいせいそうかざん）で、2013年に世界文化遺産に登録されたのは？

富士山―信仰の対象と芸術の源泉―

**383** ★★☆ □□□

19世紀後半から20世紀にかけて、高品質な生糸の大量生産の実現に貢献した技術交流と技術革新を示す集合体である文化遺産で、2014年に世界文化遺産に登録されたのは？

富岡製糸場と絹産業遺産群

**384** ★★☆ □□□

造船、製鉄・製鋼、石炭と重工業分野において、1850年代から1910年の半世紀で西洋の技術が移転され、実践と応用を経て産業システムとして構築される産業国家形成への道程を時系列に沿って証言している文化遺産で、2015年に世界文化遺産に登録されたのは？

明治日本の産業革命遺産
製鉄・製鋼、造船、石炭産業

**385** ★★☆ □□□

パリを拠点に活躍した建築家・都市計画家の作品の中から選ばれた三大陸7か国（フランス・日本・ドイツ・スイス・ベルギー・アルゼンチン・インド）に所在する17資産で構成される文化遺産で、2016年世界文化遺産に登録されたのは？

ル・コルビュジエの建築作品―近代建築運動への顕著な貢献―

252

**386** ★★☆  □□□

「神宿る島」と呼ばれる島を崇拝する文化的伝統が、古代東アジアにおける活発な対外交流が進んだ時期に発展し、海上の安全を願う生きた伝統と明白に関連し、今日まで継承されてきたことを物語る稀有な物証とされる文化遺産で、2017年に世界文化遺産に登録されたのは？

「神宿る島」宗像・沖ノ島と関連遺産群

**387** ★★☆  □□□

禁教時代の長崎と天草地方において、既存の社会・宗教とも共生しつつ信仰を密かに継続した信者の伝統を物語る稀有な物証とされる文化遺産で、2018年に世界文化遺産に登録されたのは？

長崎と天草地方の潜伏キリシタン関連遺産

**388** ★★☆  □□□

4世紀後半～6世紀前半に営まれた古墳群で、日本最大の面積・規模の古墳を含むとともに、日本に古代国家が形成される過程を表す巨大記念工作物とされる文化遺産で、2019年に世界文化遺産に登録されたのは？

百舌鳥・古市古墳群―古代日本の墳墓群―

**389** ★☆☆  □□□

世界遺産暫定一覧表記載文化遺産で、武家政権が約150年にわたってこの都市から全国を支配し、政治・経済・文化の中心で、武家文化を偲ばせる文化遺産をまとまって残す地域とされているのは？

古都鎌倉の寺院・神社ほか

**390** ★☆☆  □□□

世界遺産暫定一覧表記載文化遺産で、17世紀初頭の城郭建築最盛期の遺産であり、防御的部分や城主の居室部分を含めて城郭の全体像を最もよく残しているのは？

彦根城

**391** ★☆☆ ·········································· □□□

世界遺産暫定一覧表記載文化遺産で、推古天皇が即位してから、710年に平城京へ遷都するまでの間に営まれた宮都の関連遺跡群及び周辺の文化的景観から成っているものは何？

飛鳥・藤原の宮都とその関連資産群

**392** ★☆☆ ·········································· □□□

世界遺産暫定一覧表記載文化遺産で、中心区域には既に世界遺産一覧表に記載された考古学的遺跡群が含まれるほか、政治・行政権力の中枢である御所（居館）の考古学的遺跡、また「浄土世界」の理念の基層を成した在来の仏教思想に基づく寺院跡等全体として「浄土世界」を表す独特の配置・構造を示しているものは何？

平泉—仏国土（浄土）を表す建築庭園及び考古学的遺跡群—（拡張）

**393** ★☆☆ ·········································· □□□

世界遺産暫定一覧表記載文化遺産で、400年以上にわたって絶え間なく国内外の金・銀の採掘技術・手法を導入し、発展させることにより、一連の鉱山技術・鉱山経営手法に基づく文化的伝統が形成されているものは何か？

金を中心とする佐渡鉱山の遺産群

**394** ★★☆ ·········································· □□□

日本列島の南の島で、標高約2,000mの山岳を有することから、1つの島の中で南北に長い日本の自然植生を見ることができるところで、1993年に世界自然遺産に登録されたのは？

屋久島

**395** ★★☆ ·········································· □□□

東アジア最大の原生的なブナ林で、世界の他の地域のブナ林よりも多様性に富んでいる山地で、1993年に世界自然遺産に登録されたのは？

白神山地

**396** ★★☆ ··········································· □□□

海氷の影響を受けた海と陸の生態系の豊かなつながりを見ることができる地域で、さらに動植物ともに北方系と南方系の種が混在することによって、多くの希少種や固有種を含む幅広い生物種が生息・生育する重要な地域でもある、2005 年に世界自然遺産に登録された場所は？

知床（しれとこ）

**397** ★★☆ ··········································· □□□

海洋島（一度も大陸と陸続きになったことがない島）の著しく高い固有種率と現在進行形の生物進化を見ることができるところで、2011 年に世界自然遺産に登録されたのは？

小笠原諸島

## 文化遺産

**398** ★★☆ ··········································· □□□

2008 年にユネスコの無形文化遺産に登録されたもの 3 つを挙げよ。

能楽（のうがく）、人形浄瑠璃（にんぎょうじょうるり）文楽（ぶんらく）、歌舞伎（かぶき）

**399** ★★☆ ··········································· □□□

2009 年にユネスコの無形文化遺産に登録された、新潟県の麻（あさ）織（おり）物（もの）は？

小千谷縮（おぢやちぢみ）・越後（えちご）上布（じょうふ）

**400** ★☆☆ ··········································· □□□

2009 年にユネスコの無形文化遺産に登録された、石川県の稲の生育と豊作を約束してくれる田の神を祀（まつ）る儀礼は？

奥能登（おくのと）のあえのこと

**401** ★☆☆ ··········································· □□□

2009 年にユネスコの無形文化遺産に登録された、岩手県の花（はな）巻（まき）市大（おお）迫（はさ）町（まま ち）の大（おお）償（つぐない）・岳（たけ）の 2 地区に伝承される神楽は？

早池峰神楽（はやちねかぐら）

第1章
第2章
第3章
一般常識
第4章
第5章

**402** ★☆☆ ････････････････････････････････････ □□□

2009 年にユネスコの無形文化遺産に登録された、宮城県の年の初めに稲の豊作をあらかじめ祝うことによってその年の豊作を願う芸能は？

秋保の田植踊
<sub>あきう　た　うえおどり</sub>

**403** ★☆☆ ････････････････････････････････････ □□□

2009 年にユネスコの無形文化遺産に登録された、神奈川県の「左義長の舞」、「初瀬踊」ともいわれる小正月の芸能は？
<sub>さ　ぎ ちょう　　　　　　　　はつせ</sub>

チャッキラコ

> **解説** これを拡張する形で、国指定重要無形民俗文化財に登録されている 41 件が「風流踊」としてユネスコ無形文化遺産に 2022 年 11 月登録。
> <sub>りゅうおどり　　　　　ふ</sub>

**404** ★☆☆ ････････････････････････････････････ □□□

2009 年にユネスコの無形文化遺産に登録された、秋田県の八幡平の大日堂で正月 2 日に演じられる芸能は？
<sub>はちまんたい</sub>

大日堂舞楽
<sub>だい にち どう ぶ がく</sub>

**405** ★☆☆ ････････････････････････････････････ □□□

2009 年にユネスコの無形文化遺産に登録された、奈良県東北部の上深川の八柱神社の秋祭りにおいて、数え 17 歳の青年たちを中心に演じられる語り物芸は？
<sub>かみ ふ かわ　　や はしら</sub>

題目立
<sub>だい もく たて</sub>

**406** ★☆☆ ････････････････････････････････････ □□□

2009 年にユネスコの無形文化遺産に登録された、北海道に居住しているアイヌの人々によって伝承されている歌と踊りで、アイヌの主要な祭りや家庭での行事などで踊られるものは？

アイヌ古式舞踊

**407** ★☆☆ ････････････････････････････････････ □□□

2010 年にユネスコの無形文化遺産に登録された、沖縄県のせりふと伝統的な音楽と舞踊、舞踊を基礎とした所作で展開される歌舞劇は？

組踊
<sub>くみ おどり</sub>

**408** ★★☆ ················································· □□□

2010 年にユネスコの無形文化遺産に登録された、茨城県結城市、栃木県小山市（旧絹村）を中心として製織されてきた絹織物は？

**結城紬**

**409** ★☆☆ ················································· □□□

2011 年にユネスコの無形文化遺産に登録された、広島県の市街地に程近い田を会場に、毎年 6 月、代掻き、苗取り、田植えなどを行って、その年の稲作の無事と豊作を祈願する行事は何？

**壬生の花田植**

**410** ★☆☆ ················································· □□□

2011 年にユネスコの無形文化遺産に登録された、島根県八束郡（現・松江市）鹿島町の佐太神社の御座替祭に演じられるもので、七座神事の舞と式三番神能とで構成されるものは？

**佐陀神能**

**411** ★☆☆ ················································· □□□

2012 年にユネスコの無形文化遺産に登録された、和歌山県東牟婁郡那智勝浦町の熊野那智大社の扇祭り（扇会式あるいは火祭）で行われる芸能は？

**那智の田楽**

**412** ★★☆ ················································· □□□

2013 年にユネスコの無形文化遺産に登録された、「自然を尊ぶ」という日本人の気質に基づいた「食」に関する「習わし」は？

**和食：日本人の伝統的な食文化**

**413** ★★☆ ················································· □□□

2014 年にユネスコの無形文化遺産に登録された、原料に「楮」のみを用いるなど、伝統的な製法による伝統工芸技術は？

**和紙：日本の手漉和紙技術**

> 解説 石州半紙を拡張する形で、本美濃紙と細川紙を加えて 2020 年 8 月に拡張登録。

第1章
第2章
第3章
一般常識
第4章
第5章

**414** ★★☆ ・・・・・・・・・・・・・・・・・・・・・・・・・・・・・・・・ □□□

2016年にユネスコの無形文化遺産に登録された、地域社会の安泰や災厄防除を願い、地域の人々が一体となり執り行う山車の巡行を中心とした祭礼行事は？

山・鉾・屋台行事

**415** ★★☆ ・・・・・・・・・・・・・・・・・・・・・・・・・・・・・・・・ □□□

2017年にユネスコの無形文化遺産に登録された、仮面・仮装の異形の姿をしたものが正月などに家々を訪れ、怠け者を戒めたり、人々に幸や福をもたらしたりする年中行事は？

来訪神：仮面・仮装の神々

**416** ★☆☆ ・・・・・・・・・・・・・・・・・・・・・・・・・・・・・・・・ □□□

2020年にユネスコの無形文化遺産に登録された、自然素材を建築空間に生かす知恵と建築遺産とともに古代から途絶えることなく伝統を受け継ぎながら、工夫を重ねて発展してきた伝統建築技術を何という？

伝統建築工匠の技：木造建造物を受け継ぐための伝統技術

## 文化遺産

**417** ★★☆ ・・・・・・・・・・・・・・・・・・・・・・・・・・・・・・・・ □□□

1975年の文化財保護法の改正によって、市町村が決定し、保存が図られている全国各地に残る歴史的な集落・町並みは？

重要伝統的建造物群保存地区

**418** ★★☆ ・・・・・・・・・・・・・・・・・・・・・・・・・・・・・・・・ □□□

「地域における人々の生活又は生業及び当該地域の風土により形成された景観地で我が国民の生活又は生業の理解のため欠くことのできないもの」（文化財保護法第2条第1項第5号）で、都道府県などの地方自治体の申出に基づき、国が基準に照らして、重要と選定した地域は？

重要文化的景観

**419** ★★☆ ・・・・・・・・・・・・・・・・・・・・・・・・・・・・・・・・ □□□

日本の産業近代化の過程を物語る建築物・機械・文書を、2007～2008年度にかけて経済産業省が地域活性化の一助とすべく大臣認定したものは？

近代化産業遺産

**420** ★★☆ □□□
文化庁が定義している文化遺産保護制度上の概念の一つで、幕末から第二次世界大戦期までの間に建設され、日本の近代化に貢献した産業・交通・土木に係る建造物は？

近代化遺産

**421** ★★☆ □□□
地域の歴史的魅力や特色を通じて日本の文化・伝統を語るストーリーとして文化庁が認定するものは？

日本遺産（Japan Heritage）

**422** ★☆☆ □□□
2019年5月に認定された日本遺産「江戸時代の情緒に触れる絞りの産地」で製造される藍染は？

有松絞

**423** ★☆☆ □□□
2019年5月に認定された日本遺産「1300年つづく日本の終活の旅」の巡礼は？

西国三十三所観音巡礼

**424** ★☆☆ □□□
2019年5月に認定された日本遺産「薩摩の武士が生きた町」であり、江戸時代における薩摩藩の地方支配の中心地は？

麓

# 美術

**425** ★☆☆ □□□
美術工芸品のうち、彫刻で国宝に指定されているのは何件？

140件（2024年4月時点）

**426** ★★☆ □□□
国宝に指定された彫刻作品が最も多い県は？

奈良県（76件 2024年4月時点）

**427** ★★☆ □□□
国宝に指定された彫刻作品が2番目に多い県は？

京都府（41件 2024年4月時点）

# 公園・史跡

**428** ★★☆ ☐☐☐

原爆死没者慰霊碑（広島平和都市記念碑）がある公園の名前は？

広島平和記念公園

**429** ★★☆ ☐☐☐

長崎県にある平和祈念像がある公園の名前は？

平和公園

**430** ★★☆ ☐☐☐

沖縄県にある平和の礎がある公園の名前は？

平和祈念公園

**431** ★★☆ ☐☐☐

国宝5城の1つで、木曽川を押さえる、軍事上・経済上・交通上の重要拠点とされ、李白の詩にちなんで、「白帝城」とも呼ばれている城は？

犬山城

**432** ★★☆ ☐☐☐

国宝5城の1つで、もともとは深志城と呼ばれていた。石川数正が天守を築き、珍しい連結複合式天守をもつ城は？

松本城

**433** ★★☆ ☐☐☐

国宝5城の1つで、堀尾吉晴が築いた高さ30m、5層6階の桃山様式の天守を持つ城は？

松江城

**434** ★☆☆ ☐☐☐

津軽氏の居城で、1810年に隅櫓改築を理由に再建された独立式層塔型3層3階の天守を持つ城は？

弘前城

**435** ★☆☆ ☐☐☐

柴田勝家の甥である勝豊によって築かれた連郭式平山城で、江戸時代以前に建造された独立式望楼型2重3階の天守を持つ城は？

丸岡城

**436** ★☆☆ ☐☐☐

加藤嘉明が1602年に築城開始した連郭式平山城で、江戸時代以前に建設された連立式層塔型3重3階地下1階の天守を持つ城は？

松山城

# 祭礼

**437** ★★☆ ·········· □□□

京都三大祭りの1つである、勅使が賀茂御祖神社（下鴨神社）及び賀茂別雷神社（上賀茂神社）に奉幣する祭りは？

**葵祭**

**438** ★★☆ ·········· □□□

京都三大祭りの1つである八坂神社の例祭で、7月1日の吉符入から31日の境内社疫神社の夏越祓まで1か月にわたる大祭であり、17日の33基の山鉾巡行で知られる祭りは？

**祇園祭**

**439** ★★☆ ·········· □□□

京都三大祭りの1つである平安神宮の例祭で、毎年10月22日に行われる。厳密な時代考証を施した装束や調度を見せる時代行列が伴う祭りは？

**時代祭**

**440** ★★☆ ·········· □□□

江戸時代に領主が武士や領民の融和を図るために、村々の盆踊りを城下に集め、盆の4日間は身分の隔てなく無礼講を奨励したのが始まりとされる岐阜県郡上市の踊りは？

**郡上おどり**

**441** ★★☆ ·········· □□□

徳島県徳島市周辺で行われる盆踊りで連と呼ばれるチームで三味線や太鼓の囃子に乗って踊り歩くものは？

**阿波おどり**

**442** ★☆☆ ·········· □□□

高知県高知市で毎年8月9〜12日に行われる市民の祭りで、参加団体が、鳴子を打ち鳴らしながら踊りを披露するものは？

**高知よさこい祭り**

**443** ★☆☆ ·········· □□□

富山県富山市南西部の八尾で行われる祭りで、風の害にあわず豊作となることを祈る行事は？

**おわら風の盆**

**444** ★★☆ ·························································· □□□

青森市内の目抜き通りで行われる夏祭りで、大型の張りぼて人形を乗せた山車と、周りで踊る「はねと」の大集団が有名なのは？

ねぶた祭

**445** ★☆☆ ·························································· □□□

山形県山形市の中心街で毎年8月5〜7日に行われる市民の祭りで、東北四大祭りの1つに数えられているものは？

山形花笠まつり

**446** ★★☆ ·························································· □□□

毎年8月上旬に秋田市で行われる、竹を組んで提灯を吊るしたものを用いた祭りは？

秋田竿燈まつり

**447** ★★☆ ·························································· □□□

毎年8月6日から3日間、仙台市の中心街で行われる夏祭りで、七夕飾りが飾られる。問題444と問題446とともに、東北の三大祭りに数えられるものは？

仙台七夕まつり

**448** ★☆☆ ·························································· □□□

沖縄本島の盆踊りで、三味線弾きや太鼓打ちを中心に男女が交ざって踊り、行列が辻々や各家を巡るものは？

エイサー

**449** ★★☆ ·························································· □□□

大阪府や兵庫県南東部、奈良県などで行われる、祭屋台を用いる祭りで、秋祭りとして行われることが多いものは？

だんじり祭

**450** ★★☆ ·························································· □□□

福岡県福岡市で毎年5月3、4日に行われている市民の祭りで、「休日」の意味のオランダ語 zondag に由来するともいわれるものは？

博多どんたく

**451** ★☆☆ ·························································· □□□

西条八十作詞、中山晋平作曲の昭和初期の流行歌で、『丸の内音頭』改作したのは？

東京音頭

**452** ★☆☆ ･････････････････････････････ □□□
福岡県の筑豊・三池炭坑地帯の民謡で、選炭仕事の
ときに歌っていたものは？ 　　　　　　　　　炭坑節

## 建築

**453** ★★☆ ･････････････････････････････ □□□
水の教会、光の教会、セビリア万国博覧会日本政府
館、サントリーミュージアム天保山（現・大阪文化館・
天保山）、直島の地中美術館などを設計した、自然と
建築の調和を追求する作風で知られる建築家は？ 　安藤忠雄

**454** ★★☆ ･････････････････････････････ □□□
現歌舞伎座、根津美術館、浅草文化観光センター、高
輪ゲートウェイ駅を設計した、「負ける建築」というス
タイルを貫く建築家は？ 　　　　　　　　　　　隈研吾

**455** ★★☆ ･････････････････････････････ □□□
多摩美術大学図書館、信毎メディアガーデンを設計
した、「風」をメタファーとして、「情報化社会の建築化」
を試みている建築家は？ 　　　　　　　　　伊東豊雄

**456** ★★☆ ･････････････････････････････ □□□
京都国立近代美術館、幕張メッセなどを設計した、メ
タボリズム運動を展開するなど日本の建築界をリード
した建築家は？ 　　　　　　　　　　　　　槇文彦

**457** ★★☆ ･････････････････････････････ □□□
東京文化会館、新宿紀伊國屋ビル、神奈川県立音楽
堂などを設計した、問題 460 の建築家のもとで学ん
だ建築家は？ 　　　　　　　　　　　　　前川國男

**458** ★★☆ ･････････････････････････････ □□□
東宮御所、東京国立近代美術館などを設計し、日本
の伝統的な様式を継承し、また、明治村の設立にも
尽力した建築家は？ 　　　　　　　　　　谷口吉郎

**459** ★★☆

広島平和記念公園と広島平和記念資料館、旧東京都庁舎、香川県庁舎、東京カテドラル聖マリア大聖堂、1964年の東京オリンピック競技大会時に建てた国立代々木競技場の体育館などを設計し、第二次世界大戦後の日本建築界の代表者の1人である建築家は？

丹下健三

**460** ★★☆

国立西洋美術館の建物を基本設計した建築家は？

ル・コルビュジエ
(Le Corbusier)

**461** ★★☆

正面玄関部が博物館明治村に移築されている旧帝国ホテルの建物を設計した建築家は？

フランク・ロイド・ライト
(Frank Lloyd Wright)

**462** ★★☆

ドイツの建築家で、バルセロナ万博ドイツ館、ニューヨークのシーグラムビルなどを設計し、1937年に渡米し、ガラスと鋼材による高層建築を提唱した建築家は？

ルートヴィヒ・ミース・ファン・デル・ローエ
(Ludwig Mies van der Rohe)

**463** ★☆☆

問題462の人物が最後の校長を務めた、1919年、グロピウスによってワイマールに創立された、近代建築・デザインの確立に大きな足跡を残した総合造形学校は？

バウハウス
(Bauhaus)

# 宗教

**464** ★★☆

空海が説いた「現世に生きながら仏になることができる」という教えは？

即身成仏

**465** ★★☆ □□□
不動明王や愛染明王などを本尊とし、火炉のある壇を設け、護摩を焚いて、災いを除き、幸福を得られるように祈願する密教の儀式は？

護摩祈祷

**466** ★★☆ □□□
寺社の本堂・本殿などの奥にあり、開山祖師の像や霊などを祀った所は？

奥の院

**467** ★★☆ □□□
他寺の僧や参詣人が泊まる、寺の宿舎は？

宿坊

**468** ★★☆ □□□
神社などにおいて、周期ごとに新たな社殿に神体を移すことを何という？

式年遷宮

**469** ☆☆☆ □□□
神霊が一定の場所にしずまっていることを何という？

鎮座

**470** ★★☆ □□□
菅原道真の神霊を祀った神社は？

天満宮

**471** ★★☆ □□□
五穀豊穣、衣食住守護を司る祭神を祀り、皇大神宮（内宮）とともに伊勢神宮と総称される神社は？

豊受大神宮

**472** ★★☆ □□□
熊野三山と総称される、それぞれの神社の名称は？

熊野本宮大社（本宮）

熊野速玉大社（新宮）

熊野那智大社（那智）

**473** ★☆☆ □□□
寺院伝来の仏像としては都内唯一にして、東日本最古の国宝（2017年指定）、銅造釈迦如来倚像を安置する寺院を何という？

深大寺

## スポーツ

**474** ★☆☆ ⚪⚪⚪
オリンピックで日本史上初めてメダルを獲得した選手は？

熊谷一弥（くまがいいちや）

**475** ★☆☆ ⚪⚪⚪
問題 474 の選手のメダル獲得競技は何？

テニス

**476** ★★☆ ⚪⚪⚪
オリンピックで日本史上初めて金メダルを獲得した選手は？

織田幹雄（おだみきお）

**477** ★★☆ ⚪⚪⚪
問題 476 の選手のメダル獲得競技は？

三段跳び

**478** ★☆☆ ⚪⚪⚪
オリンピック女子で日本史上初めてメダルを獲得した選手は？

人見絹枝（ひとみきぬえ）

**479** ★☆☆ ⚪⚪⚪
問題 478 の選手のメダル獲得競技は？

陸上 800m 競走

**480** ★★☆ ⚪⚪⚪
オリンピック女子で日本史上初めて金メダルを獲得した選手は？

前畑秀子（まえはたひでこ）

**481** ★★☆ ⚪⚪⚪
問題 480 の選手のメダル獲得競技は？

競泳女子 200m
平泳ぎ

**482** ★☆☆ ⚪⚪⚪
2018 年 2 月 4 〜 20 日に行われた第 24 回冬季五輪北京大会で、日本のメダル獲得数は 2018 年平昌〈ピョンチャン〉大会の計 13 個を上回り、冬季で過去最多を記録した。そのメダル獲得数は？

18 個
（金 3、銀 6、銅 9）

**483** ★★★ ⚪⚪⚪
近代オリンピックの創始者として知られるフランスの教育家は？

クーベルタン男爵（だんしゃく）

**484** ★★★ ☐☐☐
オリンピック招致・開催のために築いた有形無形の
ものを開催都市に残し、次世代に継承することをオリ
ンピック憲章で何と呼ぶか？

レガシー

**485** ★★★ ☐☐☐
問題483の人物が提唱した、「スポーツを通して心身
を向上させ、さらには文化・国籍などさまざまな差異
を超え、友情、連帯感、フェアプレーの精神をもって
理解し合うことで、平和でよりよい世界の実現に貢献
する」というオリンピックの精神を何という？

オリンピズム
(Olympism)

**486** ★★★ ☐☐☐
十両以上の力士を何と呼ぶ？

関取（せきとり）

**487** ★★★ ☐☐☐
十両以上の力士が本場所や公の場で結うことができ
る髷を何という？

大銀杏（おおいちょう）

**488** ★★★ ☐☐☐
横綱土俵入りで、せり上がりに腕を左右に大きく開く
ことが特徴の型は？

不知火型（しらぬいがた）

**489** ★★★ ☐☐☐
横綱土俵入りで、せり上がりのときに左手を脇につけ
右手をのばすことが特徴の型は？

雲龍型（うんりゅうがた）

# 日本古来の文化

**490** ★☆☆ ☐☐☐
日本最初の和暦元号は？

大化（たいか）

**491** ★☆☆ ☐☐☐
現元号「令和」の出典となった日本最古の歌集の名前
は？

万葉集（まんようしゅう）

**492** ★☆☆ ☐☐☐
「令和」の文字を引いたのは、万葉集巻五に収録され
た32首ある何の歌？

梅花の歌（うめのはな）

**493** ★☆☆ ┈┈┈┈┈┈┈┈┈┈┈┈┈┈┈┈┈┈┈┈┈┈┈┈┈┈┈┈ □□□ ┈┈┈

問題 492 の歌の詠み人の中心である太宰帥を務めた
公卿・歌人は？

大伴旅人

**494** ★☆☆ ┈┈┈┈┈┈┈┈┈┈┈┈┈┈┈┈┈┈┈┈┈┈┈┈┈┈┈┈ □□□ ┈┈┈

問題 493 の詠み人の息子で、万葉集の編纂に関わっ
た公卿・歌人は？

大伴家持

**495** ★★☆ ┈┈┈┈┈┈┈┈┈┈┈┈┈┈┈┈┈┈┈┈┈┈┈┈┈┈┈┈ □□□ ┈┈┈

鵜を使って魚をとる漁師のことを何という？

鵜匠

**496** ★★☆ ┈┈┈┈┈┈┈┈┈┈┈┈┈┈┈┈┈┈┈┈┈┈┈┈┈┈┈┈ □□□ ┈┈┈

茶道・俳諧などにおける美的理念で、簡素の中に見
いだされる清澄で閑寂な趣を何という？

わび

**497** ★★☆ ┈┈┈┈┈┈┈┈┈┈┈┈┈┈┈┈┈┈┈┈┈┈┈┈┈┈┈┈ □□□ ┈┈┈

蕉風俳諧の句の形の目標とされ、「しをり」、「ほそみ」
と並び称されるものは？

さび

**498** ★★☆ ┈┈┈┈┈┈┈┈┈┈┈┈┈┈┈┈┈┈┈┈┈┈┈┈┈┈┈┈ □□□ ┈┈┈

茶道において、客にできる限りのもてなしをしようと
工夫し、主人と招かれた客の心が通じ合うことを何と
いう？

一座建立

**499** ★★★ ┈┈┈┈┈┈┈┈┈┈┈┈┈┈┈┈┈┈┈┈┈┈┈┈┈┈┈┈ □□□ ┈┈┈

アメリカの文化人類学者、ルース・ベネディクトの日本
文化論で日本文化を「恥の文化」として類型化した本
の名前は？

『菊と刀』

**500** ★★★ ┈┈┈┈┈┈┈┈┈┈┈┈┈┈┈┈┈┈┈┈┈┈┈┈┈┈┈┈ □□□ ┈┈┈

精神科医、精神分析学者である土居健郎により提唱
された日本人論の１つであり、「甘え」は日本人の心
理と社会構造を理解するうえでキーワードであると説
いた本の名前は？

『「甘え」の構造』

**501** ★★★ ························································· □□□

哲学者である和辻哲郎の著書で、モンスーン（南アジ
ア・東アジア地域）、砂漠（西アジア地域）、牧場（西
ヨーロッパ地域）を挙げ、それぞれの類型地域にお
ける人間と文化のあり方を把握しようとした本の名前
は？

『風土』

## 日本の新しい文化

**502** ★★☆ ························································· □□□

日本のポップカルチャーの同人誌即売会は？

コミックマーケット

**503** ★★☆ ························································· □□□

問題 502 のイベントが開催されているイベント会場
はどこ？

東京ビッグサイト

**504** ★★☆ ························································· □□□

凹凸のある壁面や建築物などの立体物の表面にプロ
ジェクターで映像を投影する手法は？

プロジェクション
マッピング

**505** ★★☆ ························································· □□□

「自然と音楽の共生」をテーマに、1997 年に誕生し
た国内最大級の野外ロック・フェスティバルは？

FUJI ROCK
FESTIVAL

**506** ★★☆ ························································· □□□

毎年 8 月に関東・関西の 2 都市で同時開催される、トッ
プアーティストも参加する音楽フェスティバルは？

SUMMER
SONIC

**507** ★★☆ ························································· □□□

フランス人の若者によって始められた、マンガ、武道、
ビデオゲーム、民芸、J-POP から伝統音楽までをカ
バーし、日本文化に関心を寄せる人の祭典となってい
るヨーロッパのイベントは？

ジャパン・エキス
ポ

海外への漫画文化の普及と漫画を通じた国際文化交
流に貢献した漫画作家を検証することを目的として、
外務省より平成 19 年 5 月に創設された賞を何とい
う？

日本国際漫画賞

# 第4章

# 実務
## ［一問一答］

## 「実務」問題の特徴

試験のガイドラインでは、次のように定められています。

（1）試験方法
・試験は、通訳案内の現場において求められる基礎的な知識（例え
　ば、旅行業法や通訳案内士法等の業務と密接に関係する法令に関
　する基本的な内容や実際に通訳案内業務に就くにあたっての訪日
　外国人旅行者の旅程の管理に関する基礎的な内容等）を問うもの
　とする。
・本科目については、原則として、観光庁研修のテキストを試験範囲
　とする。
・試験の方式は、多肢選択式（マークシート方式）とする。
・試験時間は20分とする。
・試験の満点は、50点とする。
・問題の数は、20問程度とする。
（2）合否判定
・合否判定は、原則として30点を合格基準点として行う。

※「全国通訳案内士試験ガイドライン」より

　本科目は2018年度より導入され、ガイドラインに沿って、ほぼ観光庁研修
のテキストから出題されています。通訳案内の実務について、最低限必要と
なる知識を確認する目的であるため、これまでのところ、難易度は高くないと
思われます。観光庁研修のテキストを参照しながら、要点の理解度をチェッ
クするために本参考書を用いるのが、効率的・効果的です。

　また、通訳案内士法、旅行業法、著作権法、道路運送法、住宅民泊事業法、薬機法、不当景品類及び不当表示防止法など通訳案内の実務に関連する法律は多くあります。これらの法律の条文が出題されることもあるので、通訳案内士法の条文は一通り確認しておきましょう。その他の法律についても、通訳案内の実務と関連のある条項は条文そのものを確認して、掘り下げて学習することも必要になるでしょう。

　さらに、新聞で、外国人観光旅客に関わる事項（外国人観光旅客が巻き込まれた事故、災害、異なる生活文化など）はチェックしておきましょう。

　本書の「実務」編では、通訳案内士法と旅行業法、危機管理・災害発生時等における対応、異なる生活文化への対応を大分類とし、さらにサブ分類を設けて、体系的に記憶を整理できるようにしました。クリアできた設問は設問のチェックボックスに印を付けていきましょう。そうすれば、どの分野の知識の強化を必要としているかが明確になるはずです。

▶ 2020

| 大問 | 形式 | テーマ | 小問 | マークシート | 正解の必須知識 |
|---|---|---|---|---|---|
| 1 | 説明文に関する質問に答える。 | 通訳案内士の制度 | 1 | 1 | 改正通訳案内士法 |
| | | | 2 | 2 | 研修・講習 |
| 2 | | 旅行業法 | | 3 | 旅行業法第十三条の四 |
| 3 | | 旅程管理 | 1 | 4 | 旅行業法第十二条の十 |
| | | | 2 | 5 | 旅行業法施行規則第三十二条の三 |
| 4 | | 旅程管理の実務 | 1 | 6 | 旅程管理 |
| | | | 2 | 7 | SIT |
| | | | | 8 | SIC |
| | | | | 9 | FAM |
| | | | 3 | 10 | 団券の減員処理 |
| | | | 4 | 11 | 添乗業務の報告・精算 |
| 5 | | 危機管理 | | 12 | クレームへの正しい対応 |
| 6 | | 危機管理 | 1 | 13 | 災害発生時の留意点 |
| | | | 2 | 14 | 急病・怪我への対処 |
| | | | 3 | 15 | 医療施設等の案内 |
| 7 | | コンプライアンス | 1 | 16 | 通訳案内士法第三十一条 |
| | | | 2 | 17 | 著作権法 |
| | | | 3 | 18 | 旅客自動車運送事業 |
| | | | 4 | 19 | 不当景品類及び不当表示防止法 |
| 8 | | 異なる文化への対応 | 1 | 20 | 世界の主な宗教人口 |
| | | | 2 | 21 | 宗教ごとの食習慣 |
| | | | 3 | 22 | ベジタリアン |

| 大問 | 形式 | テーマ | 小問 | マークシート | 正解の必須知識 |
|---|---|---|---|---|---|
| なし | 説明文に関する質問に答える。 | 関係法令に関する知識 | 1 | 1 | 通訳案内士法に関する正誤 |
| | | | 2 | 2 | 旅行業法に関する正誤 |
| | | | 3 | 3 | 旅行業法第十二条の五 |
| | | | 4 | 4 | 旅行業法第十二条の十 |
| | | 旅程管理 | 5 | 5 | 旅程管理主任者資格 |
| | | | 6 | 6 | 全国通訳案内士の旅程管理 |
| | | | 7 | 7 | FOC、CIQ、FIT、IIT などの用語 |
| | | | 8 | 8 | クーポンの減員処理 |
| | | | 9 | 9 | JR の訪日観光団体割引制度 |
| | | 危機管理 | 10 | 10 | 行程中の危機管理対応 |
| | | | 11 | 11 | 行程中の旅行者が迷子になった際の対応 |
| | | | 12 | 12 | 行程中に発生した地震への対応 |
| | | | 13 | 13 | 行程中の交通事故・病気への対応 |
| | | | 14 | 14 | 救命処置 |
| | | コンプライアンス | 15 | 15 | 景品表示法 |
| | | 異なる文化への対応 | 16 | 16 | イスラム教 |
| | | | 17 | 17 | ベジタリアン |
| | | | 18 | 18 | ヒンドゥー教 |
| | | | 19 | 19 | 訪日外国人消費動向調査 1 |
| | | | 20 | 20 | 訪日外国人消費動向調査 2 |

▶ 2022

| 大問 | 形式 | テーマ | 小問 | マークシート | 正解の必須知識 |
|---|---|---|---|---|---|
| なし | 説明文に関する質問に答える。 | 通訳案内士法 | 1 | 1 | 第一条の重要ポイント |
| | | | 2 | 2 | 通訳案内業務 |
| | | 旅行業法 | 3 | 3 | 第二条の旅行契約の意味 |
| | | | 4 | 4 | 第十二条の四　説明義務 |
| | | | 5 | 5 | 第十三条　禁止行為 |
| | | 旅程管理と添乗実務 | 6 | 6 | 旅程管理主任者資格 |
| | | | 7 | 7 | SIC、SIT など |
| | | | 8 | 8 | JR パス |
| | | 危機管理 | 9 | 9 | 行程中のトラブル |
| | | | 10 | 10 | 行程中の災害発生への対応 |
| | | | 11 | 11 | 行程中の急病・怪我への対応 |
| | | | 12 | 12 | 行程中のお客様の医療費について |
| | | コンプライアンス | 13 | 13 | 著作権法 |
| | | | 14 | 14 | 医薬品等の口頭での説明 |
| | | | 15 | 15 | 景品表示法 |
| | | 異なる文化への対応 | 16 | 16 | 宗教について |
| | | | 17 | 17 | ユダヤ教について |
| | | | 18 | 18 | 表示義務がある特定原材料 7 品目 |

▶ **2023**

| 大問 | 形式 | テーマ | 小問 | マークシート | 正解の必須知識 |
|---|---|---|---|---|---|
| なし | 説明文に関する質問に答える。 | 関係法令に関する知識や旅程管理の実務に関する知識 | 1 | 1 | 通訳案内士に関わる制度の変更点 |
| | | | 2 | 2 | 通訳案内士の義務 |
| | | | 3 | 3 | 旅行業法における禁止行為 |
| | | 災害発生時等における応急的な医療対応や危機管理に関する知識 | 4 | 4 | 危機管理 |
| | | | 5 | 5 | 高度・緯度からの平均気温の推測 |
| | | | 6 | 6 | クレームへの対処法 |
| | | | 7 | 7 | 地震発生時の対応（マルチ） |
| | | | 8 | 8 | 交通事故・病気への対応 |
| | | | 9 | 9 | 医療機関の訪問 |
| | | 法令遵守 | 10 | 10 | 著作権 |
| | | | 11 | 11 | 道路運送法 |
| | | | 12 | 12 | 貸切バスのコンプライアンス事項 |
| | | 訪日外国人旅行者の国別・文化別の特徴等に関する知識 | 13 | 13 | イスラム教徒の食習慣 |
| | | | 14 | 14 | イスラム教徒の礼拝と生活習慣 |
| | | | 15 | 15 | ベジタリアン |
| | | | 16 | 16 | 食物アレルギー |

# ❶ 通訳案内士法と旅行業法

通訳案内の現場において求められる基礎的な知識を問われます。実際にガイドを行う際に求められる知識なので、本番を想定して取り組みましょう。

## 通訳案内士法

**001** ★★★ ··········································································· □□□

2018年1月施行の改正法で通訳案内士の名称は何 　**全国通訳案内士**
に変わった？

**002** ★★★ ··········································································· □□□

法改正で無資格者が有償で通訳案内をできるように 　**○（なった）**
なった。○か×か？

> **解説** 通訳案内士の業務独占規制が廃止され、全国通訳案内士または地域通訳案内士
> の資格を有さない者であっても、有償で通訳案内を行うことが可能となった。

**003** ★★★ ··········································································· □□□

無資格者が全国通訳案内士の名称を用いても罰せら 　**×（罰せられる）**
れない。○か×か？

> 解説 「通訳案内士」の名称については、独占規制が存続。
>
> ※『第五十二条 全国通訳案内士でない者は、全国通訳案内士又はこれに類似する名称を用いてはならない。』
>
> 無資格者が全国通訳案内士もしくはこれに類する名称を用いた場合、名称の使用停止が命ぜられる。また、使用停止期間中に、同名称を使用した場合、30万円以下の罰金に処せられる。これは、「地域通訳案内士」についても同じ。
>
> 無資格者が用いてはならない名称の例
>
>   a.「通訳ガイド」などの単純な名称
>   b.「日本ガイド」「東京ガイド」などの地域名＋ガイド
>   c.「国家ガイド」「政府ガイド」「新宿区ガイド」など、公主体＋ガイド
>   d.「認定ガイド」「登録ガイド」など、行為＋ガイド
>   e.「トップガイド」「スペシャルガイド」など高品質＋ガイド

004 ★★★ ······················································ □□□ ·······

全国通訳案内士は登録研修機関研修の受講が義務付けられた。〇か×か？　　〇（義務付けられた）

005 ★★★ ······················································ □□□ ·······

全国通訳案内士は登録研修機関研修を何年ごとに受講しなければならない？　　5年ごと

> 解説 全国通訳案内士は、新たに観光庁長官の登録を受けた「登録研修機関」が実施する、5年ごとの通訳案内研修（登録研修機関研修と呼ばれる）を受講することが義務付けられた。受講義務に違反した場合、登録の取り消しや名称使用の停止が命ぜられることがある。

# 旅行業法

006 ★★★ □□□

旅行業者の国土交通省への登録、営業保証金の供託、旅行者との取引額の報告、旅行業務取扱管理者の選任、旅行業約款の決定、誇大広告の禁止、罰則規定などが設けられている、旅行業を営む者の責任を明確にし、旅行の安全および旅行者の利便の増進をはかった法律を何という？

**旅行業法**

007 ★★☆ □□□

旅行業者が旅程・代金を定めて公募する旅行を何という？

**募集型企画旅行**

008 ★★☆ □□□

募集を伴わず、旅行者の依頼により、旅行業者が計画・実施を行う旅行を何という？

**受注型企画旅行**

009 ★★☆ □□□

運送・宿泊などの手配のみを受託する業務を何旅行という？

**手配旅行**

010 ★★☆ □□□

団体旅行やパッケージツアーを利用することなく個人で海外旅行に行くことをアルファベット3文字で何という？

**FIT（Foreign Independent Tour）**

011 ★★☆ □□□

登山、スキーなど特定の興味や目的に絞ったツアーをアルファベット3文字で何という？

**SIT（Special Interest Tour）**

012 ★★★ □□□

工場見学など、先進技術などの視察旅行をアルファベット2文字で何という？

**TV（Technical Visit）**

**013** ★★☆ ☐☐☐
地方自治体や観光協会などがインバウンドの誘致の
ために、旅行業者、ブロガーなどを招聘して無料また
は格安で実施するツアーをアルファベット3文字で何
という？

FAM
(Familiarization
Tour)

**014** ★★☆ ☐☐☐
宿泊を伴わない、いわゆる定期観光バスツアーのこ
とをアルファベット3文字で何という？

SIC (Seat in
Coach)

**015** ★★☆ ☐☐☐
特定の商品を買い求めるために専門店などを回る旅
行を何という？

ショッピングツー
リズム

**016** ★☆☆ ☐☐☐
旅行業者で第1種の場合、営業保証金と基準資産額
は？

営業保証金：
7,000万円
基準資産額：
3,000万円

**017** ★☆☆ ☐☐☐
旅行業者で第2種の場合、営業保証金と基準資産額
は？

営業保証金：
1,100万円
基準資産額：
700万円

**018** ★☆☆ ☐☐☐
旅行業者で第3種の場合、営業保証金と基準資産額
は？

営業保証金：
300万円
基準資産額：
300万円

**019** ★☆☆ ☐☐☐
地域限定旅行業の営業保証金と基準資産額は？

営業保証金：
100万円
基準資産額：
100万円

**020** ★☆☆ ·········································· □□□ ·······

第2種、第3種、地域限定旅行業の業者が共通して取り扱えない旅行は何？

海外での募集型企画旅行

**021** ★☆☆ ·········································· □□□ ·······

第3種の業者が取り扱う国内での募集型企画旅行には何の制限がある？

区域

> **解説** 旅行業者の登録は、営業保証金の最低額と基準資産額によって4種に分かれ、取り扱える業務の範囲が異なる。
> a. 第1種：営業保証金7,000万円以上、基準資産額3,000万円以上。業務範囲に制限なし。
> b. 第2種：営業保証金1,100万円以上、基準資産額700万円以上。海外での募集型企画旅行は不可。
> c. 第3種：営業保証金300万円以上、基準資産額300万円以上。海外での募集型企画旅行は不可。国内での募集型企画旅行は区域に制限がある。
> d. 地域限定旅行業：営業保証金100万円以上、基準資産額100万円以上。海外での募集型企画旅行は不可。他のすべての業務において、区域に制限がある。

**022** ★☆☆ ·········································· □□□ ·······

地域限定旅行業者が地域の制限を受ける旅行の種類は？

募集型企画旅行、受注型企画旅行、手配旅行

**023** ★★★ ·········································· □□□ ·······

他社の旅行商品を他社のために代理して販売する旅行業者を何という？

旅行業者代理業者

**024** ★★★ ·········································· □□□ ·······

旅行業者代理業者は複数の旅行代理店の代理業ができる。○か×か？

×（できない）

025 ★★★ ･････････････････････････････････････････････ □□□ ･････

旅行業者代理業者は営業供託金や営業保証金は不要である。○か×か？

○（不要）

> 解説 旅行業者の代理業を行うのが「旅行代理業者」である。旅行代業者理業者は、旅行業者1社と専属の業者委託契約を締結し、その契約の範囲で旅行業務を代理して、旅行者と契約を締結できる。ただし、自社内での旅行の企画はできず、また、2つ以上の旅行業者の代理を行うこともできない。旅行代理業務を行うには、都道府県知事への登録が必要だが、他の旅行業とは違い、営業供託金・営業保証金は必要ない。登録を受けずに旅行業を営んだものには、1年以下の懲役または100万円以下の罰金またはその両方が科せられる。

026 ★★★ ･････････････････････････････････････････････ □□□ ･････

旅行業者から委託を受け、運送手段や宿泊施設、ガイド等を手配する事業者のことで、いわゆるランドオペレーターと呼ばれる事業者を何という？

旅行サービス手配業者

> 解説 旅行業者・旅行業者代理業者の末端に、「旅行サービス手配業」を行う事業者（＝ランドオペレーター）がある。旅行サービス手配業は、国内・海外の旅行業者の依頼を受けて、貸切バス・ハイヤー・鉄道などの交通機関、ホテル・旅館などの宿泊施設、通訳案内士を除く有償ガイドの手配、免税店の手配などを行うもの。

027 ★★★ ･････････････････････････････････････････････ □□□ ･････

改正旅行業法で旅行サービス手配業は登録制になった。○か×か？

○（なった）

> 解説 法改正以前では、無条件で業務を営むことができたが、改正旅行業法では、旅行サービス手配業登録の許認可取得が必要になった。

**028** ★★☆ ………………………………………………………… □□□ ……

旅行業者代理業者が通訳案内士のみを手配する場　× (不要)
合、旅行サービス手配業の登録が必要である。○か×
か?

> 解説　旅行業者代理業者は、専属の旅行業者からの委託によるランドオペレーター業
> 務は無条件で営めるが、専属以外の旅行業者のランドオペレーター業務を行う
> 場合、旅行サービス手配業の登録が別途必要になった。ただし、有資格の全国通
> 訳案内士または地域通訳案内士の手配のみを行う場合は、旅行サービス手配業
> の登録は不要。これは、通訳案内士法により、有資格者の悪質行為等が禁止さ
> れているからである。通訳案内士法の改正により、ランドオペレーターが通訳案
> 内士法の対象外である無資格ガイドを有償で使用することが可能になったため、
> 無資格ガイドの法遵守については、ランドオペレーター側から規制されることに
> なった。

**029** ★★☆ ………………………………………………………… □□□ ……

旅行業法の改正に伴い、旅行業者などが旅行者に対　○ (ある)
し説明を行う際、及び、契約の締結を行う際、全国通
訳案内士または地域通訳案内士の同行の有無につい
て書面に記載する義務がある。○か×か?

> 解説　旅行業法の改正に伴い、旅行業者等が旅行者に対し説明を行う際、及び、契約の
> 締結を行う際、全国通訳案内士または地域通訳案内士の同行の有無について、
> 書面に記載することが新たに義務付けられた。

**030** ★★☆ ………………………………………………………… □□□ ……

旅行業法において、重要な契約内容の変更の発生に　○ (禁止されてい
ついて故意に旅行者に告げないことは禁止されてい　る)
る。○か×か?

---

**031** ★★☆ ......................................................□□□......

旅行業法において、業者に対する支払いや、旅行者に対する払い戻しなどを意図的に遅らせることは禁止されている。○か×か？

○（禁止されている）

**032** ★★☆ ......................................................□□□......

旅行業法において、違法な品物を販売する店舗に添乗員や全国通訳案内士が案内したり、店舗の所在地を教えることは禁止されている。○か×か？

○（禁止されている）

**033** ★★☆ ......................................................□□□......

旅行業法において、「白ナンバー（自家用）のバス」の利用や売春防止法に違反するサービスの提供は禁止されている。○か×か？

○（禁止されている）

**034** ★★☆ ......................................................□□□......

旅行業法において、土産物屋において、販売額が一定に達するまでバスを出発させないなど、旅行者の保護に欠けたり、旅行業の信用を失墜させることは禁止されている。○か×か？

○（禁止されている）

---

> **解説** 旅行業法における禁止行為の実例
>
> a. 重要な契約内容の変更の発生について故意に旅行者に告げないこと。
> b. 業者に対する支払いや、旅行者に対する払い戻し等を意図的に遅らせること。
> c. 違法な品物を販売する店舗に添乗員や全国通訳案内士が案内したり、店舗の所在地を教えたりすること。
> d. 「白ナンバーのバス」の利用や売春防止法に違反するサービスの提供など。
> e. 旅行者の保護に欠けたり、旅行業の信用を失墜させたりすること。実施が困難な契約の締結、契約内容の一方的な変更、旅客の安全確保が不徹底な場合や、特定のサービスや物品の購入を強要すること。事例として、土産物屋において、販売額が一定に達するまでバスを出発させない場合などがある。ただし、旅行者の便宜のために土産物屋に案内する行為は許され、クレジットカードなどの利用の可否・免税措置などについての案内も全国通訳案内士の業務に含まれる。

# 添乗実務

035 ★★★ ☐☐☐
観光庁長官登録研修機関が行う「旅程管理研修」を
修了し、所定の添乗実務経験を積んだ添乗員の資格
を何という?

旅程管理主任者

036 ★☆☆ ☐☐☐
上記の資格で国内旅行のみに添乗が可能な資格を何
という?

国内旅程管理主
任者

037 ★☆☆ ☐☐☐
上記の資格で海外旅行・国内旅行の両方に添乗が可
能な資格を何という?

総合旅程管理主
任者

解説 登録研修機関が実施する研修を修了、かつ所定の添乗実務経験が必要で、条件
を満たした者を旅程管理主任者と呼ぶ。その資格には、国内旅行のみに添乗可
能な国内旅程管理主任者資格と海外旅行・国内旅行の両方に添乗可能な総合旅
程管理主任者資格とがある。

038 ★★★ ☐☐☐
同一の企画旅行に添乗員が複数いる場合、全員に旅
程管理主任者資格が必要である。○か×か?

×(最低1人必要)

解説 複数台のバスに分かれた旅行など、同一の企画旅行に複数の添乗員がいる場合、
そのうち最低1人は、旅程管理主任者資格が必要である(サブの添乗員には資
格は不要)。一方、全国通訳案内士が添乗する単独の貸し切りバスのケースでは、
全国通訳案内士と旅程管理主任者の2名が同乗するか、旅程管理主任者の資格
を有する全国通訳案内士が1名で同乗することになる。

039 ★★☆ ☐☐☐
添乗の前に受け取る書類で、旅行スケジュールや運送
機関、食事場所、立ち寄り場所、宿泊施設などの詳細
など旅行手配内容が記載された書類を何という?

添乗指示書

**040** ★★★

列車での移動時に減員が生じた場合に受ける必要があるのは何？ — 減員証明

**041** ★★★

旅行者が途中でツアーから離れる場合に記入してもらう書類を何という？ — 離団書（りだんしょ）

**042** ★★★

団体乗車券で旅行中の団体客が離団して、団体乗車中の電車の途中駅で途中下車する場合、車掌（しゃしょう）に何を発行してもらう必要がある？ — 途中下車証明書

**043** ★★☆

旅行者が途中でツアーから離れ、その後旅行に復帰しない場合、離団以降でも旅行業約款で定められた特別補償の対象となる。○か×か？ — ×（対象にはならない）

**044** ★☆☆

JRの規定について、訪日観光団体として取り扱われるためには、訪日観光客が何人以上必要？ — 8人以上

**045** ★☆☆

訪日観光団体の割引率は？ — 15%

**046** ★☆☆

海外在住の日本人がJapan Rail Pass（JRパス）を購入できるケースは？ — 在住期間が連続して10年以上の場合

**047** ★★☆

航空旅客の区分において、国際線・国内線で大人とみなされるのは何歳以上か？ — 12歳以上

**048** ★☆☆

航空旅客の区分において、国際線で小児とみなされるのは何歳以上何歳未満か？ — 2歳以上12歳未満

| 049 ★☆☆ | □□□ |
|---|---|
| 航空旅客の区分において、国内線で小児とみなされるのは何歳以上何歳未満か？ | 3歳以上12歳未満 |

| 050 ★★☆ | □□□ |
|---|---|
| 国内線のエコノミークラスの場合の受託手荷物について最大重量は？ | 1人につき最大100kgまで |

| 051 ★★☆ | □□□ |
|---|---|
| 国内線のエコノミークラスの場合の受託手荷物について無料手荷物許容量は？ | 20kgまで |

| 052 ★★☆ | □□□ |
|---|---|
| 国内線の機内持ち込み手荷物の個数制限は？ | 身の回り品1個、荷物1個 |

| 053 ★☆☆ | □□□ |
|---|---|
| 国内線の機内持ち込み手荷物の最大重量は？ | 身の回り品と荷物の合計で10kg以内 |

| 054 ★☆☆ | □□□ |
|---|---|
| 国内線の機内持ち込み荷物のサイズについて、100席以上の機体の場合は？ | 3辺の和が115cm以内で、各55×40×25cm以内 |

| 055 ★☆☆ | □□□ |
|---|---|
| 国内線の機内持ち込み荷物のサイズについて、100席未満の機体の場合は？ | 3辺の和が100cm以内で、各45×35×20cm以内 |

| 056 ★☆☆ | □□□ |
|---|---|
| 機内持ち込み禁止のものは？ | 刃物類、ライター、その他凶器となりうるもの |

| 057 ★★☆ | □□□ |
|---|---|
| ホテル・レストラン・観光施設等に到着前に、到着予定連絡を入れることを何という？ | 入れ込み電話 |

---

**058** ★★☆ □□□

添乗員が添乗の際に使用する予定の添乗資金のことで、準備金、持参金、ファンド、フロートともいうものは？

添乗金、携行金

---

**059** ★★☆ □□□

ホテル・レストラン・観光施設等のサービス内容の支払いを保証する証憑のことを何という？

バウチャー

---

**060** ★★☆ □□□

旅行業者が契約を結んでいる関係機関に、その代金の支払いをするために使用する有価証券のことを何という？

クーポン

---

**061** ★★☆ □□□

発行したクーポンなどで内容に変更があった際、変更内容を了承するときに裏面に書き込みをすることを何という？

裏書き、エンドース

---

**062** ★★☆ □□□

クーポンの減員処理は次のいずれかの手順で行わる。空欄①～④を適切な言葉で埋めよ。
・現金を受け取り、□①□ する
・□②□ を受け取る
・請求書を受け取り、□③□ を持ち帰る

① 裏書き
② 不参加証明書
③ クーポン

---

**063** ★★☆ □□□

旅行業者との契約をしている観光施設や土産物屋などにお客様を連れていくことにより、旅行業者が受け取る利益のことを何という？

送客手数料

---

**064** ★★★ □□□

1枚の券で団体全員が乗車可能となる証票を何という？

団体乗車券（団券）

**065** ★★★ ································································· □□□

旅行開始後、JRの乗降車時に受ける証明。問題64の券における人員減運賃払い戻し時に必要なものを何という？

改札証明

**066** ★★★ ································································· □□□

JR利用時、問題64の券の発行後、人員の減少があった場合に、みどりの窓口等であらかじめ受ける証明を何という？

出札証明
しゅっさつ

**067** ★☆☆ ································································· □□□

個々にできあがっている乗車券・指定券・航空券等のことを何という？

個札

**068** ★★★ ································································· □□□

JRで問題64の券を使用する場合、特定地域における集合・解散のため、必要に応じて交付される乗車票のことを何という？

団体旅客乗車票（団票）

**069** ★★☆ ································································· □□□

荷物を旅客と同じ列車やバスに積まず、荷物運搬用のトラックまたは宅配を手配することを何という？

荷物別送

**070** ★★☆ ································································· □□□

バス等を、お客様が戻ってくるまで同じ場所（駐車場や下車場所）に留めておくことを何という？

留め置き

**071** ★★☆ ································································· □□□

レストランなどで前もってグループ数とグループごとの人数を伝え、グループ単位の席を作ってもらうことを何という？

席割り

**072** ★★☆ ································································· □□□

レストランなどで先に入ってきた人から席についてもらうことを何という？

流し込み

**073** ★★★ ............................................................ □□□
送迎業務で、お客様を迎えにいき、その後、他の輸送
機関に案内してお客様のみ乗車させる業務のことを
何という？

乗せ込み

**074** ★★☆ ............................................................ □□□
団体に対し、チェックアウト後の休憩・荷物置場とし
て提供される客室を何という？

ホスピタリティ
ルーム

# 2 危機管理・災害発生時等における対応

地震大国日本において、万が一の時にお客様を安全に誘導できることは、通訳案内士としての必須技能です。

## 危機管理

**075** ★☆☆ ........................................................□□□

危機管理に適切に対応し、クレームやトラブルを減らす方法を3つ挙げよ。

(1) 適切な事前調査
(2) 危機の事前防止
(3) 危機発生後の適切な対応

**076** ★★☆ ........................................................□□□

心肺停止の状態で3分放置されると何%が死に至る？

50%

**077** ★★☆ ........................................................□□□

心肺停止の状態で10分放置されると何%が死に至る？

100%

**078** ★★☆ ........................................................□□□

高度が100m上がると気温は何度下がる？

0.6度

**079** ★☆☆ ........................................................□□□

問題78の前提では東京や横浜と比較して富士五湖は約何度気温が低いか？

約5.5度

**080** ★★☆ ........................................................□□□

緯度が1度上がると、平均気温は何度下がる？

1度

**081** ★☆☆ ........................................................□□□

問題80の前提では札幌（北緯43度）は東京、大阪より何度気温が低いことになるか？

8度

**082** ★★★ ･････････････････････････････････････････････ □□□

例えばロープウェイが止まった際に近くの水族館見学に変える等、不測の事態が起きた時に代替プランを取ることについては、通訳案内士が現場で判断してよい。○か×か？

×（旅行会社等の許可を得る必要がある）

**083** ★★☆ ･････････････････････････････････････････････ □□□

山岳ツアーやウォーキングツアーにおいて最も配慮すべき人は誰か？

一番体力のない人

**084** ★★★ ･････････････････････････････････････････････ □□□

はぐれる人、迷う人を出さないために徹底すべきことは何か？

集合時間・集合場所の徹底

# 災害発生時

**085** ★☆☆ ･････････････････････････････････････････････ □□□

地震が発生した場合、大きな声で「大丈夫。落ち着いて！」と声をかけるのは適切。○か×か？

○

**086** ★☆☆ ･････････････････････････････････････････････ □□□

地震が発生した場合、身の安全を守らせる（姿勢を低く、窓や倒壊するものから離れる、頑丈な家具の下に潜り込む、落下物から頭を守る、ドアを開放する、エレベーター・エスカレーターの使用を避ける、倒壊しつつある建物からの脱出など）のは適切。○か×か？

○

**087** ★☆☆ ･････････････････････････････････････････････ □□□

地震が発生した場合、お客様への状況の説明と冷静な行動の呼びかけを行うのは適切。○か×か？

○

**088** ★☆☆ ･････････････････････････････････････････････ □□□

地震が発生した場合、電気製品などの出火防止と初期消火の呼びかけを行うことは適切。○か×か？

○

第1章

第2章

第3章

第**4**章

実務

第5章

地震が発生した場合、役割分担の依頼（ガイド同士、　　○
旅行者同士など）を行うことは適切。○か×か？

地震が発生した場合、エージェントへの現状報告と情　　○
報収集を行うことは適切。○か×か？

地震が発生した場合、傷病者が出たときに応急手当　　○
を行うことは適切。○か×か？

災害発生時、外国人旅行者はどのような扱いになる　　災害時要配慮者
か？

## 病気、けがなど

病院に必要な病床数は？　　　　　　　　　　　　20床以上

外国人を受け入れる医療施設を確認する方法は？　　JNTO（日本政府
　　　　　　　　　　　　　　　　　　　　　　　観光局）のホーム
　　　　　　　　　　　　　　　　　　　　　　　ページを確認する

一般財団法人日本医療教育財団が運営する、日本国　　外国人患者受入
内の医療機関に対し、多言語による診療案内や、異文　　れ医療機関認証
化・宗教に配慮した対応など、外国人患者の受入れに　　制度（JMIP）
資する体制を第三者的に評価することを通じて、国内
の医療機関を受診するすべての外国人に、安心・安全
な医療サービスを提供できる体制づくりを支援する
制度を何という？

**096** ★★☆ ················································ □□□

Medical Excellence JAPAN（MEJ）が運営する、日本の医療機関に渡航受診者の受入れを促進するため、渡航受診者の受入れに意欲と取り組みのある病院を推奨する制度を何という？

ジャパン インターナショナル ホスピタルズ（Japan International Hospitals）推奨制度

**097** ★★☆ ················································ □□□

アメリカの医療分野における「医療の質と患者の安全に関する継続的な改善」に関する第三者評価認証機関の国際部門として、1994年に設立された非営利組織の医療機関認証を何という？

JCI（Joint Commission International）認証

**098** ★★☆ ················································ □□□

日本到着後に外国人旅行者が加入できる旅行保険はある。○か×か？

○

## コンプライアンス

**099** ★★★ ················································ □□□

全国通訳案内士は、通訳案内を受ける者のために物品の購買その他あっせんをする際、販売業者その他の関係者に対し金品を要求することができる。○か×か？

×（通訳案内士法第31条違反）

**100** ★★☆ ················································ □□□

全国通訳案内士は、全国通訳案内士の信用または品位を害するような行為をしてはならないという義務がある。○か×か？

○（通訳案内士法第32条に規定）

**101** ★★☆ ················································ □□□

著作権の保護期間は、原則として著作者の生存期間と死後何年間？

死後70年間

第1章

第2章

第3章

第4章

実務

第5章

| 102 ★★☆ | □□□ |
|---|---|
| 団体名義の著作物の著作権の保護期間は何年間？ | 公表後ないし創作後70年間 |

| 103 ★★☆ | □□□ |
|---|---|
| 自分の著作物で、まだ公表されていないものを公表するかしないか、するとすれば、いつ、どのような方法で公表するかを決めることができる権利を何という？ | 公表権 |

| 104 ★★☆ | □□□ |
|---|---|
| 自分の著作物の内容または題号を自分の意に反して勝手に改変されない権利を何という？ | 同一性保持権 |

| 105 ★★☆ | □□□ |
|---|---|
| 著作物を印刷、写真、複写、録音、録画などの方法によって有形的に再製する権利を何という？ | 複製権 |

| 106 ★★☆ | □□□ |
|---|---|
| 言語の著作物を朗読などの方法により口頭で公に伝える権利を何という？ | 口述権 |

| 107 ★★☆ | □□□ |
|---|---|
| 著作物を翻訳、編曲、変形、翻案等する権利（二次的著作物を創作することに及ぶ権利）を何という？ | 翻訳権・翻案権 |

| 108 ★★☆ | □□□ |
|---|---|
| 原著作物を翻訳、編曲、変形、翻案（映画化など）し作成したものを何という？ | 二次的著作物 |

| 109 ★☆☆ | □□□ |
|---|---|
| 私的使用のための複製では著作物を自由に使うことは可能。○か×か？ | ○（著作権法第30条に規定） |

| 110 ★☆☆ | □□□ |
|---|---|
| 学校における複製などでは著作物を自由に使うことは可能。○か×か？ | ○（著作権法第35条に規定） |

**111** ★★★ ・・・・・・・・・・・・・・・・・・・・・・・・・・・・・・・・・・・・□□□

通訳案内士の業務において、著作権者から許可を得ずに著作物を利用した場合、著作権などの侵害になる。○か×か？

○

**112** ★★★ ・・・・・・・・・・・・・・・・・・・・・・・・・・・・・・・・・・・・□□□

全国通訳案内士が募集型企画旅行に旅程管理者として添乗した際に著作権侵害行為を行った場合、旅行の実施主体である旅行業者に責任はない。○か×か？

×（実施団体も責任を負う可能性がある）

**113** ★★★ ・・・・・・・・・・・・・・・・・・・・・・・・・・・・・・・・・・・・□□□

通訳案内士はお客様を自家用車で案内できる。○か×か？

○（2024 年 3 月に解禁され合法）

**114** ★★☆ ・・・・・・・・・・・・・・・・・・・・・・・・・・・・・・・・・・・・□□□

旅客自動車運送事業者の利用について、運転手は連続運転時間 4 時間以内に何分以上の休憩を確保する必要がある？

30 分以上

**115** ★★☆ ・・・・・・・・・・・・・・・・・・・・・・・・・・・・・・・・・・・・□□□

旅客自動車運送事業者の利用について、1 日の運転時間が 9 時間以上、あるいは、実車距離が 500km（午前 2 時から 4 時の時間帯が含まれる場合 400km）を超える場合は何を確保しなければならない？

交替運転者

**116** ★★☆ ・・・・・・・・・・・・・・・・・・・・・・・・・・・・・・・・・・・・□□□

道路運送法において、旅客自動車運送事業は、一般旅客自動車運送事業と何に分類されるか？

特定旅客自動車運送事業

**117** ★★★ ・・・・・・・・・・・・・・・・・・・・・・・・・・・・・・・・・・・・□□□

通訳案内士はお客様を住宅宿泊事業者登録なしに自宅に宿泊させることができる。○か×か？

×（住宅宿泊事業法違反）

「医薬品、医療機器等の品質、有効性及び安全性の確
保等に関する法律」（以下「薬機法」という。）におい
て、医薬品等の名称・製造方法・効能・効果等について、
全国通訳案内士が虚偽または誇大な広告を口頭です
ることは禁止されている。○か×か？

　　　　　　　　　　　　　　　　　　　　　　　　　○

薬機法において、全国通訳案内士が承認前や許可の
手続きを受けていない医薬品等について、口頭で説
明することは禁止されている。○か×か？

　　　　　　　　　　　　　　　　　　　　　　　　　○

不当景品類及び不当表示防止法において、全国通訳
案内士が口頭の説明により、品質や規格を誤認させた
り、価格などの取引条件が有利であると誤認させるこ
とは禁止されている。○か×か？

　　　　　　　　　　　　　　　　　　　　　　　　　○

# ❸ 異なる生活文化への対応

イスラム教徒に対するハラル対応や、礼拝に対する理解等が旅行業者に限らず必須事項となっています。

## イスラム教

**121** ★☆☆ ·········································································· □□□
イスラム教徒の聖典は？ / クルアーン[コーラン]

**122** ★★★ ·········································································· □□□
イスラム教徒に許される食事の名称は？ / ハラルフード

**123** ★★☆ ·········································································· □□□
イスラム教の教えに則って禁じられているものを何という？ / ハラム

**124** ★★☆ ·········································································· □□□
ハラルかハラムかを宗教と食品衛生の専門家が判断し、保証することを何という？ / ハラル認証

**125** ★★★ ·········································································· □□□
イスラム教で食が禁忌される獣肉は？ / 豚肉

**126** ★★☆ ·········································································· □□□
イスラム教において、アルコールを飲むことはハラルかハラムか？ / ハラム

**127** ★★☆ ·········································································· □□□
イスラム教徒が礼拝するときに方向を確認するためのものは？ / キブラ

**128** ★★★ ·········································································· □□□
イスラム教徒が礼拝するタイミングは？ / 日の出前、正午ごろ、日没前、日没直後、夜の5回

**129** ★★★　　　　　　　　　　　　　　　　　　　　　　□□□

イスラム暦の9月に1か月間、日の出から日没まで断食する習慣を何というか？　　ラマダン

**130** ★★☆　　　　　　　　　　　　　　　　　　　　　　□□□

イスラム教徒のテーブルマナーにおいて、配膳や給仕の際に使ってはいけないのは右手か左手か？　　左手

**131** ★★☆　　　　　　　　　　　　　　　　　　　　　　□□□

1日に5回、イスラム教の信徒に対して礼拝の時刻を告げる呼び声で、定まった文言によって詠唱されるものを何という？　　アザーン

**132** ★★☆　　　　　　　　　　　　　　　　　　　　　　□□□

メッカへの巡礼のことを何という？　　ハッジ

**133** ★☆☆　　　　　　　　　　　　　　　　　　　　　　□□□

クルアーン［コーラン］の「美しい部分は人に見せぬように」という趣旨の教えに基づき、公の場で女性が頭髪を隠す布を何という？　　ヒジャブ

**134** ★★☆　　　　　　　　　　　　　　　　　　　　　　□□□

イスラム法に定められた救貧税を何という？　　ザカート

**135** ★☆☆　　　　　　　　　　　　　　　　　　　　　　□□□

イスラム教スンニ派の信仰の基本をまとめたものを何という？　　六信五行（ろくしんごぎょう）

**136** ★☆☆　　　　　　　　　　　　　　　　　　　　　　□□□

イスラム教シーア派の信仰の基本をまとめたものを何という？　　五信十行（ごしんじゅうぎょう）

## ユダヤ教

**137** ★★★　　　　　　　　　　　　　　　　　　　　　　□□□

ユダヤ教における唯一絶対神を何という？　　ヤハウェ

**138** ★★★　　　　　　　　　　　　　　　　　　　　　　□□□

ユダヤ教徒の聖典は？　　タナハ（旧約聖書）

**139** ★★★ ⋯⋯⋯⋯⋯⋯⋯⋯⋯⋯⋯⋯⋯⋯⋯⋯⋯ □□□
ユダヤ教における食事の規定を何という？　カシュルート

**140** ★★★ ⋯⋯⋯⋯⋯⋯⋯⋯⋯⋯⋯⋯⋯⋯⋯⋯⋯ □□□
ユダヤ教で食が禁忌されている獣肉は？　豚肉

**141** ★☆☆ ⋯⋯⋯⋯⋯⋯⋯⋯⋯⋯⋯⋯⋯⋯⋯⋯⋯ □□□
ユダヤ教で食べられる肉類（鳥類以外）は何？　ひづめが分かれており、反芻する動物（ウシ、ヒツジ、ヤギ、シカなど）

**142** ★☆☆ ⋯⋯⋯⋯⋯⋯⋯⋯⋯⋯⋯⋯⋯⋯⋯⋯⋯ □□□
ユダヤ教で食べられる魚介類は何？　鱗とひれのある魚

**143** ★☆☆ ⋯⋯⋯⋯⋯⋯⋯⋯⋯⋯⋯⋯⋯⋯⋯⋯⋯ □□□
ユダヤ教で食べられない魚介類は何？　タコやイカ、ウナギ、貝類、エビやカニ等

**144** ★☆☆ ⋯⋯⋯⋯⋯⋯⋯⋯⋯⋯⋯⋯⋯⋯⋯⋯⋯ □□□
ユダヤ教で禁忌とされる食べ物の組み合わせは？　乳製品と肉料理の組み合わせ

**145** ★☆☆ ⋯⋯⋯⋯⋯⋯⋯⋯⋯⋯⋯⋯⋯⋯⋯⋯⋯ □□□
ユダヤ教で金曜の日没から土曜の日没の安息日は何と呼ばれる？　シャバット

**146** ★☆☆ ⋯⋯⋯⋯⋯⋯⋯⋯⋯⋯⋯⋯⋯⋯⋯⋯⋯ □□□
「贖罪の日」という意味で、自分の犯した罪を神に許してもらう日で年内最大のユダヤ教の祭日を何という？　ヨム・キプル

**147** ★☆☆ ⋯⋯⋯⋯⋯⋯⋯⋯⋯⋯⋯⋯⋯⋯⋯⋯⋯ □□□
ユダヤ教の断食は年に何回あるか？　6回

> **解説** ヨム・キプル、ティシュアー・ベ＝アーブ、ゲダリヤの断食、テベトの10日、タンムズの17日、エステルの断食

# キリスト教

**148** ★★★　　　　　　　　　　　　　　　　　　　　□□□
キリスト教徒が嫌う数字は？　　　　　　　　13

**149** ★★★　　　　　　　　　　　　　　　　　　　　□□□
イエスは何と認められている？　　　　　　　キリスト（救世主）

**150** ★★★　　　　　　　　　　　　　　　　　　　　□□□
キリスト教の聖典は？　　　　　　　　　　　旧約聖書と新約
聖書

# 仏教

**151** ★☆☆　　　　　　　　　　　　　　　　　　　　□□□
仏教は上座部仏教と大乗仏教に分かれるが、日本に　大乗仏教
伝わったのは？

**152** ★☆☆　　　　　　　　　　　　　　　　　　　　□□□
仏教の精進料理で避けられる野菜はまとめて何と呼　五葷
ばれる？

**153** ★☆☆　　　　　　　　　　　　　　　　　　　　□□□
上記に含まれる野菜は何か？　　　　　　　　ニンニク
ニラ
ラッキョウ
玉ねぎ
アサツキ

# ヒンドゥー教等

**154** ★☆☆　　　　　　　　　　　　　　　　　　　　□□□
ヒンドゥー教はインド国民の何割が信奉している？　約8割

**155** ★★☆　　　　　　　　　　　　　　　　　　　　□□□
ヒンドゥー教で神聖視されている動物とは？　牛

**156** ★★☆　　　　　　　　　　　　　　　　　　　　□□□
ヒンドゥー教で不浄な動物とされているものは？　豚

| | | |
|---|---|---|
| **157** ★★★ | □□□ |
| ヒンドゥー教にある独特の身分制度は? | カースト |
| **158** ★★☆ | □□□ |
| ヒンドゥー教徒では神聖なものと考えられており、触るべきでないとされる身体の一部はどこか? | 頭 |
| **159** ★★☆ | □□□ |
| ヒンドゥー教徒の間で使うことを避けられているのは右手か左手か? | 左手 |
| **160** ★☆☆ | □□□ |
| インドの宗教の一つで紀元前6～5世紀ごろに発生した、苦行・禁欲・不殺生を重んずる宗教は何? | ジャイナ教 |
| **161** ★☆☆ | □□□ |
| 上記の宗教で禁止されている食べ物は? | 肉<br>魚介類<br>卵<br>一部の根菜 |

## 食習慣

| | | |
|---|---|---|
| **162** ★★☆ | □□□ |
| ベジタリアニズムから派生した分派で、肉にとどまらず動物系の製品を排除した食生活様式を実践する者を何と呼ぶか? | ヴィーガン |
| **163** ★★★ | □□□ |
| アレルギー症状で全身で起こるショック症状は? | アナフィラキシー |
| **164** ★☆☆ | □□□ |
| 人口に占めるベジタリアンの比率が最も高いのはどこの国? | インド |
| **165** ★★★ | □□□ |
| 食物アレルゲンに関して、厚生労働省が表示義務等を規定している食品で表示義務のあるものは何か? | そば、落花生、卵、乳、小麦、エビ、カニ、くるみ |

第1章

第2章

第3章

第4章

実務

第5章

`166` ★★☆ ··········································································· □□□

食物アレルゲンに関して、厚生労働省が表示義務等
を規定している食品で表示を奨励している食品は何品
目ある？

20 品目

# 訪日外国人消費動向

`167` ★☆☆ ··········································································· □□□

観光庁が実施した「訪日外国人消費動向調査」にお
ける令和 4 年の年間値で、1 人当たりの旅行支出は
いくらか？

234,524 円

`168` ★☆☆ ··········································································· □□□

上記調査で調査した項目のうち、日本食を食べること
を実施した訪日外国人の割合は何％か？

98.4%

`169` ★☆☆ ··········································································· □□□

上記調査で調査した項目のうち、ショッピングを実施
した訪日外国人の割合は何％か？

76.9%

`170` ★☆☆ ··········································································· □□□

上記調査で調査した項目のうち、繁華街の街歩きを
実施した訪日外国人の割合は何％か？

59.9%

`171` ★☆☆ ··········································································· □□□

上記調査で、韓国からの訪日外客が調査対象の国籍・
地域の中で購入率が最も高かった商品は何か？

菓子類

`172` ★☆☆ ··········································································· □□□

上記調査対象のうち、1 人当たりの訪日旅行支出額
が最も低かった国は？

フィリピン（1 人
当たり約 13 万円）

`173` ★☆☆ ··········································································· □□□

上記調査の旅行手配方法において、調査対象の国籍・
地域の中で中国からの訪日外客が最も高かった比率
は何か？

個別手配

**174** ★☆☆ ･････････････････････････････････････････ □□□

上記調査で中国からの訪日外客の旅行支出総額に占める買い物代の比率は？

28.4%（1人当たり約58万円のうち16万円超）

**175** ★☆☆ ･････････････････････････････････････････ □□□

上記調査で中国からの訪日外客の買い物で購入率・購入者単価ともに高い商品は何か？

化粧品・香水

**176** ★☆☆ ･････････････････････････････････････････ □□□

上記調査で訪日外客が日本滞在中にしたことの満足度が高かった行動で順位の高い3つは何か？

「その他スポーツ」（97.5％）、「日本の日常生活体験」（96.9％）、「舞台鑑賞」（96.8％）

**177** ★☆☆ ･････････････････････････････････････････ □□□

上記調査で次回日本を訪れた時にしたいことで、順位が高い3つは何か？

「日本食を食べること」（72.2％）、「ショッピング」（47.0％）、「自然・景勝地観光」（45.8％）

**178** ★☆☆ ･････････････････････････････････････････ □□□

上記調査で日本への来訪回数（観光・レジャー目的）で「1回目」の割合が1割未満で他の国籍・地域に比べ低い国は？

台湾と香港

**179** ★☆☆ ･････････････････････････････････････････ □□□

上記調査で日本への来訪回数（同上）で「1回目」の割合が約7割で他の国籍・地域に比べ高い国は？

インド、スペイン、ロシア

**180** ★☆☆ ･････････････････････････････････････････ □□□

上記調査で日本への来訪回数（同上）で「10回以上」の割合が4割以上で他の国籍・地域に比べ高い国は？

台湾と香港

**181** ★☆☆ ･････････････････････････････････････････ □□□

上記調査で旅行手配方法（観光・レジャー目的）のうち割合が一番高かったものは何か？

個別手配（83.0％）

第1章
第2章
第3章
第4章
実務
第5章

**190** ★☆☆ ......................................................□□□
上記調査で今回の訪日旅行全体の満足度の割合は？

「大変満足」
（70.7％）、
「満足」（26.0％）

**191** ★☆☆ ......................................................□□□
上記調査の国籍・地域別で「大変満足」の割合が8割超と高い国は？

フィリピン、インド、イギリス、ドイツ、フランス、イタリア、スペイン、ロシア、アメリカ、オーストラリア

**192** ★☆☆ ......................................................□□□
上記調査で日本への再訪意向は？

「必ず来たい」
（75.4％）、「来たい」（21.6％）

**193** ★☆☆ ......................................................□□□
上記調査の国籍・地域別で「必ず来たい」の割合が8割超と高い国は？

タイ、インドネシア、インド、イギリス、ドイツ、イタリア、スペイン、ロシア、アメリカ、オーストラリア

**194** ★☆☆ ......................................................□□□
上記調査の出発前に役に立った旅行情報源で、順位の高い3つは何か？

「日本在住の親族・知人」（22.8％）、「SNS」（21.9％）、「動画サイト」（21.4％）

| | |
|---|---|
| **195** ★☆☆ □□□ | |
| 上記調査の日本滞在中に役に立った旅行情報源で、順位の高い3つは何か？ | 「スマートフォン」(84.7%)、「日本在住の親族・知人」(18.7%)、「パソコン・タブレット端末」(14.3%) |
| **196** ★☆☆ □□□ | |
| 上記調査の日本滞在中に役に立った旅行情報で、順位の高い3つは何か？ | 「交通手段」(60.0%)、「飲食店」(51.7%)、「買物場所」(27.7%) |
| **197** ★☆☆ □□□ | |
| 上記調査で個別手配者の国際旅客運賃（出発国から日本までの往復運賃）の購入者単価は一般客1人当たり平均いくらか？ | 138,004円 |
| **198** ★☆☆ □□□ | |
| 上記調査で旅行前支出と旅行中支出を合算した旅行総支出は、一般客1人当たり平均いくらか？ | 369,627円 |
| **199** ★☆☆ □□□ | |
| 上記調査で一般客の旅行消費額の国籍・地域別上位5か国は？ | ①韓国1,352億円、②中国1,092億円、③アメリカ959億円、④香港762億円、⑤台湾759億円 |
| **200** ★☆☆ □□□ | |
| 上記調査の一般客の費目別旅行消費額（パッケージ内訳を含む）で、国籍・地域別において「宿泊費」が一番多い国は？ | アメリカ（431億円） |

# 模擬テスト

## 第5章

各問題に対する解答はマークシートの解答欄にマークすること。例えば 1 と表示の
ある問題に対して④と解答する場合は、マークシートの 1 の解答欄の④にマークする
こと。

....................................................................................................................................

1 北海道の函館は、1859年に、長崎・横浜と並んで日本国内初となる対外貿
易港として開港した港町である。JR函館駅で電車を降り、駅前から伸びる開
港通りを南下していくと、明治時代から昭和時代初期にかけて建てられた建造物が多
く見られる。この一帯は港町として重要伝統的建造物群保存地区に選定されている
（　a　）である。その南に隣接するのが同じく重伝建の元町で、この辺りでは、（　b　）
である函館山方面へ一直線に伸びる坂が見所で、中でも（　c　）は見通しがよく、写真
の名所として知られる。

**問1** 空欄（　a　）に入るべき町名はどれか、①～④から一つ選びなさい。　　（3点）

① 末広町　　② 主計町　　③ 豆田町　　④ 北野町　　　　　　　　　1

**問2** 空欄（　b　）に入る地形の名称はどれか、①～④から一つ選びなさい。　（3点）

① 砂嘴　　② 陸繋島　　③ 残丘　　④ 成層火山　　　　　　　　　2

**問3** 空欄（　c　）に入る坂の名称はどれか、①～④から一つ選びなさい。　（3点）

① いろは坂　　② 八幡坂　　③ 巨福呂坂　　④ 産寧坂　　　　　　3

**問4** 函館市に所在する施設として<u>正しくないもの</u>はどれか、①～④から一つ選びなさい。
　　　　　　　　　　　　　　　　　　　　　　　　　　　　　　　　　　（3点）

① 金森赤レンガ倉庫　　　　② トラピスチヌ修道院
③ 北一ヴェネツィア美術館　　④ 五稜郭　　　　　　　　　　　　　　4

**2** 宮城県仙台市は、人口や経済規模など多くの分野において東北地方最大の都市で、東北地方で唯一の a 政令指定都市でもある。近世には伊達氏の城下町として栄え、b 伊達氏ゆかりの史跡が多く、観光名所となっている。また、市周辺は自然が豊かで、市中にも街路樹などの緑が多いため c「杜の都」と呼ばれている。

**問1** 下線部 a に指定されている都市として正しくないものはどれか、①〜④から一つ選びなさい。 （3点）

① 相模原市　　② 甲府市　　③ 堺市　　④ 浜松市　　　　　**5**

**問2** 仙台市内にある下線部 b の一つはどれか、①〜④から一つ選びなさい。 （3点）

① 瑞巌寺　　② 瑞鳳殿　　③ 観瀾亭　　④ 五大堂　　　　**6**

**問3** 下線部 c を象徴する並木道の名称はどれか、①〜④から一つ選びなさい。 （3点）

① 伝法院通り　　② 烏丸通　　③ 御堂筋　　④ 定禅寺通　　　　**7**

**問4** 東北地方の温泉地とその温泉が所在する県の郷土料理の組み合わせとして正しいものはどれか、①〜④から一つ選びなさい。 （3点）

① 大鰐温泉 ── じゃっぱ汁　② 　夏油温泉 ── 石焼料理
③ 秋保温泉 ── わんこそば　④ 　玉川温泉 ── ずんだ餅　　　　**8**

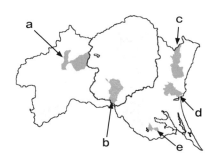

3 　地図は北関東の3県を示している。江戸時代以前には、現在の（　ア　）の上流地域が北関東と呼ばれていたが、江戸時代初期に、当時の江戸湾（現、東京湾）へ注いでいた（　イ　）を東遷する事業が行われ、（　ア　）は（　イ　）の支流となった。以後、（　イ　）以北が北関東と呼ばれるようになった。

**問1** 空欄ア、イに入る河川の組み合わせとして正しいものはどれか、①〜④から一つ選びなさい。 (3点)

① ア 鬼怒川　　　イ 利根川　　②ア 利根川　　　イ 鬼怒川
③ ア 荒川　　　　イ 渡良瀬川　④ ア 渡良瀬川　イ　荒川

9

**問2** 地図上のaの自治体に所在する滝はどれか、①〜④から一つ選びなさい。 (3点)

① 袋田の滝　　② 竜頭滝　　③ 吹割の滝　　④ 粟又の滝

10

**問3** 地図上bの都市は「小江戸」の愛称を持つ蔵の街として知られ、江戸時代には日光例幣使街道の宿場の一つであった。この都市の名称はどれか、①〜④から一つ選びなさい。 (3点)

① 佐野市　　② 小山市　　③ 足利市　　④ 栃木市

11

**問4** 地図上c、d、eの自治体に所在する観光地の組み合わせとして正しいものはどれか、①〜④から一つ選びなさい。 (4点)

① c 竜神峡　　　d 牛久シャトー　　e 偕楽園
② c 竜神峡　　　d 偕楽園　　　　　e 牛久シャトー
③ c 偕楽園　　　d 竜神峡　　　　　e 牛久シャトー
④ c 偕楽園　　　d 牛久シャトー　　e 竜神峡

12

**4** 日本海に面する福井県は、北東部の越前地方と南西部の若狭地方に大別される。越前地方の北部には、県屈指の温泉街で、「関西の奥座敷」と称される（ a ）がある。県都の福井市は越前地方の中心に位置し、市内には福井藩主松平家の別邸で国の名勝に指定されている（ b ）や、中世に越前国の戦国大名朝倉氏および家臣の居館があった（ c ）朝倉氏遺跡など史跡が多い。若狭地方は物流と文化が行き交う若狭街道で京都と結ばれており、都の食文化を支える「御食国」として、d塩や海産物などの豊富な食材を都に供給してきた。

**問1** 空欄 a に入る温泉名として正しいものはどれか、①〜④から一つ選びなさい。

(3点)

① 宇奈月温泉　　② 湯涌温泉郷　　③ 芦原温泉　　④ 瀬波温泉　　　　| **13** |

**問2** 空欄 b に入る庭園名として正しいものはどれか、①〜④から一つ選びなさい。

(3点)

① 仙巌園　　② 御船山楽園　　③ 御薬園　　④ 養浩館庭園　　　　| **14** |

**問3** 空欄 c に入る名称として正しいものはどれか、①〜④から一つ選びなさい。　(3点)

① 宿根木　　② 山町筋　　③ 寺町台　　④ 一乗谷　　　　| **15** |

**問4** 下線部 d に含まれる加工食品の一つで、若狭地方の郷土料理として知られるものはどれか、①〜④から一つ選びなさい。　(3点)

① へしこ　　② しょっつる　　③ てっちり　　④ ままかり　　　　| **16** |

**5** 紀伊半島は日本最大の半島である。半島の範囲に明確な定義はないが、その概念としては、紀の川と（　a　）を結ぶ中央構造線より南の地域を想定することが多い。この地域は古くからの霊場があり、その多くが b 世界遺産「紀伊山地の霊場と参詣道」に登録されている。半島南端地域には、本州最南端の「クレ崎」を含む（　c　）や、d 世界最北のテーブルサンゴ群生地を含む海域がラムサール条約に登録されている海域公園などがある。

**問1** 空欄 a に入る河川名として正しいものはどれか、①〜④から一つ選びなさい。

(3点)

① 宮川　　② 揖斐川　　③ 櫛田川　　④ 十津川　　　　　　　| 17 |

**問2** 熊野那智大社と一体として発展した下線部 b の構成資産の寺院で、日本三名瀑の一つである那智大滝を背景にした三重塔が有名な寺院として正しいものはどれか、①〜④から一つ選びなさい。

(3点)

① 青岸渡寺　　② 金剛峯寺　　③ 金峯山寺　　④ 大峰山寺　　| 18 |

**問3** 空欄 c に入る地名として正しいものはどれか、①〜④から一つ選びなさい。　(3点)

① 野島崎　　② 潮岬　　③ 大間崎　　④ 経ケ岬　　　　　　| 19 |

**問4** 下線部 d の沿岸海域の名称として正しいものはどれか、①〜④から一つ選びなさい。

(3点)

① 白良浜　　② 串本　　③ 勝浦　　④ 竹ヶ島　　　　　　　| 20 |

6 瀬戸内海には風光明媚な町並みや展望台が多い。瀬戸内海は、日本で初めて国立公園に指定された地域の一つだが、指定の決め手ともなった景観の一つが、児島半島先端の（　a　）から一望する備讃瀬戸、塩飽諸島の多島海景観であった。瀬戸内海のほぼ中央に位置する鞆の浦は、江戸時代に朝鮮通信使が「日東第一形勝」と讃えた

（　b　）を含む風景が名高い。本四連絡ルートの一つで、本州側の尾道と四国側の今治を、c 6つの島を経て結ぶ西瀬戸自動車道からの景観もまた素晴らしい。山陽地方の沿岸地域の土壌は塩分を多く含むため、農業には不向きであったこともあり、山陽地域では製塩業が盛んになった町が多く、d安芸の小京都と呼ばれる写真の商家町もその一つで、町並みが重要伝統的建造物群保存地区に選定されている。

**問1** 空欄aに入る名称として正しいものはどれか、①〜④から一つ選びなさい。　（3点）

① 臥牛山　　② 摩耶山　　③ 鷲羽山　　④ 亀老山　　　21

**問2** 空欄bに入る名称として正しいものはどれか、①〜④から一つ選びなさい。　（3点）

① 仙酔島　　② 舳倉島　　③ 青海島　　④ 枇榔島　　　22

**問3** 下線部cの中で、全国の山祇神社・大山祇神社の総本社の大山祇神社が所在する島として正しいものはどれか、①〜④から一つ選びなさい。　（3点）

① 伯方島　　② 大三島　　③ 生口島　　④ 因島　　　23

**問4** 下線部dの地名として正しいものはどれか、①〜④から一つ選びなさい。　（4点）

① 吹屋　　② 打吹玉川　　③ 大森　　④ 竹原　　　24

**7** <u>a四国八十八ヶ所</u>は、弘法大師（空海）ゆかりの 88 か所の仏教寺院の総称で、こ
れらの寺院を巡礼することを<u>b 遍路</u>といい、参拝者（お遍路さん）は各寺院に納
経をする。四国にはこの他にも弘法大師ゆかりの地が複数ある。

**問1** 下線部 a について、（ア）第 1 番札所と（イ）第 88 番札所の組み合わせとして正し
いものはどれか、①〜④から一つ選びなさい。 　　　　　　　　　　　　　（3点）

① （ア）善通寺、（イ）石手寺　　　② （ア）石手寺、（イ）善通寺

③ （ア）霊山寺、（イ）大窪寺　　　④ （ア）大窪寺、（イ）霊山寺　　　| 25 |

**問2** 下線部 b に関する記述として正しいものはどれか、①〜④から一つ選びなさい。

（4点）

① 「四国遍路—回遊型巡礼路と独自の巡礼文化」としてユネスコ無形文化遺産に登録
されている。

② 順番どおり廻る「順打ち」、あるいは、逆に廻る「逆打ち」のいずれかと、巡礼の順番
が決まっている。

③ 八十八ヶ所を全て廻りきると「結願」となり、その後、お礼参りとして高野山の奥の院
御廟に詣でて満願成就となる。

④ バスやタクシー、自転車等での巡礼は、正式な遍路とはみなされず、歩き遍路の場合
のみ納経できる。　　　　　　　　　　　　　　　　　　　　　　　　　　　| 26 |

**問3** 弘法大師が造ったとされる日本最大の灌漑用のため池として正しいものはどれか、
①〜④から一つ選びなさい。 　　　　　　　　　　　　　　　　　　　　　（3点）

① みくりが池　　② 湖山池　　③ 猿沢池　　④ 満濃池　　| 27 |

**問4** 青年時代の弘法大師が悟りを開いたとされる御厨人窟がある岬として正しいものは
どれか、①〜④から一つ選びなさい。 　　　　　　　　　　　　　　　　（3点）

① 室戸岬　　② 足摺岬　　③ 佐田岬　　④ 蒲生田岬　　| 28 |

**8** 　宮崎県の北部内陸地に位置する高千穂町には五ヶ瀬川にかかる高千穂峡があり、a 遊覧ボートからの滝の観光が人気である。この町にある高千穂神社には天孫降臨の伝承が伝わるが、同じ「高千穂」の名称を持つ b 高千穂峰が宮崎県と鹿児島県の県境にあり、ここにも天孫降臨の伝承が伝えられている。宮崎県南部の沿岸地域は、c 国定公園に指定されている日南海岸が広がり、その南端には、d 御崎馬と呼ばれる野生馬が生息する岬がある。

**問1** 下線部 a の滝の名称として正しいものはどれか、①～④から一つ選びなさい。

(3点)

① 鍋ヶ滝　　② 浄蓮の滝　　③ 苗名滝　　④ 真名井の滝　　　　29

**問2** 下線部 b の北西に広がる高原の名称として正しいものはどれか、①～④から一つ選びなさい。

(3点)

① えびの高原　　② 鉢伏高原　　③ 蒜山高原　　④ 久住高原　　　30

**問3** 写真の神社は、下線部 c の公園内に位置しており、断崖中腹の岩窟内に本殿が造られている。この神宮の敷地を含む岬一帯と隣接する海の一部は国指定名勝に指定されている。この神宮はまた、パワースポットとしても知られ、男性は左手、女性は右手で願いを込めながら運玉を投げ、亀石と呼ばれる岩の枡形に入れれば願いが叶うと言われている。この神社の名称として正しいものはどれか、①～④から一つ選びなさい。

(4点)

① 宇佐神宮　　② 英彦山神宮　　③ 霧島神宮　　④ 鵜戸神宮　　　31

**問4** 下線部 d の岬名として正しいものはどれか、①～④から一つ選びなさい。　(3点)

① 長崎鼻　　② 佐多岬　　③ 都井岬　　④ 日御碕　　　　　　32

各問題に対する解答はマークシートの解答欄にマークすること。例えば 1 と表示のある問題に対して④と解答する場合は、マークシートの 1 の解答欄の④にマークすること。

**1** 蘇我氏は、5世紀後半の雄略天皇の時代から活躍していたことが『古語拾遺』や『日本書紀』の記述に見られるが、勢力を急速に伸ばしたのは、6世紀半ばに蘇我稲目が大臣になった頃からである。稲目の子の馬子は、対立していた（　ア　）を592年に暗殺して、（　イ　）を擁立したが、（　イ　）は翌年に a 厩戸王を摂政に任命し、蘇我馬子と協力して政務に当たらせ、b 中央集権化をはかった。

**問1** 空所（　ア　）、（　イ　）に入る天皇の正しい組み合わせとして正しいものを、次の①〜④の中から一つ選びなさい。 　　　　　　　　　　　　　　　　（3点）

① （ア）崇峻天皇、（イ）推古天皇　　② （ア）孝徳天皇、（イ）斉明天皇

③ （ア）文武天皇、（イ）元明天皇　　④ （ア）淳仁天皇、（イ）称徳天皇　　　1

**問2** 下線部 a が定めた制度について正しい記述を、次の①〜④の中から一つ選びなさい。 　　　　　　　　　　　　　　　　　　　　　　　　　　　　　　　　（4点）

① 冠位十二階では、冠を異なる文様で区分けして位階を示した。

② 冠位十二階は十二階の地位の世襲を保証する目的があった。

③ 十七条憲法の全17条は『古事記』に記載されている。

④ 十七条憲法は、役人に対して心構えを示したものである。　　　　　　2

**問3** 下線部 b の施策の一つに、大陸から技術や制度を学ぶことがあった。当時の中国の王朝は隋であったが、遣隋使として留学した人物として正しいものを、次の①〜④の中から一つ選びなさい。 　　　　　　　　　　　　　　　　　　　　　　（3点）

① 橘逸勢　　② 阿倍仲麻呂　　③ 南淵請安　　④ 吉備真備　　　3

**問4** 写真は、この時代の文化を代表する仏像である。この仏像が安置されている寺院として正しいものを、次の①〜④の中から一つ選びなさい。　　　　　　　（3点）

① 中宮寺　　② 広隆寺

③ 法隆寺　　④ 飛鳥寺

第1章

第2章

第3章

第4章

第5章

模擬テスト

4

**2** 奈良時代の聖武天皇治世下の天平年間を中心に栄えた貴族文化は天平文化と呼ばれ、唐文化の影響を受け、仏教的色彩が強い貴族中心の文化が花開いた。天平文化に関する次の質問に答えなさい。

**問1** 『万葉集』は約4500首の歌を収録しているが、それに含まれる反歌、「世の中を 憂しとやさしと おもへども 飛びたちかねつ 鳥にしあらねば」を詠んだ人物として正しいものを、次の①〜④の中から一つ選びなさい。 (3点)

① 大伴旅人 　　② 山上憶良 　　③ 山部赤人 　　④ 柿本人麻呂 　　　5

**問2** 奈良の大寺院では主に仏教理論が研究され、南都六宗と呼ばれる学派が生まれたが、当時創建された寺院と所属する宗の組み合わせとして正しいものを、次の①〜④の中から一つ選びなさい。 (3点)

① 東大寺 —— 真言律宗 　　② 唐招提寺 —— 華厳宗

③ 興福寺 —— 法相宗 　　④ 西大寺 —— 律宗 　　　6

**問3** 次の説明に該当する奈良時代の僧として正しいものを、次の①〜④の中から一つ選びなさい。 (3点)

> 諸国をめぐり、架橋・築堤など社会事業を行い、民衆を教化して敬われた。その活動が僧尼令に反するとして弾圧されたが、やがて聖武天皇の帰依を受け、東大寺・国分寺の造営に尽力し、大僧正に任ぜられ、また大菩薩の号を賜った。

① 行基 　　② 道鏡 　　③ 鑑真 　　④ 玄昉 　　　7

**問4** 天平時代に制作された文化財として正しいものを、次の①〜④の中から一つ選びなさい。

(3点)

① 正倉院鳥毛立女屛風 　　② 法華寺十一面観音像

③ 法界寺木造阿弥陀如来坐像 　　④ 法隆寺金堂壁画 　　　8

　写真提供：高山寺

**3** 次の出来事を起こった順番に並べ替えたものとして正しいものを、次の①～④の中から一つ選びなさい。 (4点)

A 皇位継承に関する上皇と天皇の対立から保元の乱が起き、天皇方が勝利した。
B 後三条天皇が記録荘園券契所を設けて不明瞭な荘園を停止した。
C 白河天皇が幼少の堀河天皇に譲位し、院政を開始した。

① A → B → C　　② A → C → B　　③ B → A → C　　④ B → C → A　　**9**

**4** 桓武平氏は、平姓を与えられた桓武天皇の4皇子の子孫で、その全盛を築いたのは桓武平氏の主流で伊勢を本拠とした伊勢平氏の正盛、忠盛、清盛の3代であった。平清盛について<u>誤った</u>記述を、次の①～④の中から一つ選びなさい。 (3点)

① 対立する源義家を平治の乱で滅ぼし、義家の子の頼朝を伊豆に流した。
② 娘の徳子を高倉天皇に嫁がせ、子の安徳天皇を即位させた。
③ 後白河法皇を鳥羽殿に幽閉して院政を停止し、政治の実権を奪った。
④ 現在の神戸市にあった大輪田泊（港）を修築して日宋貿易に力を入れた。　　**10**

**5** 平安時代末期の11世紀後半から鎌倉幕府成立に至る12世紀末にかけての文化は院政期文化と呼ばれる。この時代に作成された文化財として正しいものを、次の①～④の中から一つ選びなさい。 (3点)

①『方丈記』　　②　神護寺薬師如来像
③ 中尊寺金色堂　　④　『古今和歌集』　　**11**

**6** 写真の絵巻物（部分）が伝わる寺院として正しいものを、次の①～④の中から一つ選びなさい。 (3点)

① 鞍馬寺　　② 高山寺
③ 醍醐寺　　④ 仁和寺　　**12**

**7** 室町幕府は、足利尊氏が「建武式目」を定めて幕府を開いた 1336 年に始まったが、その初期は、特に南北朝時代と呼ばれ、50 余年にわたって内乱が続いた。室町幕府 3 代将軍の a 足利義満は南北朝の合体を実現して内乱を終わらせ、また、b 強大となった守護大名の統制をはかった。この時代に室町幕府の統治制度が整えられたが、中央機関である侍所・評定衆は、将軍を補佐する c 三管領が統括し、地方機関として置かれた鎌倉府は、尊氏の子の足利基氏が d 初代長官（鎌倉公方）を務め、以後基氏の子孫が世襲した。

**問 1** 下線部 a は後に明との貿易も開始した。その貿易に用いられたものを、次の①〜④の中から一つ選びなさい。　　　　　　　　　　　　　　　　　（3 点）

① 信牌　　② 勘合　　③ 朱印状　　④ 奉書　　　　　　　　　　 | 13 |

**問 2** 下線部 b の段階で起こった反乱名と討伐された人物の組み合わせとして正しいものを、次の①〜④の中から一つ選びなさい。　　　　　　　　　　　（3 点）

① 応永の乱 ― 大内義隆　　② 明徳の乱 ― 山名氏清

③ 永享の乱 ― 足利持氏　　④ 嘉吉の乱 ― 赤松満祐　　　 | 14 |

**問 3** 下線部 c に含まれない守護大名を、次の①〜④の中から一つ選びなさい。　（3 点）

① 細川氏　　② 斯波氏　　③ 一色氏　　④ 畠山氏　　　　　 | 15 |

**問 4** 下線部 d の補佐を行う関東管領を世襲した守護大名として正しいものを、次の①〜④の中から一つ選びなさい。　　　　　　　　　　　　　　　　（3 点）

① 赤松氏　　② 京極氏　　③ 土岐氏　　④ 上杉氏　　　　　 | 16 |

**8** 江戸時代初期の江戸幕府将軍とその将軍が在職時の出来事の組み合わせとして正しいものを、次の①〜④の中から一つ選びなさい。 （4点）

① 徳川家康 ― 最初の武家諸法度が発布された。
② 徳川秀忠 ― 参勤交代の制度が義務付けられた。
③ 徳川家光 ― オランダ商館が長崎の出島に移された。
④ 徳川家綱 ― 島原の乱が勃発した。

17

**9** 江戸時代初期に起こった紫衣事件は、江戸幕府の朝廷に対する圧迫と統制を示す朝幕間の対立事件であったが、この事件をきっかけに幕府に諮ることなく譲位をした天皇として正しいものを、次の①〜④の中から一つ選びなさい。 （3点）

① 後奈良天皇　② 正親町天皇　③ 後陽成天皇　④ 後水尾天皇

18

**10** 江戸幕府初期の朝廷政策・宗教政策に深く関与した僧で、家康死去の際に葬儀の導師を務めて日光山を再興し、また、上野に寛永寺を創建した人物として正しいものを、次の①〜④の中から一つ選びなさい。 （3点）

① 天海　② 沢庵　③ 崇伝　④ 白隠

19

**11** 江戸時代初期に活躍した御用絵師で、江戸城、二条城、名古屋城などの公儀の絵画制作や、大徳寺、妙心寺などの障壁画の制作に携わった人物として正しいものを、次の①〜④の中から一つ選びなさい。 （3点）

① 本阿弥光悦　② 狩野探幽　③ 俵屋宗達　④ 酒井田柿右衛門

20

**12** 江戸幕府第 10 代将軍家治の時代には、側用人から老中になった田沼意次が政権の中枢を担い、a 積極的な財政政策を実施した。しかし、賄賂が横行して批判が強まり、また、b 自然災害や飢饉から百姓一揆や打ちこわしが頻発するなどして、老中を罷免された。その後、第 11 代将軍家斉の補佐として c 松平定信が老中に就任し、d 幕政改革を行った。

**問 1** 下線部 a に当てはまらないものを、次の①～④の中から一つ選びなさい。　（3 点）

① 公事方御定書の制定　　② 南鐐二朱銀の発行

③ 株仲間の公認　　　　　④ 蝦夷地の開発　　　　　　　| 21 |

**問 2** 田沼時代に起こった下線部 b に該当するものを、次の①～④の中から一つ選びなさい。　（3 点）

① 宝永大噴火　　　② 浅間山の噴火

③ 天保の大飢饉　　④ 安政の大地震　　　　　　　　　| 22 |

**問 3** 下線部 c が藩主を務めた藩として正しいものを、次の①～④の中から一つ選びなさい。　（3 点）

① 白河藩　　② 米沢藩　　③ 亀田藩　　④ 弘前藩　　| 23 |

**問 4** 下線部 d の施策に当てはまらないものを、次の①～④の中から一つ選びなさい。

（3 点）

① 石川島人足寄場の設置　　② 七分積金制の制定

③ 棄捐令の発布　　　　　　④ 印旛沼・手賀沼の干拓　　| 24 |

**13** 明治時代初期に、政府は富国強兵をスローガンに諸制度の整備を急いだ。その過程において、国立銀行条例を定め、第一国立銀行を設立して、その総監役を務めた人物として正しいものを、次の①〜④の中から一つ選びなさい。　　　　　(3点)

① 鮎川義介　　② 五代友厚　　③ 前島密　　④ 渋沢栄一　　　　 25

**14** 明治時代初期には、いわゆるお雇い外国人の活躍が日本の産業発展や西洋文化の摂取に大いに貢献した。当時のお雇い外国人とその専門分野の組み合わせとして正しいものを、次の①〜④の中から一つ選びなさい。　　　　　(3点)

① エドワード・S・モース ── 紙幣印刷・銅版画
② アントニオ・フォンタネージ ── 考古学
③ エドアルド・キヨッソーネ ── 西洋画
④ エルヴィン・フォン・ベルツ ── 医学　　　　　　　　　　 26

**15** 明治時代の初期には西洋思想が流入し、数多くの啓蒙的な書物が著された。当時の学者とその著作の組み合わせとして正しいものを、次の①〜④の中から一つ選びなさい。　　　　　(3点)

① 福沢諭吉 ──『日本開化小史』　　② 中村正直 ──『西洋事情』
③ 中江兆民 ──『民約訳解』　　④ 田口卯吉 ──『西国立志編』　　 27

**16** 明治時代初期には大学も多数設置された。大学名(現在の名称)と創設者の組み合わせとして正しいものを、次の①〜④の中から一つ選びなさい。　　　　　(3点)

① 早稲田大学 ── 新島襄　　② 慶應義塾大学 ── 大隈重信
③ 立命館大学 ── 中川小十郎　　④ 同志社大学 ── 福沢諭吉　　 28

**17** 第二次世界大戦後の日本の歴史について、次の質問に答えなさい。

**問1** 次の出来事を起こった順番に並べ替えたものとして正しいものを、次の①〜④の中から一つ選びなさい。 (4点)

A 朝鮮戦争が勃発した。

B 日中共同声明が出されて日中間の国交が回復した。

C 日ソ共同宣言が署名された。

① A→B→C　　② A→C→B　　③ B→A→C　　④ B→C→A　　29

**問2** 日本経済は、1950年代の2つの好景気を経て、高度経済成長期に突入した。次は、メディアで用いられた景気名だが、時代が早い順に並べたものとして正しいものを、次の①〜④の中から一つ選びなさい。 (3点)

A 神武景気　　B 岩戸景気　　C いざなぎ景気

① A→B→C　　② A→C→B　　③ B→A→C　　④ B→C→A　　30

**問3** 次の出来事と、その出来事が起こった西暦年の組み合わせとして正しくないものを、次の①〜④の中から一つ選びなさい。 (3点)

① ザ・ビートルズが来日公演を行った ― 1966年

② 日本万国博覧会（大阪万博）が開催された ― 1970年

③ 東京銀座にマクドナルド1号店が開店した ― 1971年

④ 関門国道トンネルが開通した ― 1973年　　31

**問4** 写真は戦後を代表する建築家の設計の建物である。その設計者として正しいものを、次の①〜④の中から一つ選びなさい。 (3点)

① 黒川紀章　　② 丹下健三

③ 安藤忠雄　　④ 前川国男

32

**模擬問題**

各問題に対する解答はマークシートの解答欄にマークすること。例えば □1□ と表示のある
問題に対して④と解答する場合は、マークシートの □1□ の解答欄の④にマークすること。

---

**1** マイクロツーリズムとは、自宅から 1 ～ 2 時間程度の移動圏内の「地元」で観光する近距離旅行の形態を言う。マイクロツーリズムの説明として、正しいものはどれか、次の①～④から選びなさい。 （3点）

① この概念は、オーバーツーリズムを反省し、環境に配慮した旅行の推進を図ろうとする趨勢(すうせい)の中で生まれた。

② 交通混雑の発生を避けるために、自家用車の利用を極力控え、できるだけ公共交通機関による移動を中心とする。

③ 地域の魅力の再発見と地域経済への貢献を念頭に置いた旅行形態である。

④ 費用節約のためにも、なるべく宿泊は避け、日帰りで楽しめるような旅行を勧めている。

□1□

**2** 2021 年 9 月 1 日に発足したデジタル庁に関する記述として、正しいものはどれか。次の①～④から選びなさい。 （3点）

① デジタル社会の形成に関する行政事務の迅速かつ重点的な遂行を図ることを目的として経済産業省の外局として置かれている。

② 行政サービスのオンライン化実施の 3 原則とは、デジタルコンプリート（個々の手続・サービスが一貫してデジタルで完結）、ワンスオンリー（一度提出した情報は二度提出が不要）、コネクテッド・ワンストップ（民間を含む複数の手続・サービスを一元化）の 3 点である。

③ 迅速・柔軟に情報システム整備を進めるためのクラウド・オン・ディマンド原則を徹底する。クラウドサービスの利用を第一候補として検討するとともに、共通に必要な機能は共用できるように、機能ごとに細分化された部品を組み合わせる設計思想に基づいた整備を推進する。

④ デジタルの力を全面的に活用し、地域の個性と豊かさを生かしつつ、都市部と同等以上の生産性・利便性も兼ね備えた「デジタル田園都市国家構想」の実現を目指している。

□2□

**3** 令和5年版観光白書によると、2022年（令和4年）における訪日外国人旅行者による日本国内における消費額は、試算によると、（　ア　）億円（2019年比81.3％減）となった。特に2022年（令和4年）以降の四半期毎の消費額の推移をみると、2022年（令和4年）10月の水際措置の大幅緩和以降、同年10－12月期においては2019年同期比で約（　イ　）割まで回復、2023年（令和5年）1－3月期においては2019年同期比で約（　ウ　）割まで回復した。

**問** 空所（ア）～（ウ）の組み合わせとして正しい数値を選びなさい。 （3点）

① ア：4兆8,135、イ：3、ウ：5　　② ア：2兆4,068、イ：3、ウ：5

③ ア：8,987、イ：5、ウ：9　　④ ア：4,468、イ：7、ウ：9　　　　| 3 |

**4** 財務省が2023年8月8日に発表した令和5年上半期中 国際収支状況（速報）によると、海外とのモノやサービスなどの取引状況を示す経常収支の黒字額は8兆132億円であった。この背景として正しいものを選びなさい。 （3点）

① 自動車などの輸出が伸びたことに加えて、原油といった資源価格の高騰が落ち着いてきたため経常収支は3年ぶりに黒字になった。

② アメリカなどでの金利上昇や円安の影響を受けて、海外からの利子や配当の収入を示す第1次所得収支は赤字であった。

③ サービス収支は、訪日外国人が増えており、旅行収支の黒字額が約13倍になったため、赤字幅が17％縮小した。

④ 貿易収支は、原油価格の下落を受けて輸入額が14.3％縮小したため、黒字幅が縮小した。

| 4 |

**5**　令和5年版観光白書に基づいて、次の文章の空所（　A　）、（　B　）に入る正しい語と数値の組み合わせを選びなさい。　　　　　　　　　　　　　（3点）

> 旅行収支は2015年（平成27年）に53年ぶりに（　A　）に転化した後、新型コロナウイルス感染症の影響等により、2021年（令和3年）は2,227億円と（　A　）幅は大幅に縮小したが、2022年（令和4年）は（　B　）億円となった。

① (A) 赤字　(B) 5,552　　② (A) 赤字　(B) 7,327

③ (A) 黒字　(B) 5,552　　④ (A) 黒字　(B) 7,327　　　　　　　　　　5

**6**　日本風景街道は、郷土愛を育み、日本列島の魅力・美しさを発見、創出するとともに、多様な主体による協働のもと、景観、自然、歴史、文化等の地域資源を活かした国民的な原風景を創成する運動を促し、以って、地域活性化、観光振興に寄与し、これにより、国土文化の再興の一助となることを目的としている。この取組は4つの運動方針に基づいているが、方針に含まれる内容として正しくないものを選びなさい。　（3点）

①『全国に運動を拡げること』
　　多くの地域が日本風景街道に参画し、全国各地に美しい風景を拡げるとともに地域コミュニティの再生を目指す運動。

②『多様性を確保すること』
　　景観、自然、歴史、文化等の地域の資源を活かし、多様な風景の形成を目指す運動。

③『さらなる質の向上を図ること』
　　個性ある地域資源に磨きをかけ、そこに暮らす人々が誇りを持ち、訪れる人を魅了する、世界に対して発信できるような質の高い風景の形成を目指す運動。

④『環境保全に配慮すること』
　　日本風景街道に参画して他地域の環境保全活動を積極的に支援し、持続可能な観光を実現して風景の形成を目指す運動。　　　　　　　　　　6

**7** 日本政府は、リニア中央新幹線等の幹線鉄道ネットワークや高速道路網などの高速交通ネットワークを活用し、北から南まで地方と地方を結び、全国を一つの経済圏に統合することで、人や産業を地方に呼び込み、新たな雇用を創出し、地方創生の礎とする構想を進めている。この構想の名称を選びなさい。 (2点)

① 地方創生ネットワーク　　② 地方創生回廊
③ 地方創生リンクシステム　④ 地方創生ハブ

| 7 |

**8** 令和5年版『観光白書』第Ⅰ部「令和4年 観光の動向」に掲載されているデータに関して、次の (1) ～ (4) のそれぞれの空所に入るべき数値、あるいは、国名の組み合わせを選びなさい。 (各2点× 4)

(1) 世界経済は、新型コロナウイルス感染拡大の影響のあった2020年 (令和2年) は大きく減少したが、2021年 (令和3年) に大幅に回復し、2022年 (令和4年) も伸びは緩やかになったものの引き続き回復した。IMF1 (国際通貨基金) によると、世界全体の実質経済成長率は (　　　　) ％となった。

① 1.1　　② 2.3　　③ 3.4　　④ 4.8

| 8 |

(2) 2021年の各国・地域の国際観光収入は、(　ア　) が702億ドルで1位となり、(　イ　) が406億ドルで2位、スペインが345億ドルで3位となった。

① ア：アメリカ、イ：フランス　② ア：アメリカ、イ：中国
③ ア：フランス、イ：中国　　　④ ア：フランス、イ：アメリカ

| 9 |

(3) 2021年の各国・地域の国際観光支出は、(　ア　) が1,057億ドルで1位となり、アメリカが569億ドルで2位、(　イ　) が478億ドルで3位となった。

① ア：ドイツ、イ：フランス　② ア：ドイツ、イ：中国
③ ア：中国、イ：ドイツ　　　④ ア：中国、イ：フランス

| 10 |

(4) UNWTO (国連世界観光機関) の2023年1月の発表によると、2022年の世界全体の国際観光客数は、前年の約2倍である (　　　) 億1,700万人となり、新型コロナウイルス感染拡大の影響による減少から回復が見られた。

① 6　　② 7　　③ 8　　④ 9

| 11 |

**9** パリ協定は、2015 年にパリで開かれた、温室効果ガス削減に関する国際的取り決めを話し合う「国連気候変動枠組条約締約国会議（通称 COP）」で合意され、2016 年 11 月 4 日に発効した。この協定について正しい記述を選びなさい。　　（3 点）

① 2020 年以降の地球温暖化対策を定めており、排出量削減目標の策定義務化や進捗の調査など一部には法的拘束力と罰則規定がある。

② 気候変動枠組条約に加盟する全 196 カ国全てが参加する枠組みとしては史上初であった。

③ 目的として、産業革命前からの世界の平均気温上昇を「5 度未満」に抑える。加えて平均気温上昇「2.5 度未満」を目指すことを掲げている。

④ 105 カ国以上が参加することと、世界の総排出量のうち 40% 以上をカバーする国が批准すること発効条件であった。　　**12**

**10** 持続可能な開発目標（SDGs = Sustainable Development Goals）に関して正しい記述を選びなさい。　　（3 点）

① 2015 年 9 月の国連サミットで採択されたもので、国連加盟 193 か国が 2016 年から 2040 年までの 25 年間で達成するために掲げた目標である。

② 持続可能な開発のための国連の国際目標で、8 つのゴールと 21 のターゲット項目を掲げている。

③ 実施手段として、政府や民間セクター、市民社会、国連機関、その他の主体等全てを動員する「グローバル・パートナーシップ」を掲げている。

④ 日本政府は、自治体による SDGs の達成に向けた優れた取り組みを提案する都市を公募し、2018 年に 29 都市を SDGs 先進都市として選定した。　　**13**

11 「消費者被害の防止及びその回復の促進を図るための特定商取引に関する法律等の一部を改正する法律」が2021年6月に衆参両院において、可決成立した。その主な改正点について正しい記述を選びなさい。 　　　　　　　　　　（2点）

① 売買契約に基づかないで送付された商品について、消費者が14日間保管後処分等が可能になった。
② いわゆる「オーナー商法」が原則禁止となり、違反した場合の罰則が厳罰化され、犯罪収益の没収が可能になった。
③「会員になって新しい会員を2名以上紹介すれば紹介料がもらえる」などの、いわゆる「マルチ商法」が違法となった。
④ 特定デジタルプラットフォーム提供者として指定された事業者が、取引条件等の開示、運営における公正性確保、運営状況の報告などを義務付けられた。　　　14

12 日本国内の路面電車路線としては万葉線（富山県）以来75年ぶりの新規開業となったライトレールが2023年8月26日に運行を始めた市を選びなさい。　（2点）

① 宇都宮市　　②水戸市　　③前橋市　　④甲府市　　　15

13 2024年（令和6年）3月16日に開業した新幹線区間として正しいものを選びなさい。 　　　　　　　　　　（2点）

① 武雄温泉 —— 長崎　　② 金沢 —— 敦賀
③ 新函館北斗 —— 札幌　　④ 山形 —— 新庄　　　16

14 2021年7月に開催された世界遺産委員会では、日本から自然遺産として「奄美大島、徳之島、沖縄島北部および西表島」、および、文化遺産として「北海道・北東北の縄文遺跡群」が登録された。世界自然遺産は、日本国内で5件目、世界文化遺産は日本国内で20件目となった。これらの世界遺産について正しい記述を選びなさい。

　　　　　　　　　　（3点）

①「奄美大島、徳之島、沖縄島北部および西表島」に生息する動物には、絶滅危惧種の種数および割合が多く、アマミノクロウサギ、ヤンバルクイナ、イリオモテヤマネコなどが含まれる。

② 「奄美大島、徳之島、沖縄島北部及び西表島」は、面積 42,698ha の陸域で構成され、「西表石垣国立公園」、「奄美群島国立公園」、「慶良間諸島国立公園」の 3 つの国立公園が登録地域に含まれる。

③ 「北海道・北東北の縄文遺跡群」は、北海道 2 遺跡、青森県 8 遺跡、岩手県 1 遺跡、秋田県 2 遺跡の合計 13 遺跡で構成され、関連する遺跡（関連資産）が北海道と青森県に 1 遺跡ずつある。

④ 「北海道・北東北の縄文遺跡群」に含まれる名高い遺跡に、青森県青森市の三内丸山遺跡、秋田県鹿角市の大湯環状列石、青森県つがる市の亀ヶ岡石器時代遺跡、青森県八戸市の大森勝山遺跡などがある。

17

**15** 国際博覧会は、国際博覧会条約（BIE 条約）に基づいて行われる複数の国が参加する博覧会で、万国博覧会、略して、万博とも呼ばれる。国内博覧会は 1798 年にパリで開催されたのが最初で、徐々に規模が大きくなり、1851 年にロンドンで第 1 回国際博覧会が開催された。現在、最大の規模の国際博覧会である「登録博」は 1995 年以降は 5 年ごとに開催され、その開催地は BIE での投票で決定される。(A) 2020 年の登録博ドバイ万博、ならびに、(B) 2025 年の登録博、大阪万博のテーマをそれぞれ選びなさい。 (2 点× 2)

(A) 2020 年ドバイ万博　　　　　　　　　　　　　18

(B) 2025 年大阪万博　　　　　　　　　　　　　　19

① 人間—自然—技術　　　② 水と持続可能な開発
③ いのち輝く未来社会のデザイン　　④ 心をつなぎ、未来を創る
⑤ 人類の進歩と調和　　　⑥ より良い都市、より良い生活

**16** 次の工芸品のうち、法律に基づく経済産業大臣の指定を受けた工芸品（伝統的工芸品）に該当しないものはどれか。次の①〜④から選びなさい。 (3 点)

① 南部鉄器　　② 西陣織　　③ 薩摩切子　　④ 伊万里焼・有田焼　　20

各問題に対する解答はマークシートの解答欄にマークすること。例えば $\boxed{1}$ と表示の
ある問題に対して④と解答する場合は、マークシートの $\boxed{1}$ の解答欄の④にマークする
こと。

........................................................................................................

$\boxed{1}$ 通訳案内士法・旅行業法などに関する知識

(1) 2018年1月施行の通訳案内士法改正について正しいものはどれか。次の①〜④から
選びなさい。 (2点)

① 通訳案内士の名称は全国通訳案内士となった。

② 無資格者は有償で通訳案内をできないようになった。

③ 任意で希望するものは登録研修機関研修の受講ができるようになった。

④ 無資格者も「通訳ガイド」、「認定ガイド」等の名称を用いられるようになった。

$\boxed{1}$

(2) 旅行業法の規定上正しいものはどれか。次の①〜④から選びなさい。 (2点)

① 旅行業者などが旅行者に対し説明を行う際、及び、契約の締結を行う際、通訳案内
士の同行の有無について書面に記載する義務はない。

② 重要な契約内容の変更の発生について故意に旅行者に告げないことは禁止されて
いる。

③ 業者に対する支払いや、旅行者に対する払い戻しなどは故意に遅らせることができ
る。

④ 旅行者の希望があれば違法な品物を販売する店舗に添乗員や通訳案内士が案内し
たり、店舗の所在地を教えたりすることはできる。 $\boxed{2}$

(3) 旅行業者代理業者に関する記述として正しくないものはどれか。次の①〜④から選び
なさい。 (2点)

① 他社の旅行商品を他社のために代理して販売する。

② 複数の旅行代理店の代理業ができない。

③ 営業供託金や営業保証金は不要である。

④ 通訳案内士のみを手配する場合、旅行サービス手配業の登録も必要である。 $\boxed{3}$

(4) 旅行サービス手配業に関する記述として正しくないものはどれか。次の①〜④から選びなさい。 (2点)

① 旅行業者から委託を受け、運送手段や宿泊施設、ガイド等を手配する事業者である。

② 旅行サービス手配業は登録が必要である。

③ 既に旅行業の登録がある旅行業者は、旅行サービス手配業に当たる行為を行う場合でも、重複して旅行サービス手配業の登録を受ける必要はない。

④ 有償ガイドの手配は旅行サービス手配業者のみが行うことができる。　　　4

## 2 旅程管理の実務

(1) 旅程管理主任者に関する記述として正しくないものはどれか。次の①〜④から選びなさい。 (3点)

① 観光庁長官登録研修機関が行う旅程管理研修を修了し、所定の添乗実務経験を積まなければならない。

② 国内旅行のみに添乗が可能な資格は国内旅程管理主任者と呼ばれる。

③ 海外旅行・国内旅行の両方に添乗が可能な資格は総合旅程管理主任者と呼ばれる。

④ 同一の企画旅行に添乗員が複数いる場合、全員に旅程管理主任者資格が必要である。　　　5

(2) 添乗実務に関する記述として正しくないものはどれか。次の①〜④から選びなさい。 (3点)

① 添乗の前に添乗指示書を受け取り、旅行スケジュールや、運送機関、食事場所、立ち寄り場所、宿泊施設など旅行手配内容の詳細を確認する。

② 列車での移動時に減員が生じた場合、減員証明を受け取る。

③ 旅行者が途中でツアーから離れる場合には離団書を記載してもらう。

④ 旅行者が途中でツアーから離れ、その後旅行に復帰しない場合、離団以降でも旅行業約款で定められた特別補償の対象となる。　　　6

(3) 鉄道利用に関する記述として正しくないものはどれか。次の①〜④から選びなさい。

（3点）

① JR の規定について、訪日観光団体として取り扱われるためには、訪日観光客が 8 人以上必要である。

② 訪日観光団体の割引率は 20％である。

③ 旅行開始後、JR の乗降車時に受ける証明で団体乗車券（団券）における人員減運賃払い戻し時に必要なもの改札証明という。

④ JR 利用時、団体乗車券（団券）の発行後、人員の減少があった場合に、みどりの窓口等であらかじめ受ける証明を出札証明という。

| 7 |

# 3 | 危機管理と事前調査

(1) 旅程表で訪問する場所が案内できないなど、ガイド中に不測の事態が起きた時の対応として正しいものはどれか。次の①〜④から選びなさい。 （3点）

① 通訳案内士が現場の判断で代替の訪問場所を決める。

② 通訳案内士が旅行者の了解を得て訪問をキャンセルする。

③ 状況をエージェント等に報告し、対応方法についてエージェント等の指示を仰ぐ。

④ 返金などの補償について通訳案内士が現場の状況に応じて決定し、旅行者に説明する。

| 8 |

(2) 迷子を出さないために最優先で行うべきこととして正しいものはどれか。次の①〜④から選びなさい。 （2点）

① ガイドはできるだけ目立つ格好をする。

② 集合時間・集合場所を徹底する。

③ 必ず小旗を携帯する。

④ ガイドの携帯電話の番号を周知する。

| 9 |

# 4 災害発生時等における適切な対応

(1) 災害発生時の対応において、地震を想定した場合、適切でない対応はどれか。次の①
　〜④から選びなさい。　　　　　　　　　　　　　　　　　　　　　　　（2点）

① 大きな声で「大丈夫。落ち着いて！」と声をかける。

② 身の安全を守る行動（姿勢を低く、窓や倒壊するものから離れる、頑丈な家具の下
　に潜り込む、落下物から頭を守るなど）を指示する。

③ 電気製品などの出火防止と初期消火の呼びかけを行う。

④ エージェントへの報告は事後とし、現場で情報収集を行う。　　　　　10

(2) 外国人患者を受け入れる病院などについて認証、推奨する制度として誤っているもの
　はどれか。次の①〜④から選びなさい。　　　　　　　　　　　　　　　（2点）

① 外国人患者受入れ医療機関認証制度（JMIP）

② ジャパン インターナショナル ホスピタルズ（JIH）推奨制度

③ JCI (Joint Commission International) 認証

④ JNTO 医療機関認証制度　　　　　　　　　　　　　　　　　　　　11

# 5 コンプライアンス

(1) 通訳案内士法において、通訳案内士が、通訳案内を受ける者のためにする物品の購
　買その他あっせんについて、販売業者その他の関係者に対し金品を要求することを禁
　止する条項はどれか。次の①〜④から選びなさい。　　　　　　　　　（3点）

① 30条　　② 31条　　③ 32条　　④ 33条　　　　　　　　12

(2) 通訳案内士の業務における著作権法上の注意として正しい記述はどれか。次の①〜④から選びなさい。 (3点)

① 通訳案内士の業務において、著作物を利用する場合、著作権者からの許可は不要。
② 通訳案内士の業務において、著作物の利用許可があれば、著作物の内容又は題号を旅行客の関心に合わせて自由に改変することができる。
③ 通訳案内士が募集型企画旅行に旅程管理者として添乗した際に著作権侵害行為を行った場合、旅行の実施主体である旅行業者にも責任はある。
④ 通訳案内士の業務において、第三者の著作物を旅行客個人が旅の思い出として楽しむために印刷、複写、撮影、録音、録画などして頒布を行うこと対しては著作権者からの許可は不要。

13

(3) 通訳案内士の業務における道路運送法上の注意として正しい記述はどれか。次の①〜④から選びなさい。 (3点)

① 通訳案内士は旅行客を自家用車で案内できない。
② 旅客自動車運送事業者の利用について、運転手は連続運転時間4時間以内に15分以上の休憩を確保する必要がある。
③ 旅客自動車運送事業者の利用について、1日の運転時間が9時間以上、あるいは、実車距離が500km（午前2時から4時の時間帯が含まれる場合400km）を超える場合でも、運転手は1名でよい。
④ 道路運送法において、旅客自動車運送事業は、一般旅客自動車運送事業と特定旅客自動車運送事業に分類される。

14

(4) 通訳案内士の業務における薬機法上の注意として正しい記述はどれか。次の①〜④から選びなさい。 (3点)

① 通訳案内士が医薬品等の名称・製造方法・効能・効果等について、虚偽又は誇大に広告（口頭によるものも含む）することは禁止されている。
② 通訳案内士が承認前や許可の手続きを受けていない医薬品等について、口頭で説明することは禁止されていない。
③ 通訳案内士が医薬品等の品質や規格を誤認させたり、価格などの取引条件が有利であると誤認させたりすることは禁止されている。
④ 通訳案内士は医薬品等を処方することができる。

15

## 6 宗教上の注意点・食事制限の知識

(1) イスラム教徒に許される食事の名称を何というか。次の①～④から選びなさい。

(2点)

① ハラルフード　　② ハラムフード

③ キブラフード　　④ ラマダンフード

16

(2) ユダヤ教における食事の規定を何というか。次の①～④から選びなさい。　（2点）

① タナハ　　② カシュルート　　③ シャバット　　④ ヨムキプル

17

(3) 食物アレルゲンに関して、厚生労働省が表示義務等を規定している食品で表示義務のあるものに含まれないものはどれか。次の①～④から選びなさい。　（3点）

① そば　　② 落花生　　③ 卵　　④ バナナ

18

## 7 文化別・国別の特徴

(1) 観光庁が実施した「訪日外国人消費動向調査」における平成28年の年間値で、1人当たりの旅行支出が一番高かったのはどこの国か。次の①～④から選びなさい。

(2点)

① 中国　　② 台湾　　③ オーストラリア　　④ ロシア

19

(2) 問題（1）の調査で調査した項目のうち、日本食を食べることを実施した訪日外国人の割合は何％か。次の①～④から選びなさい。　（3点）

① 96.1%　　② 83.4%　　③ 73.3%　　④ 66.4%

20

**1**

**1** **問1** ① 末広町（すえひろちょう）

解説 ②主計町（かずえまち）は金沢市（かなざわ）の茶屋町、③豆田町（まめだまち）は日田市（ひた）の商家町、④北野町（きたのちょう）は神戸市（こうべ）の港町として重伝建。

**2** **問2** ② 陸繋島（りくけいとう）

解説 ①砂嘴（さし）は、沿岸流によって運ばれてきた砂礫が湾と外洋を隔てる形で細長く突き出た地形。②陸繋島（りくけいとう）は砂州によって陸続きになった島。③残丘は、準平原（侵食作用を受けて海面の高さ付近まで低くなったほぼ平らな地形）の中に存在する孤立した丘。④成層火山（せいそうかざん）は噴火物が積み重なって層をなし、円錐型に発達した大きな山。

**3** **問3** ② 八幡坂（はちまんざか）

解説 ①いろは坂（ざか）は日光市（にっこう）、③巨福呂坂（こぶくろざか）は鎌倉市（かまくら）、④産寧坂（さんねいざか）は京都市（きょうと）。

**4** **問4** ③ 北一ヴェネツィア美術館（きたいち）

解説 ③北一ヴェネツィア美術館（きたいち）は小樽市（おたる）に所在する。

**2**

**5** **問1** ② 甲府市（こうふ）

解説 人口50万以上が条件になるため、沿岸の工業地帯が主体。

**6** **問2** ② 瑞鳳殿（ずいほうでん）

解説 ②瑞鳳殿（ずいほうでん）は伊達政宗（だてまさむね）の霊廟。他は宮城県宮城郡松島町（みやぎ）（まつしままち）に所在。①瑞巌寺（ずいがんじ）は伊達家の菩提寺。③観瀾亭（かんらんてい）は伏見桃山城の一棟を伊達政宗が豊臣秀吉（とよとみひでよし）から拝領したもの。④五大堂（ごだいどう）は瑞巌寺（ずいがんじ）の境外仏堂。

**7** **問3** ④ 定禅寺通（じょうぜんじどおり）

解説 ①伝法院通り（でんぽういんどお）は東京浅草（あさくさ）、②烏丸通（からすまどおり）は京都市（きょうと）、③御堂筋（みどうすじ）は大阪市（おおさか）。

**8** **問4** ① 大鰐温泉（おおわに）── じゃっぱ汁

解説 正しくは、大鰐温泉（おおわに）── じゃっぱ汁（青森県）、夏油温泉（げとう）── わんこそば（岩手県）、秋保温泉（あきう）── ずんだ餅（宮城県）、玉川温泉（たまがわ）─石焼料理（秋田県）。

**3**

**9** **問1** ① ア 鬼怒川（きぬがわ）　イ 利根川（とねがわ）

解説 鬼怒川（きぬがわ）は江戸時代初期以前は太平洋に、利根川（とねがわ）と渡良瀬川（わたらせがわ）は江戸湾に直接注いでいたが、江戸時代に利根川を太平洋へ流し、鬼怒川（きぬがわ）と渡良瀬川（わたらせがわ）は利根川に付け替えられ利根川の支流となった。

**10** 問2 ③ 吹割の滝

解説 ③吹割の滝は群馬県沼田市。①袋田の滝は茨城県、②竜頭滝は栃木県、④粟又の滝は千葉県。

**11** 問3 ④ 栃木市

解説 選択肢は全て栃木県。

**12** 問4 ② c 竜神峡　d 偕楽園　e 牛久シャトー

解説 竜神峡は茨城県常陸太田市にある峡谷で、長さは375mの日本最大級の歩行者専用橋である竜神大吊橋があることで知られる。偕楽園は茨城県水戸市。牛久シャトーはその名が示す通り、茨城県牛久市にある日本で最初の本格的ワイン醸造場で国指定重要文化財。

**4** **13** 問1 ③ 芦原温泉

解説 ①宇奈月温泉は富山県、②湯涌温泉郷は石川県、④瀬波温泉は新潟県。

**14** 問2 ④ 養浩館庭園

解説 ①仙巌園は鹿児島県、②御船山楽園は佐賀県、③御薬園は福島県。

**15** 問3 ④ 一乗谷

解説 ①～③は重伝建。①宿根木は佐渡市（港町）、②山町筋は高岡市（商家町）、③寺町台は金沢市（寺町）。

**16** 問4 ① へしこ

解説 ①へしこは鯖のぬか漬け。②しょっつるは秋田県の魚醤、③てっちりは山口県などのふぐ料理、④ままかりはニシン科サッパ属の小型魚を酢漬けにしたもので、岡山県を中心とする瀬戸内海地方にみられる郷土料理。

**5** **17** 問1 ③ 櫛田川

解説 ①宮川は三重県南部、②揖斐川は木曽川水系、④十津川は熊野川本流の十津川村内での呼称。

**18** 問2 ① 青岸渡寺

解説 ②金剛峯寺、③金峯山寺、④大峰山寺も含め、全て世界遺産「紀伊山地の霊場と参詣道」の構成資産。

**19** 問3 ② 潮岬

解説 ①野島崎は房総半島最南端、③大間崎は本州最北端、④経ケ岬は丹後半島最北端。

問4 ② 串本

解説 ①白良浜は和歌山県西牟婁郡白浜町。白い浜辺と南紀白浜温泉で知られ、ハワイ・ワイキキビーチの友好姉妹浜。③勝浦は和歌山県東牟婁郡那智勝浦町にある、南紀勝浦温泉の所在地。④竹ヶ島は徳島県海部郡海陽町の竹ヶ島にある海域公園。

6 | 21 問1 ③ 鷲羽山

解説 ①臥牛山は高梁市で備中松山城がある山。②摩耶山は神戸市六甲山で日本三大夜景を望める掬星台がある。④亀老山は今治市大島にあり、眺望はしまなみ海道随一と言われる展望公園がある。

22 問2 ① 仙酔島

解説 ②舳倉島は石川県能登半島の北にあり、バードウォッチングが有名。③青海島は山口県長門市にあり、海上アルプスの名で知られる。④枇榔島は鹿児島県志布志市にある周囲4km弱の無人島で亜熱帯性植物群落が見られる。

23 問3 ② 大三島

解説 ①伯方島、②大三島、③生口島、④因島に向島、大島を加えて全6島。

24 問4 ④ 竹原

解説 いずれも重伝建。①吹屋は高梁市の鉱山町、②打吹玉川は鳥取県の商家町、③大森は島根県の鉱山町。

7 | 25 問1 ③ (ア) 霊山寺、(イ) 大窪寺

解説 善通寺は75番札所で弘法大師誕生の地。石手寺は51番札所。

26 問2 ③ 八十八箇所を全て廻りきると「結願」となり、その後、お礼参りとして高野山の奥の院御廟に詣でて満願成就となる。

解説 結願をもって満願成就とも言われるが、消去法で③を残す。①日本遺産に認定されている。②どの寺院から始めてもよいし、順番も決まっていないので88番目の札所が結願寺となる。④歩き遍路は3%で、73%が団体バスを利用している。

27 問3 ④ 満濃池

解説 ①みくりが池は富山県、②湖山池は鳥取県、③猿沢池は奈良県。

28 **問4** ① 室戸岬

解説 問題文の御厨人窟は御蔵洞とも表記され、空海はこの洞窟から見える空と海の風景から「空海」の法名を得たとされる。②足摺岬は四国最南端（直近）の岬、③佐田岬は四国最西端の岬、④蒲生田岬は四国最東端の岬。

**8**

29 **問1** ④ 真名井の滝

解説 ①鍋ヶ滝は熊本県、②浄蓮の滝は静岡県、③苗名滝は新潟県・長野県。

30 **問2** ① えびの高原

解説 ②鉢伏高原は兵庫県、③蒜山高原は岡山県、④久住高原は大分県。

31 **問3** ④ 鵜戸神宮

解説 ①宇佐神宮は大分県、②英彦山神宮は福岡県、③霧島神宮は鹿児島県。

32 **問4** ③ 都井岬

解説 ①長崎鼻は薩摩半島南端、②佐多岬は大隅半島南端で九州最南端、④日御碕は島根半島のほぼ西端。

---

## 日本歴史　模擬問題 ▸▸▸ 解答・解説

**1**

1 **問1** ①（ア）崇峻天皇、（イ）推古天皇

解説 ①崇峻天皇は第32代、推古天皇は第33代、②孝徳天皇は第36代、斉明天皇は第37代、③文武天皇は第42代、元明天皇は第43代、④淳仁天皇は第47代、称徳天皇は第48代の天皇。

2 **問2** ④ 十七条憲法は、役人に対して心構えを示したものである。

解説 ①は6種の色を濃淡で大小に分けた、②世襲制の打破が目的、③『日本書紀』が正しい。

3 **問3** ③ 南淵請安

解説 ①橘逸勢、②阿倍仲麻呂、④吉備真備はいずれも遣唐使。

4 **問4** ② 広隆寺

解説 全て飛鳥時代の創建。①中宮寺は奈良県生駒郡斑鳩町、②広隆寺は京都市右京区太秦、③法隆寺は奈良県生駒郡斑鳩町、④飛鳥寺は奈良県高市郡明日香村。

**2**　**5**　問1　② 山上憶良

解説　①大伴旅人、③山部赤人、④柿本人麻呂もすべて万葉歌人。

**6**　問2　③ 興福寺 —— 法相宗

解説　南都六宗は、三論宗、成実宗、俱舎宗、法相宗、華厳宗、律宗で、現存するのは後者3宗のみ。正しい組み合わせは、東大寺 —— 華厳宗、唐招提寺 —— 律宗、興福寺 —— 法相宗、西大寺—真言律宗。なお、西大寺が現在所属する真言律宗は、鎌倉時代に西大寺を復興した叡尊を中興の祖とする一派。

**7**　問3　① 行基

解説　②道鏡は孝謙上皇の寵を受けた。③鑑真は唐の人、律宗の開祖。④玄昉は入唐後、橘 諸兄政権で活躍した。

**8**　問4　① 正倉院鳥毛立女屛風

解説　②法華寺十一面観音像は弘仁・貞観文化の一木造、③法界寺木造阿弥陀如来坐像は国風文化で寄木造様式、④法隆寺金堂壁画は白鳳文化。

**3**　**9**　④ B → C → A

解説　A は 1156 年、上皇と天皇の対立は崇徳上皇と後白河天皇でのこと。B は延久の荘園整理令のことで、1069 年。C は 1086 年。

**4**　**10**　① 対立する源義家を平治の乱で滅ぼし、義家の子の頼朝を伊豆に流した。

解説　源義家ではなく、源義朝が正しい。

**5**　**11**　③ 中尊寺金色堂

解説　①『方丈記』は鎌倉文化時代で鴨長明の随筆。②神護寺薬師如来像は弘仁・貞観文化時代の一木造、④『古今和歌集』は国風文化時代で編者は紀貫之など。

**6**　**12**　② 高山寺

解説　写真は『鳥獣戯画』。①鞍馬寺は京都市左京区、③醍醐寺は京都市伏見区、④仁和寺は京都市右京区に所在。

**7**　**13**　問1　② 勘合

解説　②勘合は政府が派遣した正式貿易船であることを証明する割符。①信牌は長崎の入港許可証、③朱印状は朱印が押された公的文書、④奉書は一種の指図書き。

**14**　問2　② 明徳の乱 —— 山名氏清

解説　①応永の乱 —— 大内義隆は大内義弘が正しい。③永享の乱 —— 足利持氏

と④嘉吉の乱 ── 赤松満祐の組み合わせはどちらも正しいが、6代将軍足利義教の時代。

**15 問3 ③ 一色氏**

**解説** 三管領は①細川氏、②斯波氏、④畠山氏で、③一色氏は侍所の長官（所司）である四職（他、赤松・山名・京極）のひとつ。

**16 問4 ④ 上杉氏**

**解説** ①赤松氏と②京極氏は四職、③土岐氏の支流に明智氏がいる。

**8**

**17 ③ 徳川家光 ── オランダ商館が長崎の出島に移された。**

**解説** 最初の武家諸法度は秀忠の在職時、他はすべて家光の在職時。

**9**

**18 ④ 後水尾天皇**

**解説** ①後奈良天皇は105代、②正親町天皇は106代、③後陽成天皇は107代、④後水尾天皇は108代。

**10**

**19 ① 天海**

**解説** ②沢庵は大徳寺住持、③崇伝は臨済宗の僧、④白隠は臨済宗中興の祖。

**11**

**20 ② 狩野探幽**

**解説** 全て江戸初期の芸術家。①本阿弥光悦は書家、陶芸家、蒔絵師、芸術家、茶人で、京都に光悦村を形成、②狩野探幽は狩野永徳の孫、③俵屋宗達は『風神雷神図屏風』の作者、④酒井田柿右衛門は赤絵の絵付を完成した有田の陶工。

**12**

**21 問1 ① 公事方御定書の制定**

**解説** ①は享保の改革における施策。

**22 問2 ② 浅間山の噴火**

**解説** ①宝永大噴火は1707年、②浅間山の噴火は1783年、③天保の大飢饉は1835年〜1837年、④安政の大地震は1850年代。ちなみに田沼意次は、第9代将軍徳川家重と第10代家治の治世下で、1767年から1786年までの間、側用人・老中として政権の中枢をなした。

**23 問3 ① 白河藩**

**解説** ①白河藩（現在の福島県白河市）、②米沢藩（現在の山形県東南部置賜地方）、③亀田藩（現在の秋田県由利本荘市）、④弘前藩（現在の青森県西部）はいずれも東北地方の藩。

問4 ④ 印旛沼・手賀沼の干拓

解説 ④は田沼意次が進めた事業。

13 25 ④ 渋沢栄一

解説 ①鮎川義介は日産コンツェルン創始者、②五代友厚は実業家、③前島密は郵便事業の発議者。

14 26 ④ エルヴィン・フォン・ベルツ —— 医学

解説 人物を元に、①エドワード・S・モースは考古学、②アントニオ・フォンタネージは西洋画、③エドアルド・キヨッソーネは紙幣印刷・銅版画。

15 27 ③ 中江兆民 ——『民約訳解』

解説 人物を元に、①福沢諭吉は『西洋事情』、②中村正直は『西国立志編』、④田口卯吉は『日本開化小史』の著者。

16 28 ③ 立命館大学 —— 中川小十郎

解説 大学名を元に、①早稲田大学は大隈重信、②慶應義塾大学は福沢諭吉、④同志社大学は新島襄が創設者。

17 29 問1 ② A → C → B

解説 Aの朝鮮戦争が勃発したのは1950年、Bの日中共同声明は1972年、Cの日ソ共同宣言は1956年。

30 問2 ① A → B → C

解説 神話を遡っているため神話のストーリーで時代が遅い順になる。A 神武景気が1955年（神武天皇即位）、B 岩戸景気が1959年（天岩戸の神話）、C いざなぎ景気が1966年（天地開闢の神話）。

31 問3 ④ 関門国道トンネルが開通した —— 1973年

解説 正しくは、④は1958年。1973年は関門橋が開通した年。

32 問4 ② 丹下健三

解説 写真は国立代々木競技場、①黒川紀章は中銀カプセルタワービル（2022年に解体され、全140個カプセルのうち23個のカプセルが別地に保存・再利用）など、③安藤忠雄は地中美術館など、④前川国男は東京文化会館などの設計者。

## 一般常識 模擬問題 ▶▶▶ 解答・解説

**1**　1 ④

解説　高付加価値な観光サービスを提供できる人材の育成については、2023年5月、観光庁が高付加価値な観光サービスを提供できる人材の育成に向け、先進的な人材育成を行っている海外の教育機関への現地留学を希望する観光産業従事者等の支援を開始している。

**2**　2 ④

解説　①経済産業省の外局ではなく、内閣に置かれている。②デジタルコンプリートではなく、デジタルファースト。③クラウド・オン・ディマンド原則ではなく、クラウド・バイ・デフォルト原則。

**3**　3 ③

解説　2019年の訪日外国人旅行者消費額の確定値は4兆8,135億円であったから、81.3%減として計算すると、約9,000億円になる

**4**　4 ③

解説　①黒字幅が拡大した、②黒字、④赤字幅、が正しい。
「旅行収支」は訪日外国人の消費額から日本人が海外で使った金額を引いたもので、それに特許権使用料の支払いや受け取りなども合わせたa「サービス収支」の構成要素。b「貿易収支」はモノの輸出入を示すもの。aとbに第一次所得収支（海外投資から得た利子・配当）・第二次所得収支（政府や民間の海外資金援助）を加えた全体が「経常収支」になる。

**5**　5 ④

解説　令和5年版観光白書（P. 16 図表Ⅰ-18）に記載

**6**　6 ④

解説　④は正しくは、『継続的な運動とすること』で、一過性で終わることのない、息の長い運動、が正しい。

**7**　7 ②

解説　令和4年版『観光白書』第Ⅳ部 P. 230 では、第2章第1節「ポストコロナに向けた環境整備」の2「交通機関」の項目において、『(2)「地方創生回廊」の完備』の施策を挙げている。

**8**

| 8 | (1) ③ |

| 9 | (2) ① |

| 10 | (3) ③ |

| 11 | (4) ④ |

解説 日本に関しては、(1) は 1.1%、(2) は 2020 年の 15 位（アジアで 4 位）から 29 位（アジアで 6 位）に後退、(3) は 2020 年の 25 位（アジアで 6 位）から 41 位（アジアで 10 位）に後退した。

**9**

| 12 | ② |

解説 ①は罰則規定はない。③は『「2 度未満」に抑える。加えて平均気温上昇「1.5 度未満」』が正しい（パリ協定日本語版 P. 6 第二条 1 項）。④はパリ協定日本語版 P. 39 第二十一条の 1 項に明記されているが、「55 カ国以上」と「55%以上」が正しい。なお、アメリカ政府はパリ協定から離脱していたが、2021 年 1 月にアメリカ新大統領に就任したバイデン大統領は、就任と同時にパリ協定復帰の大統領令を出した。

**10**

| 13 | ③ |

解説 ①は 2030 年までの 15 年間。②は SDGs が継承している、2015 年までの達成を目指していたミレニアム開発目標（MDGs ＝ Millennium Development Goals）のもの。正しくは、17 のグローバル目標と 169 のターゲット（達成基準）からなっている。④は SDGs 未来都市が正しい。SDGs 先進都市は、SDGs にある 17 の目標すべてに関わる市民活動が活発な都市で、ドイツのフライブルク市が著名である。なお、SDGs 未来都市は、2018 年（平成 30 年）に 29 都市、2019 年（令和元年度）に 31 都市、2020 年（令和 2 年度）に 33 都市、2021 年（令和 3 年度）に 31 都市、2022 年（令和 4 年度）に 30 都市、2023 年（令和 5 年度）に 28 都市が選定された。

**11**

| 14 | ② |

解説 ①は直ちに処分等が可能になった、が正しい。②の「オーナー商法」は「現物まがい商法」や「販売預託商法」と呼ばれるもので、2020 年に詐欺事件として摘発されたジャパンライフ事件等を受けて禁止となった。③は「実体のない金品の受け渡しが目的」である点が特徴の、いわゆる「ネズミ講」（無限連鎖講）のことで、1978 年公布、1979 年施行の「無限連鎖講の防止に関する法律」で既に禁止されている。一方、「マルチ商法」（連鎖販売取引）は、会員が新規会員を誘い、その新規会員が更に別の会員を勧誘する連鎖により、階層組織を形成・拡大する販売形態で、「実体のある商品の受け渡しが目的」である点が異なり、違法ではないものの特定商取引法によって厳しい規制が課されてい

る。④は 2021 年 2 月に施行された「特定デジタルプラットフォームの透明性及び公正性の向上に関する法律」の内容。

**12** | 15 ①

解説 栃木県宇都宮市の宇都宮駅東口停留場から同県芳賀郡芳賀町の芳賀・高根沢工業団地停留場を結ぶ宇都宮芳賀ライトレール線のこと。

**13** | 16 ②

解説 ①は 2022 年 9 月 23 日に開業済み。③は 2030 年度末開業予定。④は 1999 年 12 月 4 日に開業済み。

**14** | 17 ①

解説 ②は「やんばる国立公園」が正しい。③は北海道 6 遺跡、合計 17 遺跡が正しい。なお、北海道洞爺湖町の入江・高砂貝塚を 1 つにまとめて表記した資料もあるが、遺跡は時代に沿って 6 つのステージ（Ⅰa〈居住地の形成〉、Ⅰb〈集落の成立〉、Ⅱa〈集落施設の多様化〉、Ⅱb〈拠点集落の出現〉、Ⅲa〈共同の祭祀場と墓地の進出〉、Ⅲb〈祭祀場と墓地の分離〉）に分類されており、入江貝塚と高砂貝塚は別のステージに属するため、登録上は「入江・高砂貝塚（入江貝塚）」（ステージⅢa）と「入江・高砂（高砂貝塚）」（ステージⅢb）に分けられている。④大森勝山遺跡（Ⅲb）は弘前市。一方、八戸市にあるのは是川石器時代遺跡（Ⅱb）。なお、三内丸山遺跡はⅡb、大湯環状列石はⅢa、亀ヶ岡石器時代遺跡はⅢb。

**15** | 18 （A）④

19 （B）③

解説 ①は 2000 年 ハノーヴァー万国博覧会（旧条約における最後の一般博）、②は 2008 年 サラゴサ国際博覧会（認定博）、⑤は 1970 年日本万国博覧会（大阪万博）（第一種一般博）、⑥は 2010 年 上海国際博覧会（登録博）のテーマ。

**16** | 20 ③

解説 薩摩切子は、鹿児島県指定の伝統的工芸品になっているものもあるが、経済産業大臣の指定は受けていない。

**1** │

☐1 (1) ① 通訳案内士の名称は全国通訳案内士となった。

☐2 (2) ② 重要な契約内容の変更の発生について故意に旅行者に告げないことは禁止されている。

☐3 (3) ④ 通訳案内士のみを手配する場合、旅行サービス手配業の登録も必要である。

**解説** 旅行サービス手配業に関する規制は、旅行の安全性を高める観点で導入されたが、全国通訳案内士又は地域通訳案内士については通訳案内士法で信用失墜行為として悪質行為などが禁止されているため旅行サービス手配業の登録は不要。

☐4 (4) ④ 有償ガイドの手配は旅行サービス手配業者のみが行うことができる。

**2** │

☐5 (1) ④ 同一の企画旅行に添乗員が複数いる場合、全員に旅程管理主任者資格が必要である。

**解説** 同一の企画旅行に添乗員が複数いる場合、最低一人有資格者が必要。

☐6 (2) ④ 旅行者が途中でツアーから離れ、その後旅行に復帰しない場合、離団以降でも旅行業約款で定められた特別補償の対象となる。

☐7 (3) ② 訪日観光団体の割引率は 20％である。

**解説** 訪日観光団体の割引率は 15％。

**3** │

☐8 (1) ③ 状況をエージェント等に報告し、対応方法についてエージェント等の指示を仰ぐ。

**解説** 通訳案内士は旅程の変更等の対応を独自判断で行うことはできない。

☐9 (2) ② 集合時間・集合場所を徹底する。

**4** │

☐10 (1) ④ エージェントへの報告は事後とし、現場で情報収集を行う。

☐11 (2) ④ JNTO 医療機関認証制度

**解説** JNTO のホームページで外国人を受け入れる医療施設は確認できるが、医療機関の認定、推奨は行っていない。

**5** │

☐12 (1) ② 31 条

**解説** 30 条は通訳案内研修に関する条項、32 条は信用又は品位を害するような行

為を禁ずる条項、33 条は必要な知識及び能力の維持向上に努める条項。

**13** (2) ③ 通訳案内士が募集型企画旅行に旅程管理者として添乗した際に著作権侵害行為を行った場合、旅行の実施主体である旅行業者に責任はある。

**解説** 旅行の実施団体も著作権侵害の責任を負う。

**14** (3) ④ 道路運送法において、旅客自動車運送事業は、一般旅客自動車運送事業と特定旅客自動車運送事業に分類される。

**解説** 特定旅客自動車運送事業は、企業や学校の通勤・通学用バス、施設の送迎バス等、特定の旅客を特定の目的地へ運送する事業をいう。

**15** (4) ① 通訳案内士が医薬品等の名称・製造方法・効能・効果等について、虚偽又は誇大な広告を口頭で説明することは禁止されている。

**解説** ③の行為は景品表示法違反、④の行為は医師法と薬機法違反。

**6**

**16** (1) ① ハラルフード

**17** (2) ② カシュルート

**18** (3) ④ バナナ

**解説** バナナは食物アレルゲンに関して、厚生労働省が表示義務等を規定している食品で表示を奨励している食品。

**7**

**19** (1) ③ オーストラリア

**解説** 選択肢の国からの旅行者の旅行支出は以下の通り。
オーストラリア：246,866 円
中国：231,504 円
ロシア：190,874 円
台湾：125,854 円

**20** (2) ① 96.1%

**解説** ②はショッピング、③は繁華街の街歩き、④は自然・景勝地観光の実施率。

# 「日本地理」解答用紙

| 解答番号 | 解答欄 |
|:---:|:---:|
| 1 | ① ② ③ ④ |
| 2 | ① ② ③ ④ |
| 3 | ① ② ③ ④ |
| 4 | ① ② ③ ④ |
| 5 | ① ② ③ ④ |
| 6 | ① ② ③ ④ |
| 7 | ① ② ③ ④ |
| 8 | ① ② ③ ④ |
| 9 | ① ② ③ ④ |
| 10 | ① ② ③ ④ |
| 11 | ① ② ③ ④ |
| 12 | ① ② ③ ④ |
| 13 | ① ② ③ ④ |
| 14 | ① ② ③ ④ |
| 15 | ① ② ③ ④ |
| 16 | ① ② ③ ④ |

| 解答番号 | 解答欄 |
|:---:|:---:|
| 17 | ① ② ③ ④ |
| 18 | ① ② ③ ④ |
| 19 | ① ② ③ ④ |
| 20 | ① ② ③ ④ |
| 21 | ① ② ③ ④ |
| 22 | ① ② ③ ④ |
| 23 | ① ② ③ ④ |
| 24 | ① ② ③ ④ |
| 25 | ① ② ③ ④ |
| 26 | ① ② ③ ④ |
| 27 | ① ② ③ ④ |
| 28 | ① ② ③ ④ |
| 29 | ① ② ③ ④ |
| 30 | ① ② ③ ④ |
| 31 | ① ② ③ ④ |
| 32 | ① ② ③ ④ |

# 「日本歴史」解答用紙

| 解答番号 | 解答欄 |
|---|---|
| 1 | ① ② ③ ④ |
| 2 | ① ② ③ ④ |
| 3 | ① ② ③ ④ |
| 4 | ① ② ③ ④ |
| 5 | ① ② ③ ④ |
| 6 | ① ② ③ ④ |
| 7 | ① ② ③ ④ |
| 8 | ① ② ③ ④ |
| 9 | ① ② ③ ④ |
| 10 | ① ② ③ ④ |
| 11 | ① ② ③ ④ |
| 12 | ① ② ③ ④ |
| 13 | ① ② ③ ④ |
| 14 | ① ② ③ ④ |
| 15 | ① ② ③ ④ |
| 16 | ① ② ③ ④ |

| 解答番号 | 解答欄 |
|---|---|
| 17 | ① ② ③ ④ |
| 18 | ① ② ③ ④ |
| 19 | ① ② ③ ④ |
| 20 | ① ② ③ ④ |
| 21 | ① ② ③ ④ |
| 22 | ① ② ③ ④ |
| 23 | ① ② ③ ④ |
| 24 | ① ② ③ ④ |
| 25 | ① ② ③ ④ |
| 26 | ① ② ③ ④ |
| 27 | ① ② ③ ④ |
| 28 | ① ② ③ ④ |
| 29 | ① ② ③ ④ |
| 30 | ① ② ③ ④ |
| 31 | ① ② ③ ④ |
| 32 | ① ② ③ ④ |

# 「一般常識」「実務」解答用紙

| 解答番号 | 解答欄 |
|:---:|:---:|
| 1 | ① ② ③ ④ |
| 2 | ① ② ③ ④ |
| 3 | ① ② ③ ④ |
| 4 | ① ② ③ ④ |
| 5 | ① ② ③ ④ |
| 6 | ① ② ③ ④ |
| 7 | ① ② ③ ④ |
| 8 | ① ② ③ ④ |
| 9 | ① ② ③ ④ |
| 10 | ① ② ③ ④ |

| 解答番号 | 解答欄 |
|:---:|:---:|
| 11 | ① ② ③ ④ |
| 12 | ① ② ③ ④ |
| 13 | ① ② ③ ④ |
| 14 | ① ② ③ ④ |
| 15 | ① ② ③ ④ |
| 16 | ① ② ③ ④ |
| 17 | ① ② ③ ④ |
| 18 | ① ② ③ ④ |
| 19 | ① ② ③ ④ |
| 20 | ① ② ③ ④ |

※解答用紙は BOOK CLUB（https://bookclub.japantimes.co.jp/book/b645723.html）
からもダウンロードできます。印刷・コピーしてお使いください。

## 著者略歴

### 江口 裕之 (えぐち・ひろゆき)

1957 年、長崎県生まれ。CEL 英語ソリューションズ最高教育責任者、通訳案内士 (英語)、日本文化研究家。国立北九州高専化学工学科卒業後、プロのミュージシャンとして全国で演奏活動を展開。その後、通訳・翻訳家および通訳案内士として活躍。2001 年 1 月、東京に英語学校の CEL 英語ソリューションズを設立。2009 ～ 13 年、NHK E テレ語学番組「トラッドジャパン」講師。2017 年 4 ～ 6 月 NHK ラジオ語学番組「短期集中！3 か月英会話：めざせ！ スポーツボランティア」講師。

著書に『英語で語る日本事情 2020』(共著、The Japan Times)、『トラッドジャパンのこころ』(共著、NHK 出版)、『日本まるごと紹介事典』(J リサーチ出版) などがある。

### 佐治 博 (さじ・ひろし)

1968 年、愛知県生まれ。全国通訳案内士 (英語)。青山学院大学法学部卒業後、大手精密機器メーカーにて知的財産権に関する国際ライセンスを担当。アメリカにおける特許侵害訴訟、国際的著名企業とのライセンス契約事案及び M&A 事案を多数経験。2007 年から浅草を中心にガイド活動を開始し、2019 年、長年の観光への貢献に対して、台東区長より感謝状を授与される。2024 年、JNTO より優良善意通訳表彰を授与される。2013 年から CEL 英語ソリューションズで講師を務める。

**全国通訳案内士試験**
**地理・歴史・一般常識・実務 パーフェクト対策 新装改訂版**

2024 年 6 月 5 日　初版発行

| | |
|---|---|
| 著者 | 江口裕之、佐治博 |
| | © Hiroyuki Eguchi, Hiroshi Saji, 2024 |
| 発行者 | 伊藤秀樹 |
| 発行所 | 株式会社 ジャパンタイムズ出版 |
| | 〒102-0082 東京都千代田区一番町 2-2 一番町第二 TG ビル 2F |
| | ウェブサイト https://jtpublishing.co.jp/ |
| 印刷所 | 日経印刷株式会社 |

本書の内容に関するお問い合わせは、上記ウェブサイトまたは郵便でお受けいたします。
定価はカバーに表示してあります。
万一、乱丁落丁のある場合は、送料当社負担でお取り替えいたします。
（株）ジャパンタイムズ出版・出版営業部あてにお送りください。

Printed in Japan　ISBN978-4-7890-1884-5

本書のご感想をお寄せください。
https://jtpublishing.co.jp/contact/comment/